2

PASSAPORTE PARA PORTUGUÊS

Livro do Aluno

Nível B1

Robert Kuzka / José Pascoal

A **Lidel** adquiriu este estatuto através da assinatura de um protocolo com o **Camões - Instituto da Cooperação e da Língua,** que visa destacar um conjunto de entidades que contribuem para a promoção internacional da língua portuguesa.

Edição e Distribuição
Lidel – Edições Técnicas, Lda.
Rua D. Estefânia, 183, r/c Dto. – 1049-057 Lisboa
Tel.: +351 213 511 448
lidel@lidel.pt
Projetos de edição: editoriais@lidel.pt
www.lidel.pt

Livraria
Av. Praia da Vitória, 14 A – 1000-247 Lisboa
Tel.: +351 213 511 448
livraria@lidel.pt

ISBN edição impressa: 978-989-752-192-8
1.ª edição impressa: novembro 2016
Reimpressão de julho 2019

Conceção de *layout* e paginação: Pedro Santos
Impressão e acabamento: Cafilesa – Soluções Gráficas, Lda. – Venda do Pinheiro
Depósito Legal: 416279/16

Capa: Tiago Veras
Imagem da capa: © Tiago Veras

Ilustrações: Re-searcher / Júlio Vanzeler

Imagens: www.alamy.com; www.fotolia.com; www.istockphoto.com; www.shutterstock.com; www.stocksy.com; Tomo Kosuga (página 108); Público (páginas 113 e 136); Paula Rego (página 125); Robert Kuzka

Faixas Áudio
Vozes: Ana Vieira, Anna Plucińska, Bárbara Lourenço, Carlos Macedo, Giulia Soffiantini, Jieling Liu, José Alves, Luís Miguel N. Filipe e Robert Kuzka
Execução Técnica: Emanuel Lima

Todos os nossos livros passam por um rigoroso controlo de qualidade, no entanto, aconselhamos a consulta periódica do nosso *site* (www.lidel.pt) para fazer o *download* de eventuais correções.

INTRODUÇÃO

Passaporte para Português 2 (nível B1) é um manual de Português Língua Estrangeira destinado a adultos e adolescentes que querem desenvolver e aprofundar a competência de comunicação em português iniciando a sua aprendizagem no nível B1. Composto por Livro do Aluno, Caderno de Exercícios e Livro do Professor, este manual é a segunda parte do método, iniciado em 2014 com a publicação do *Passaporte para Português 1* (níveis A1/A2). *Passaporte para Português 2*, apesar dos pequenos ajustes feitos e de algumas alterações introduzidas, mantém-se fiel aos princípios metodológicos e estruturais do seu antecessor.

O Livro do Aluno contém os materiais necessários à execução de todas as fases das aulas: do **pré-ensino**, com a introdução do vocabulário e das estruturas novas, ao desenvolvimento de competências na **compreensão na leitura**, na **compreensão do oral** e na **produção e interação orais e escritas**. Uma das novidades desta parte do método é a secção dedicada à **formação de palavras**, que partilha o espaço com a secção da **pronúncia**. Outra novidade é a secção dedicada exclusivamente à **produção escrita**.

O Caderno de Exercícios, elaborado para uso do aluno principalmente fora do contexto da sala de aula, fomenta a autoaprendizagem e a autonomia do aluno. Contém as listas de vocabulário que o aluno deve adquirir em cada unidade, as soluções para todos os exercícios e um glossário em quatro línguas: inglês, espanhol, francês e mandarim.

O Livro do Professor, além de propor os procedimentos a executar na sala de aula, pode ser entendido igualmente como um curso de formação em ensino, uma ferramenta que pode ser útil para quem não tem preparação pedagógica para o ensino de línguas, e do português em particular, apesar de poder ter alguma experiência.

Tivemos a preocupação de criar um manual sério mas divertido, diversificado mas rigoroso, que acompanha as mais recentes tendências mundiais relativas ao ensino de línguas estrangeiras. Os conteúdos, como aconteceu no *Passaporte para Português 1*, espelham os usos reais do português e permitem que os aprendentes conciliem o desenvolvimento das competências em língua com o conhecimento do mundo através da vivência de novas experiências socioculturais. Preocupámo-nos igualmente em dotar o método de todos os elementos necessários à sua articulação coerente com os pressupostos que estiveram na sua conceção: o Quadro Europeu Comum de Referência para as Línguas do Conselho da Europa (QECR) e as descrições disponíveis para o português. Todos os elementos do manual são cruciais para construir a competência de comunicação que permitirá aos alunos, parte ativa neste processo, desenvolver a sua independência no uso de português.

Sobre os autores:

Robert Kuzka é formado em Língua e Cultura Portuguesa e desenvolve a sua atividade profissional nas áreas de docência e avaliação de Português como Língua Estrangeira. Atualmente, é colaborador da Faculdade de Letras da Universidade de Lisboa, no ICLP (Instituto de Cultura e Língua Portuguesa), no CLi (Centro de Línguas) e no CAPLE (Centro de Avaliação de Português Língua Estrangeira).

José Pascoal desenvolve a sua atividade profissional na FLUL: leciona no DLGR, participa em vários projetos de investigação e é membro da direção do CAPLE. É coautor de programas e referenciais para o ensino e avaliação do português e também de materiais para avaliação editados pela Lidel (coleção EPFOL, séries SEIA e CAPLE-UL). Participou na padronização de referências escritas e orais para o italiano, o inglês e o francês. É associado da ALTE, onde é membro eleito do Conselho Permanente e coordenador do grupo de trabalho Jovens Aprendentes.

VOCABULÁRIO	PRONÚNCIA/FORMAÇÃO DE PALAVRAS	GRAMÁTICA
Caracterização pessoal / Rotinas diárias	Alfabeto / Vogais orais	Revisão da expressão do presente e do futuro (Presente do Indicativo, **estar a** + Infinitivo e **ir** + Infinitivo) / Revisão do Imperativo / Verbos com irregularidades
Conhecimento de línguas / O passado, o presente e o futuro	Sufixo nominal **-ante**	Revisão da expressão do passado (o P.P.S. e o Pretérito Imperfeito do Indicativo)
Amizade / Contactos entre pessoas	Vogais orais / Vogais nasais / Sibilantes	Verbos com irregularidades / Pronomes relativos invariáveis / Uso de **mesmo** / **Um** + preposição + **o outro**
Problemas do dia a dia / Estilos de vida	Sufixo nominal **-idade**	Expressão de cortesia e de condição com o Pretérito Imperfeito do Indicativo
Aeroporto / Viagem de avião		
Informação pessoal		
Família / Tarefas domésticas	Vogais nasais / Sons [ɾ] e [ʀ]	Uso de **demais** e **demasiado** / Infinitivo Impessoal
Internet e máquinas (computadores, telemóveis, impressoras, etc.)	Sufixo nominal **-ador**	Infinitivo Pessoal (com **ser** + adjetivo e com preposições)
Profissões / Mundo laboral	Acento	Uso de **próprio** / Infinitivo Pessoal (com locuções prepositivas) / / Diferença entre Infinitivo Impessoal e Pessoal
Material de escritório / Disciplinas escolares / Vida universitária / Avisos públicos	Sufixo nominal **-ão**	P.P.S. vs. Imperfeito (revisão) / **Haver de** + Infinitivo / Particípio Passado
Máquinas		
Informação pessoal		
Mundo laboral	Acento	Pretérito Perfeito Composto do Indicativo
Viagem de carro / Transporte rodoviário / / Veículos	Nomes terminados em **-a/-o**	**Dar** e **ficar** com preposições / Diminutivo
Praia / Atividades turísticas / Hotéis	Letra **x** / Letra **e** em posição inicial	Pretérito Mais-que-Perfeito Composto do Indicativo
Os sentidos / Vida urbana	Prefixos **in-** e **im-**	Colocação do pronome com tempos compostos / Expressão de causa
Orientação na cidade		
Biografia / Experiência profissional		
Cidade / Vida urbana / Arquitetura / / Dimensões	Formas verbais / Acento / Som [ɐ]	Futuro Simples do Indicativo
Cultura portuguesa / Números	Sufixo nominal **-eza**	Expressão de dúvida ou incerteza com o Futuro Simples do Indicativo / / Ordinais 11-20 / Frações
Materiais / Objetos / Invenções	Formas verbais	Verbos com irregularidades / Voz Passiva de ação (com **ser**)
Crime	Sufixo nominal **-ista**	Voz Passiva de estado (com **estar**) / Particípio Passado irregular / / **Enquanto** / **Estar** (no Imperfeito) **a** + Infinitivo
Aluguer de automóveis		
Viagens		

VOCABULÁRIO	PRONÚNCIA/FORMAÇÃO DE PALAVRAS	GRAMÁTICA
Previsão do tempo / Clima / Fenómenos naturais	Ligações vocálicas	Conjunções temporais / Voz Passiva dos tempos compostos / Particípio Passado duplo
Alimentos / Pratos / Gastronomia	Sufixo nominal **-ura**	Partícula apassivante **se** / Uso de **ao** + Infinitivo / Superlativo + **possível**
Animais domésticos e de estimação / / Adjetivos de personalidade / Gostos e hábitos	Hiatos e ditongos	Gerúndio / Uso de **tanto** / Uso de **tal**
Animais selvagens / Proteção da natureza / Ambiente	Prefixo **des-**	Pronome relativo variável **cujo** / Pronome relativo variável **o qual** / / Uso de **cada**
Passes e bilhetes / Transportes		
Vida urbana / Cidades		
Arte / Museus / Experiências culturais / / Verbos de movimento	Palavras parónimas	Condicional
Livros	Sufixo nominal **-ança/-ença**	Contração pronominal
Filmes / Cinema	Letra **e**	Discurso indireto
Televisão / Imprensa	Sufixo nominal **-agem**	Uso de **a** + Infinitivo
Saúde / Marcação de consultas		
Filmes / Cinema		
Saúde / Sintomas de doença / Tratamentos e procedimentos médicos	Ditongos	**Ir** e **vir** como auxiliares / Discurso indireto (Imperativo) / Expressões com **fazer**
Modalidades desportivas / Atividade física / Verbos de movimento	Sufixo nominal **-mento**	Frases enfáticas
Português do Brasil / Organização de vida / Aluguer de uma casa	Palavras homónimas e parónimas	Presente do Conjuntivo
Superstições / Diferenças culturais / Atos de fala	Sufixo nominal **-ância/-ência**	Uso de **talvez** e **embora** com o Presente do Conjuntivo / Expressões com **dar**
Atividade física / Ginásio		
Vida no estrangeiro		

UNIDADE 1 FALA-ME DE TI!

COMUNICAÇÃO	VOCABULÁRIO	PRONÚNCIA	GRAMÁTICA
fazer perguntas, falar sobre si e sobre as rotinas diárias, perceber instruções na sala de aula	caracterização pessoal, rotinas diárias	alfabeto, vogais orais	revisão do presente e do futuro, revisão do imperativo, verbos com irregularidades

VAMOS CONHECER-NOS!

A. Vai conhecer os seus colegas. Faça-lhes perguntas para completar a tabela abaixo, como, por exemplo: *Gostas de comida picante? Fazes anos em (...)?*, **etc. Peça mais informações se a resposta for afirmativa.**

Quem é que...	Nome	Mais informações
... gosta de comida picante?		
... faz anos no mesmo mês que você?		
... está a aprender uma língua além do português?		
... tem um animal de estimação em casa?		
... vai fazer uma viagem a outro continente em breve?		
... sabe tocar um instrumento musical?		
... é alérgico a alguma coisa?		

B. Complete as perguntas abaixo com os verbos da caixa na forma correta.

ir ser ter falar ~~morar~~ gostar costumar ficar

1. Onde é que *moras*?
2. De que tipo de música ________?
3. O que é que ________ fazer aos sábados à noite?
4. Como é que ________ passar o próximo fim de semana?
5. Qual ________ a tua profissão?
6. Que línguas ________?
7. Onde ________ a tua cidade natal?
8. ________ irmãos?

C. Faça as perguntas do exercício B ao seu colega.

Onde é que moras?

Agora, moro em Lisboa.

D. Complete as perguntas abaixo com as palavras da caixa. A seguir, faça estas perguntas ao seu colega.

quem / ~~quantos~~ / quando / a que / porque / em que / de que / há quanto / que / qual

1. *Quantos* dias por semana tens aulas de português?
2. ______ tempo aprendes português?
3. ______ artistas portugueses conheces?
4. ______ horas acaba esta aula?
5. ______ é o teu melhor amigo?
6. ______ é que vais ter férias?
7. ______ é a tua cidade preferida?
8. ______ é que estás a aprender português?
9. ______ cor é a bandeira do teu país?
10. ______ dias tens aulas de português?

VÁ À GRAMÁTICA NA PÁGINA 24 E FAÇA OS EXERCÍCIOS A E B.

COTOVIA OU CORUJA?

E. Olhe para as fotografias das duas aves abaixo, uma cotovia e uma coruja. Sabe como se chamam na sua língua? Sabe que hábitos têm? Há cotovias e corujas no seu país?

F. Leia o texto. Sabe o que significam as palavras destacadas? Consulte o glossário ou pergunte ao seu colega.

Alguns de nós não se importam de se levantar de **madrugada** e são mais ativos antes do meio-dia. São cotovias. Outros têm sempre problemas em acordar e preferem fazer coisas importantes à tarde ou à noite. São corujas. A maioria das pessoas tem um pouco de ambos. Leia a informação abaixo para descobrir quanto de coruja e de cotovia há dentro de si. Sublinhe todas as frases que são verdadeiras para si. Compare as suas respostas com as do seu colega.

COTOVIA

- De manhã, não precisa de um despertador para acordar **a horas**.
- Detesta estar com pressa de manhã. Prefere acordar cedo para tomar o pequeno-almoço com **calma**.
- A sua refeição preferida é o pequeno-almoço.
- Acorda **bem-disposto**. É muito falador de manhã.
- Gosta de fazer exercício de manhã.
- Quando viaja, sofre muito de *jet lag*.
- À noite, está com sono.
- Adormece rápido.
- Não consegue passar toda a noite sem dormir.

CORUJA

- Precisa de muitos despertadores para acordar de manhã.
- Acorda tarde e não tem tempo para tomar o pequeno-almoço. Toma um café na rua.
- A sua refeição preferida é o jantar.
- De manhã, pode estar com muito mau **humor**.
- Gosta de fazer exercício à tarde ou à noite.
- Quando viaja, não **sofre** muito de *jet lag*.
- À noite, está cheio de **energia**.
- Pode ter problemas de sono.
- Às vezes, não consegue adormecer.
- **Aguenta** bem **noitadas**.

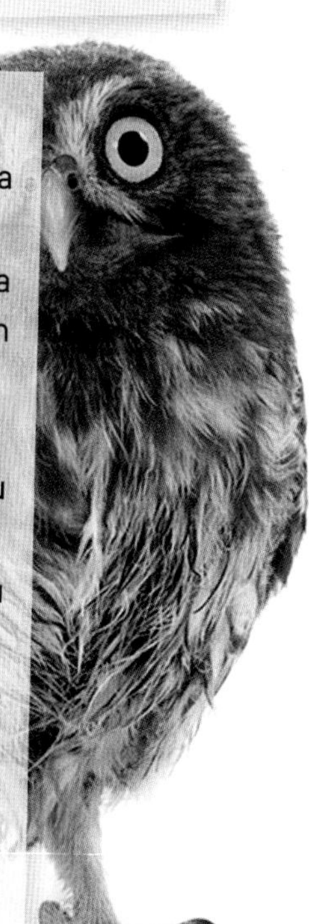

G. Leia as dicas abaixo. Quais é que acha mais úteis para si? Fale sobre isto com o seu colega.

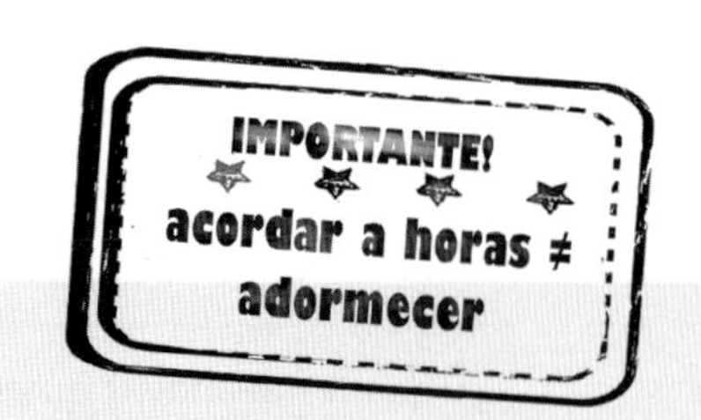

SE VOCÊ É CORUJA...

- ... durma com as cortinas abertas e num quarto com sol a entrar pela janela de manhã. Vai acordar mais facilmente.
- ... saia de casa logo depois de acordar. Tome o pequeno-almoço completo (e não só o café) numa pastelaria.

SE VOCÊ É COTOVIA...

- ... feche as cortinas antes de ir para a cama. Durma num quarto sem sol a entrar pela janela de manhã. Assim, não vai acordar antes da hora.
- ... faça um passeio a pé antes do jantar. Vai ter mais energia à noite.

VÁ À GRAMÁTICA NA PÁGINA 24 E FAÇA O EXERCÍCIO C.

H. Faça a correspondência entre as colunas. A seguir, faça a correspondência com as fotografias.

3	escovar	a camisa
☐	pentear	o cabelo
☐	fazer	duche
☐	tomar	a barba
☐	tomar	os dentes
☐	vestir	o pequeno-almoço

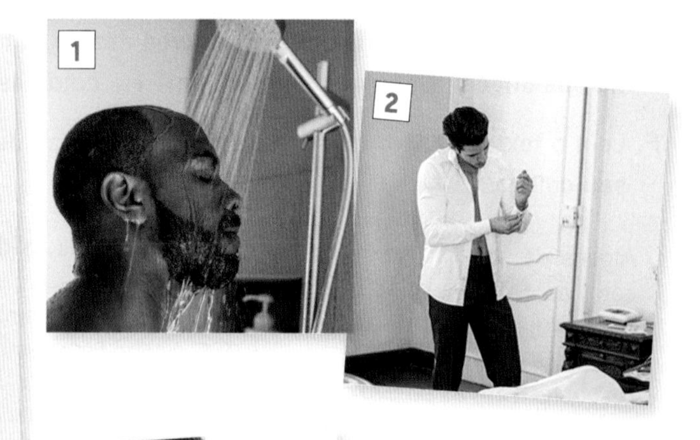

I. Escreva abaixo as suas rotinas matinais pela ordem em que as faz habitualmente. Compare a sua ordem com a do seu colega. Há diferenças?

1. ______________________________
2. ______________________________
3. ______________________________
4. ______________________________
5. ______________________________
6. ______________________________

INSTRUÇÕES NA SALA DE AULA

J. Escreva as palavras da caixa ao lado dos termos gramaticais correspondentes.

lhes bonito tem com ~~cidade~~ você mal grande sobre manhã uma aprender os facilmente

1. nome cidade e ______
2. verbo ______ e ______
3. artigo ______ e ______
4. adjetivo ______ e ______
5. pronome ______ e ______
6. preposição ______ e ______
7. advérbio ______ e ______

K. Faça a correspondência entre as instruções do professor e as imagens.

2 Assinale! ☐ Complete! ☐ Reformule! ☐ Escreva!

☐ Sublinhe! ☐ Corrija! ☐ Ordene! ☐ Faça a correspondência!

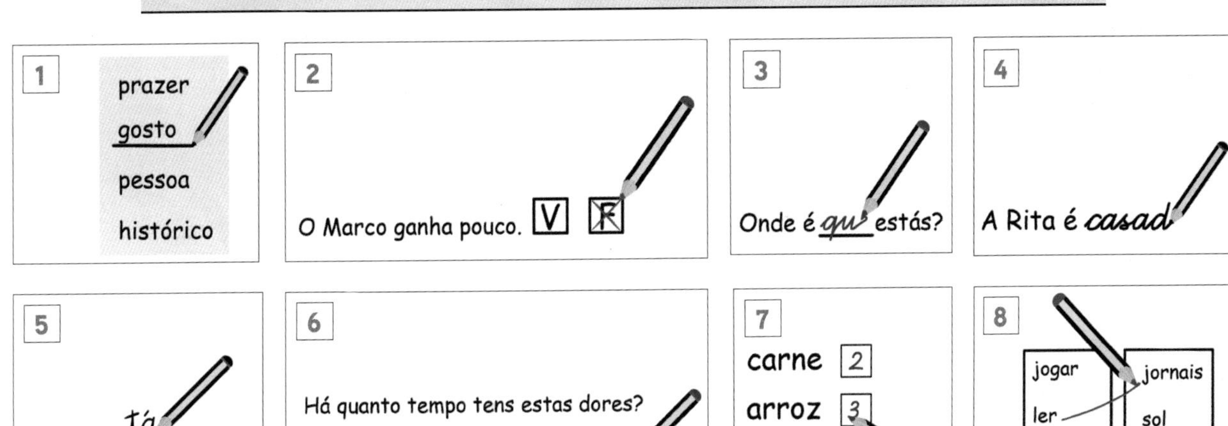

PRONÚNCIA

A2 * **A.** Complete as sequências de letras. Ouça para confirmar.

1. A B _ D
2. G _ I J
3. K _ M N
4. O P _ R
5. S T U _
6. W _ Y Z

A2 **B.** Ouça e escreva as letras.

1. _ _ _ _ _ _
2. _ _ _ _ _ _
3. _ _ _ _ _ _
4. _ _ _ _ _ _

A2 **C.** Ouça e repita as vogais orais do português.

1. a [a] ____
2. a [ɐ] ____
3. e [ɛ] ____
4. e [e] ____
5. e [ɨ] ____
6. i [i] ____
7. o [ɔ] ____
8. o [o] ____
9. u [u] ____

A2 **D.** Escreva as palavras da caixa ao lado da vogal certa acima. Ouça para confirmar.

pôr ir de já mas no pé ter sol

* Ficheiros áudio disponíveis em www.lidel.pt, até o livro se esgotar ou ser publicada nova edição atualizada ou com alterações

UNIDADE 2

TEMOS ALGO EM COMUM!

COMUNICAÇÃO	VOCABULÁRIO	FORMAÇÃO DE PALAVRAS	GRAMÁTICA
falar sobre o conhecimento de línguas, falar sobre o passado, o presente e o futuro	conhecimento de línguas, o passado, o presente e o futuro	sufixo nominal **-ante**	revisão da expressão do passado (o p.p.s. e o pretérito imperfeito do indicativo)

TENHO ORGULHO EM SER DE ORIGEM PORTUGUESA

A. Veja as fotografias de pessoas famosas. O que é que todas elas podem ter em comum?

Monica Bellucci
Atriz italiana

Ricky Martin
Cantor porto-riquenho

Sílvia
Rainha da Suécia

Salma Hayek
Atriz mexicana

Manu Chao
Músico francês

Nelly Furtado
Cantora canadiana

Shakira
Cantora colombiana

Julio Iglesias
Cantor espanhol

A3 B. Ouça três textos que explicam como e por que razão três das pessoas das fotografias falam português. A quem se referem os textos? Escreva o nome certo abaixo.

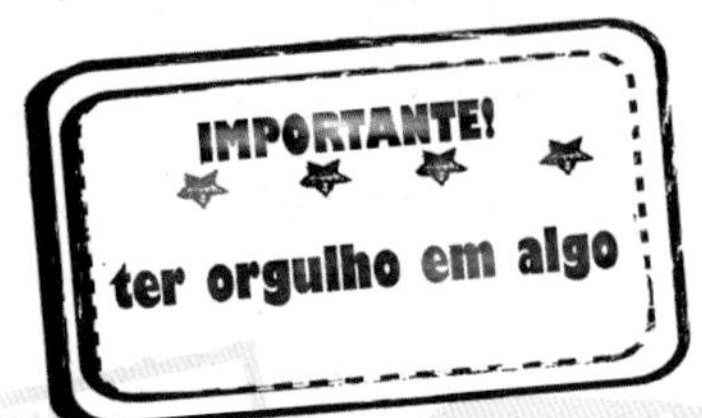

Texto 1 ______________________

Texto 2 ______________________

Texto 3 ______________________

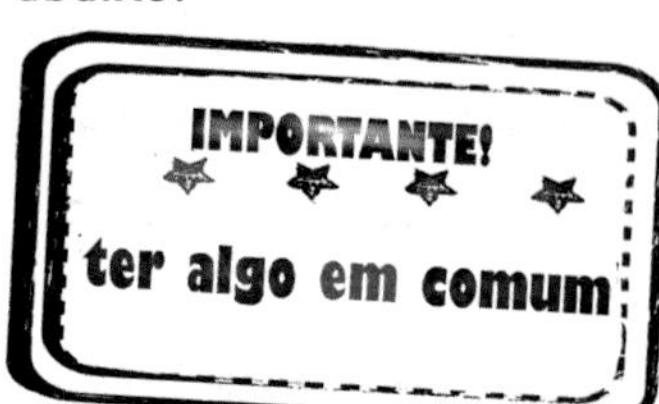

C. **Responda às perguntas sobre os textos que ouviu. A seguir, confirme as suas respostas na página 190.**

Lembra-se de quem...

1. ... fala português com um sotaque bastante forte? ____________
2. ... fala português fluentemente? ____________
3. ... compreende português muito melhor do que fala? ____________
4. ... fala português como os falantes nativos? ____________

D. E você? Fala alguma língua estrangeira como um falante nativo? Compreende alguma língua melhor do que fala? Que línguas fala fluentemente? Fala alguma língua com um sotaque bastante forte? Fale sobre estas questões com o seu colega.

O MELHOR DAS VIAGENS É O REGRESSO A CASA!

E. Leia os textos A-F em que a cantora de fado Mariza e o jogador de futebol Cristiano Ronaldo falam sobre as suas vidas e as suas carreiras. As frases abaixo foram retiradas dos textos. Escreva-as no espaço certo.

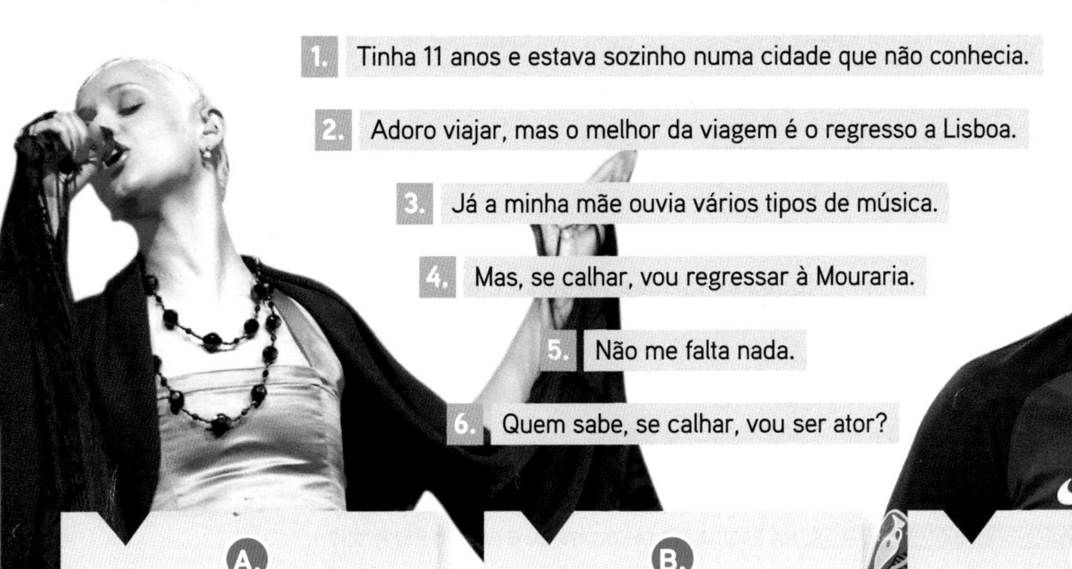

1. Tinha 11 anos e estava sozinho numa cidade que não conhecia.
2. Adoro viajar, mas o melhor da viagem é o regresso a Lisboa.
3. Já a minha mãe ouvia vários tipos de música.
4. Mas, se calhar, vou regressar à Mouraria.
5. Não me falta nada.
6. Quem sabe, se calhar, vou ser ator?

A.

Mariza: ____2____________________.

A primeira coisa que faço depois de sair do avião é pedir à minha mãe para ir ao mercado comprar peixe fresco. Adoro peixe português, adoro pastéis de nata, adoro vinho tinto... Mas não abuso!

B.

Mariza: Não sei como vai ser a minha vida daqui a uns anos. Acho que vou continuar a viajar, a dar concertos, a gravar álbuns... ____3____________________.

Comecei a minha carreira numa tasca num bairro típico de Lisboa, posso voltar para lá. Não me importo nada!

C.

Mariza: Nasci em Moçambique. Quando era criança, os meus pais mudaram-se para Lisboa. O meu pai abriu um restaurante no bairro da Mouraria e eu comecei a cantar à noite no restaurante dele. Ele gostava muito de fado. ____3____________________.

D.

Cristiano Ronaldo: A minha vinda para Lisboa foi o pior momento da minha vida. Deixei a minha casa, a minha família e os meus amigos na Madeira e vim viver para o continente. ______________________________. Foi uma experiência muito dura.

E.

Cristiano Ronaldo: Tenho muitos sonhos e muitos planos para o futuro. Sei que um dia vou deixar de ser jogador. A minha vida vai ter que mudar. O que vou fazer? Não sei. ______________________________. Não sei se vou ser bom nisso, mas posso tentar!

F.

Cristiano Ronaldo: Neste momento da minha vida, sinto-me muito feliz. ______________________________. Tenho amigos. Tenho família. Tenho um filho maravilhoso. A minha vida profissional também está a correr muito bem. Não me posso queixar de nada!

F. Encontre, nos textos do exercício E, as palavras com o significado oposto às listadas abaixo.

1. adulto *criança*
2. fácil ________
3. horrível ________
4. passado ________
5. partida ________
6. congelado ________

G. Dois dos textos do exercício E falam do passado, dois falam do presente e dois falam do futuro. Quais são? Escreva as letras nos espaços.

passado: ___ e ___ presente: ___ e ___ futuro: ___ e ___

H. Sublinhe, nos textos do exercício E, todas as formas verbais do passado. Que tempos verbais são? Sabe qual é a diferença entre eles?

IMPORTANTE!
queixar-se de algo

VÁ À GRAMÁTICA NA PÁGINA 25 E FAÇA OS EXERCÍCIOS A E B.

VÁ ÀS ATIVIDADES DE COMUNICAÇÃO NA PÁGINA 168 (A) OU 176 (B) E FAÇA O EXERCÍCIO 1.

I. Escreva três parágrafos que contam como foi, como é e como pensa que vai ser a sua vida. Um parágrafo deve ser sobre o seu passado, um sobre o seu presente e outro sobre o seu futuro.

É PRECISO TER VISTO?

A4 **J.** A Jieling e o Rodrigo são amigos virtuais que, de vez em quando, falam através do *Skype*. Ouça a conversa. O que é que a Jieling tem de fazer antes de vir a Portugal? Sublinhe.

1. fazer a reserva do hotel
2. comprar o bilhete de avião
3. pedir um visto

K. **Leia o pedido de visto que a Jieling preencheu. Complete-o com as palavras da caixa abaixo.**

residência   duração   cônjuge   familiares   válido   emissão   correio

PEDIDO DE VISTO					
Apelido(s):	Yang	________[4] num país diferente do país da nacionalidade:			☐ sim
Nome(s):	Jieling				☑ não
Data de nascimento:	14.07.1987	Objetivo da viagem:	☐ turismo		☐ estudo
Local de nascimento:	Harbin		☐ profissional		
Nacionalidade:	chinesa		☑ visita a ________[5] ou amigos		
Morada:	95 Yong An Road, Pequim	________[6] da estadia:	2 semanas	Número de entradas:	1
________[1] eletrónico:	yajieling@gmail.com				
Sexo:	☑ feminino ☐ masculino	Vai viajar com familiares?	☐ sim	Com quem?	☐ ________[7]
Número de passaporte:	G47389878				☐ filho
Data de ________[2]:	26.01.2011				☐ neto
________[3] até:	25.01.2021		☑ não		☐ outro

L. **Leia o pedido da Jieling outra vez e responda às perguntas.**

1. Onde é que a Jieling nasceu?
2. Onde é que a Jieling mora?
3. Quando é que a Jieling recebeu o passaporte?
4. Quanto tempo é que a Jieling quer ficar em Portugal?
5. Com quem é que a Jieling vai viajar?

M. **Você precisa de visto para entrar em Portugal? Há muitos países em que pode entrar sem visto? Quais? Há países em que pode entrar sem passaporte? Quais? Faça estas perguntas ao seu colega.**

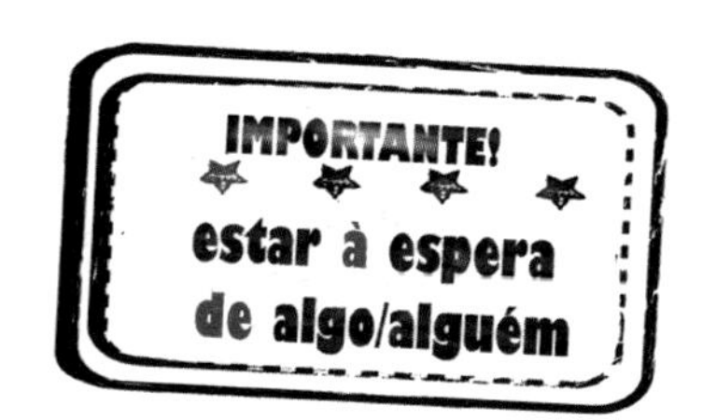

FORMAÇÃO DE PALAVRAS

A. **Os nomes que designam o que as pessoas fazem podem ser formados acrescentando o sufixo *-ante* à raiz do verbo: *falar – falante*. Escreva as palavras em falta abaixo.**

1. falar — falante
2. estudar — ________
3. ________ — visitante
4. ajudar — ________
5. ________ — viajante
6. emigrar — ________

B. **Complete as frases com algumas das palavras do exercício A na forma correta.**

1. A Ana e o Rui são estudantes de Direito.
2. O Pedro trabalha como ________ de cozinha.
3. Os pais da Nelly Furtado são ________ açorianos.
4. A Inês não gosta de ________ de avião.
5. O nosso museu tem 200 ________ por dia.
6. O André ________ francês fluentemente.

SOU AMIGO DO MEU AMIGO

COMUNICAÇÃO	VOCABULÁRIO	PRONÚNCIA	GRAMÁTICA
caracterizar pessoas, falar sobre amizades, definir palavras	amizade, contactos entre pessoas	vogais orais, vogais nasais, sibilantes	verbos com irregularidades, pronomes relativos invariáveis, **mesmo**, **um (...) o outro**

QUEM É O TEU MELHOR AMIGO?

A. Leia as frases sobre a amizade. Escolha aquela de que gosta mais ou que acha mais verdadeira. Fale sobre isto com o seu colega.

1. Um amigo é uma pessoa que entra quando todos os outros saem.
2. Não podes ser feliz num lugar onde não tens amigos.
3. Um amigo é uma pessoa que sabe tudo sobre ti e gosta de ti na mesma.
4. Um amigo é alguém a quem podes contar tudo.

B. Olhe para as fotografias e leia as frases. Tente adivinhar quem é o melhor amigo de quem. Complete as frases abaixo com as letras.

1. ____ é o/a melhor amigo/a de ____. 2. ____ é o/a melhor amigo/a de ____. 3. ____ é o/a melhor amigo/a de ____.

A. Às vezes, não fala a sério.

____

B. Aceita críticas sem problemas.

____

C. Gosta de pessoas com sentido de humor.

____

D. Sabe ouvir.

____

E. É sempre sincero.

____

F. Quando está em baixo, precisa de falar com alguém.

____

C. Qual das frases do exercício B tem mais a ver consigo? Com qual delas se identifica mais? Fale sobre isto com o seu colega.

D. Leia as entrevistas em que o David, a Daniela e o Sérgio falam sobre a amizade. Confirme as suas respostas no exercício B escrevendo os nomes certos junto às fotografias.

Entrevistador: Quem é o seu melhor amigo ou amiga? Como é que se conheceram?

David: A minha melhor amiga chama-se Maria Elena. É pintora. Conhecemo-nos através de uma colega e decidimos trabalhar juntos. Eu sou dono de uma galeria de arte e comecei a fazer as exposições dos quadros dela. Depois, ficámos amigos.

Entrevistador: Porque é que se dão tão bem? Ela é muito mais velha do que você, não é?

David: É, é. Ela tem a idade da minha mãe. Mas somos bastante parecidos. Gostamos das mesmas coisas. Temos os mesmos interesses. Eu sou a primeira pessoa a quem a Maria Elena mostra os quadros. Ela sabe que eu nunca minto. Odeio mentir. Odeio mesmo. Quando não gosto de um quadro, não tenho problemas em dizer isso. Felizmente, a Maria Elena é uma artista que não tem medo de ouvir a verdade.

Entrevistador: Quem é o seu melhor amigo ou amiga? Como é que se conheceram?

Daniela: A minha melhor amiga chama-se Sónia. Quando éramos crianças, a Sónia era amiga da minha irmã. Vinha muitas vezes a casa dos nossos pais. Com o tempo, a Sónia descobriu que ela e a minha irmã eram muito diferentes e que tinha muito mais em comum comigo. Ficámos muito amigas e continuamos assim.

Entrevistador: Porque é que se dão tão bem?

Daniela: Gosto da Sónia porque posso contar-lhe todos os meus segredos. Ela sabe tudo sobre mim. Partilho com ela todos os meus momentos bons e maus. É uma amiga em quem posso confiar. Sei que quando estou em baixo posso telefonar-lhe mesmo às três da manhã. Ela vai atender e não vai ficar zangada comigo. Posso sempre contar com ela. É mesmo querida.

Entrevistador: Quem é o seu melhor amigo ou amiga? Como é que se conheceram?

Sérgio: O meu melhor amigo chama-se Gustavo. Conheci-o na praia onde passava as férias de verão com os meus pais. Éramos ainda crianças naquela altura.

Entrevistador: Já lá vão alguns anos então?

Sérgio: Pois vão. São muitos anos de amizade. Hoje já somos adultos, temos famílias, mas continuamos amigos e conseguimos encontrar tempo para sair e tomar um copo. Gosto muito da companhia dele. Damo-nos bem porque ele gosta do meu sentido de humor. Rimos muito quando estamos juntos. O Gustavo é uma pessoa muito simpática e divertida.

Entrevistador: Não tem defeitos?

Sérgio: Claro que tem. E não são poucos. Mas não faz mal. Ninguém é perfeito. Com exceção de mim, claro!

E. Sabe o que significam as palavras/expressões destacadas nos textos acima? Consulte o glossário ou pergunte ao seu colega.

F. Copie dos textos do exercício D as frases compostas pelos pares de frases abaixo. Sublinhe as palavras que ligam as frases. Sabe como se chamam estas palavras?

1. A Maria Elena é uma artista. Ela não tem medo de ouvir a verdade.

   ____

2. A Sónia é uma amiga. Posso confiar nela.

   ____

3. Conheci-o na praia. Passava lá as férias de verão com os meus pais.

   ____

VÁ À GRAMÁTICA NA PÁGINA 26 E FAÇA O EXERCÍCIO B.

G. Complete as definições com *que*, *quem* ou *onde* e as palavras da caixa.

café açorda caneta floresta farmácia Grécia médico polícia ~~professor~~ Irlanda

1. Um *professor* é uma pessoa *que* trabalha numa escola.
2. A ________ é uma ilha ________ fica a oeste da Grã-Bretanha.
3. A ________ é um prato ________ tem pão e azeite.
4. Um ________ é uma pessoa com ________ falamos quando estamos doentes.
5. A ________ é um país ________ tem muitas ilhas.
6. O ________ é uma bebida ________ tomamos depois de uma refeição.
7. A ________ é um lugar ________ há muitas árvores.
8. A ________ é um objeto com ________ escrevemos.
9. Um ________ é uma pessoa a ________ pedimos ajuda quando nos perdemos na cidade.
10. A ________ é uma loja ________ podemos comprar medicamentos.

VÁ ÀS ATIVIDADES DE COMUNICAÇÃO NA PÁGINA 168 (A) OU 176 (B) E FAÇA O EXERCÍCIO 2.

H. Trabalhe em pares. Fale com o seu colega sobre cada um dos temas apresentados abaixo.

1. Um objeto que é muito importante para ti.
2. A pessoa com quem falas mais tempo ao telefone.
3. Um lugar onde te sentes feliz.

A pessoa com quem falo mais tempo ao telefone é a minha mãe. Telefono-lhe sempre que...

I. Leia as frases abaixo e sublinhe aquelas em que a palavra em itálico pode significar *muito*.

1. Temos os *mesmos* interesses.
2. Odeio-o *mesmo*.
3. Gosto de ti na *mesma*.
4. Ela é *mesmo* querida.
5. Vamos comer o *mesmo*.
6. Tudo está na *mesma*.

VÁ À GRAMÁTICA NA PÁGINA 26 E FAÇA O EXERCÍCIO C.

A5 J. A jornalista que entrevistou o David, a Daniela e o Sérgio voltou a falar com eles dois anos depois. Ouça as entrevistas. Qual das amizades continua?

A5 K. Ouça as entrevistas mais uma vez. As frases abaixo são verdadeiras (V) ou falsas (F)? Assinale.

1. A Maria Elena teve um filho. V F
2. O David foi viver para outra parte de Portugal. V F
3. A Daniela deixou de falar com a Sónia. V F
4. A Daniela e a Sónia discutiram algumas vezes. V F
5. Quase nada mudou na vida do Gustavo. V F
6. O Sérgio é um bom amigo. V F

 VÁ À GRAMÁTICA NA PÁGINA 26 E FAÇA O EXERCÍCIO D.

L. Faça a correspondência entre as colunas.

1. ajudar-se	a. um com o outro
2. falar	b. um ao outro
3. confiar	c. um do outro
4. gostar	d. um ao outro
5. escrever	e. um no outro

M. Trabalhe em pares. Faça uma entrevista ao seu colega sobre: 1) o melhor amigo dele; 2) um amigo do passado com quem já não tem contacto. O seu colega deve tentar usar alguns dos verbos/ /expressões da caixa abaixo.

conhecer-se / discutir / confiar / contar
partilhar / dar-se bem / apoiar
manter contacto / perder contacto

PRONÚNCIA

A6 A. Faça a correspondência entre as palavras que têm a mesma vogal. Ouça para confirmar.

1. vir	a. que
2. pôs	b. Sé
3. lês	c. nos
4. me	d. mas
5. nós	e. má
6. par	f. ser
7. sul	g. sol
8. da	h. li
9. mel	i. vou

A6 B. Ouça e repita as palavras com as vogais nasais. Não se esqueça de que, nestas palavras, as letras *m* e *n* sinalizam a nasalização da vogal precedente e não devem ser pronunciadas.

qua**n**do ce**n**to fi**m** co**m** u**m**

A6 C. Sublinhe, nas palavras abaixo, as letras pronunciadas como [s]. Ouça para confirmar.

discussão decisão exceção
mesmo salsicha sincero

UNIDADE 4 GOSTAVA DE TER UMA VIDA NOVA!

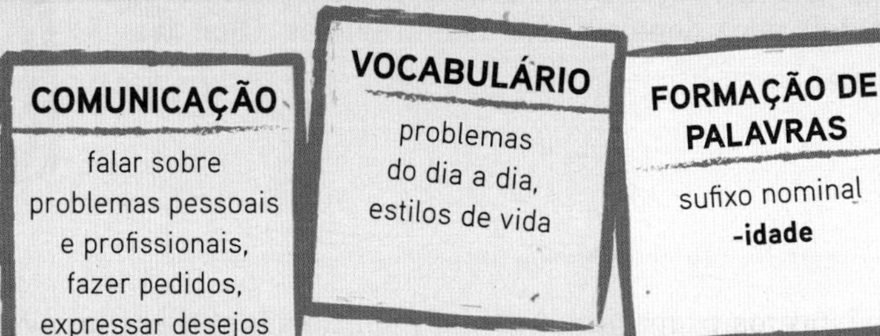

COMUNICAÇÃO
falar sobre problemas pessoais e profissionais, fazer pedidos, expressar desejos

VOCABULÁRIO
problemas do dia a dia, estilos de vida

FORMAÇÃO DE PALAVRAS
sufixo nominal **-idade**

GRAMÁTICA
expressão de cortesia e de condição com o pretérito imperfeito do indicativo

ALGO TEM DE MUDAR NA MINHA VIDA

A. Olhe para as fotografias abaixo. Acha que estas pessoas são felizes com a vida que têm? Que problema é que podem ter?

B. Leia o texto que fala sobre as mudanças na nossa vida. As frases a-d foram retiradas do texto. Coloque-as no espaço certo.

a. É muito comum e pode ser muito forte.
b. Vai ser, simplesmente, diferente.
c. Para vencer esse medo, é preciso ter alguma coragem.
d. Muitas vezes, não sabemos disso logo no início.

Há momentos na nossa vida em que sentimos que as coisas não estão a correr bem e é necessário mudar alguma coisa. ______________________[1]. Sabemos que algo está errado, sentimo-nos infelizes, mas demoramos algum tempo até perceber que a nossa vida não pode continuar assim e temos de tomar alguma decisão importante.

É exatamente nesse momento que aparece o medo. ______________________[2]. Acontece a todos. O medo aparece, porque o futuro é sempre um mistério. A nossa vida depois da mudança pode piorar, e nós temos medo disso.

______________________[3]. É preciso também ter um plano de mudança. O apoio da família e dos amigos também é importante. O mais difícil não é tomar a decisão, mas dar o primeiro passo. Depois disso, tudo é mais fácil. E nunca nos podemos esquecer de que a vida gosta de nos surpreender. Os nossos planos podem não resultar, mas isso não significa nada. A nossa vida, depois da mudança, não vai, necessariamente, ser pior ou mais difícil. ______________________[4].

C. Sabe o que significam as palavras destacadas no texto do exercício B? Consulte o glossário ou pergunte ao seu colega.

D. Leia o texto do exercício B mais uma vez e responda às perguntas.

1. Porque é que, às vezes, é preciso fazer uma mudança na nossa vida?
2. Porque é que antes da mudança sentimos o medo?
3. O que é que podemos fazer para perder o medo?

A7 **E.** Ouça os textos sobre os problemas na vida de três mulheres. Faça a correspondência com as fotografias do exercício A.

☐ Rute ☐ Vanessa ☐ Marta

F. Leia os textos sobre os problemas da Rute, da Vanessa e da Marta.

Rute: Sou secretária num escritório de advogados. Estou farta deste emprego! É muito monótono e o ambiente de trabalho é mau. Não me dou bem com ninguém. Gostava de vender o meu apartamento, sair desta cidade e começar uma vida completamente nova muito longe daqui. Já não aguento mais!

Vanessa: Queria casar-me e ter filhos, mas não consigo encontrar a pessoa certa. Já tive vários namorados, mas nenhuma das relações resultou. Não quero mais aventuras. Gostava de ter uma vida estável. Gostava de ser mãe. Mas, para isso, preciso de ter um homem responsável para ser um bom pai e marido.

Marta: Tenho um bom trabalho, tenho uma bela casa nos arredores da cidade, tenho uma família maravilhosa, mas não estou feliz. Estou sempre com pressa. Ando sempre com stresse. Passo metade da minha vida dentro do carro, no trânsito, no caminho entre casa e o local de trabalho. Apetecia-me ter uma vida mais calma.

G. Leia os textos acima mais uma vez e complete as frases abaixo.

1. Não sabemos nada sobre o emprego da ____________.
2. Não sabemos nada sobre a família da ____________.
3. Não sabemos nada sobre a casa da ____________.

H. Sublinhe nos textos acima as palavras que não conhece. Verifique o significado no glossário ou pergunte ao seu colega.

PODIA DIZER-ME AS HORAS, SE FAZ FAVOR?

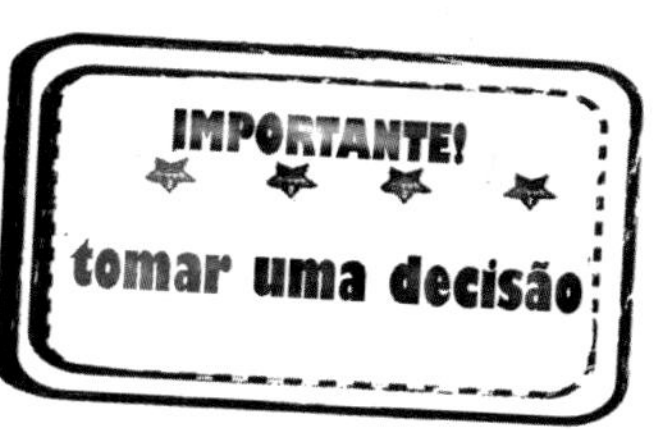

I. Leia as frases abaixo. Que tempo verbal é usado nas frases sublinhadas? Quais destas frases NÃO se referem ao passado?

1. Quando era criança, gostava de brincar com o cão da minha vizinha.
2. Gostava de viver no campo. Estou farto da cidade.
3. Podia ajudar-me com esta mala? É muito pesada.
4. Eram oito e meia quando saíste de casa.
5. Apetecia-me tomar um café. Também tomas?

J. Encontre e sublinhe nos textos do exercício F todas as frases no Pretérito Imperfeito que não se referem ao passado.

VÁ À GRAMÁTICA NA PÁGINA 27 E FAÇA O EXERCÍCIO A.

A8 **K.** Sabe que verbos faltam nos diálogos abaixo? Escreva-os no Pretérito Imperfeito. A seguir, ouça para confirmar.

1
A: Desculpe, ________ dizer-me as horas, se faz favor?
B: Claro. São duas e vinte.
A: Obrigado!

2
A: E para sobremesa? Bolo de bolacha ou *mousse* de chocolate?
B: Nem uma coisa nem outra. ________ fruta.

3
A: Diga, se faz favor!
B: ________ uma água natural e um pastel de nata, se faz favor.

4
A: Os senhores não ________ de falar mais baixo? Aqui é proibido fazer barulho.
B: Tem toda a razão. Pedimos muita desculpa.

L. Onde é que se passam os diálogos acima? Escreva os números.

Diálogo ☐ - biblioteca
Diálogo ☐ - rua
Diálogo ☐ - café
Diálogo ☐ - restaurante

M. Faça diálogos parecidos com os do exercício K com o seu colega. Tente mudar toda a informação com exceção dos verbos.

DEVIA ARRANJAR OUTRO EMPREGO!

N. Leia as frases abaixo. Em quais delas podemos substituir o Presente do Indicativo do verbo *dever* pelo Pretérito Imperfeito do Indicativo sem mudar o significado? Sublinhe-as.

1. Agora já não vou telefonar para o escritório. A esta hora não **deve** estar lá ninguém.
2. Os jovens não **devem** fumar. Os cigarros fazem mal à saúde.
3. A estrada está fechada. **Deve** ser por causa de algum acidente.
4. A Joana está com febre e tem dores de garganta. **Deve** ir ao médico.
5. Este gato **deve** ser da senhora que mora no segundo andar.

VÁ À GRAMÁTICA NA PÁGINA 27 E FAÇA O EXERCÍCIO B.

O. Termine as frases com informação sobre si. A seguir, leia as frases do seu colega e faça perguntas iniciadas com *porque*.

1. No fim de semana, queria ________________.
2. Agora, apetecia-me ________________.
3. Hoje à noite, devia ________________.
4. Amanhã, não me importava de ________________.

Porque é que querias ir às compras no fim de semana?

Porque precisava de comprar uns sapatos.

VÁ ÀS ATIVIDADES DE COMUNICAÇÃO NA PÁGINA 169 (A) OU 177 (B) E FAÇA O EXERCÍCIO 3.

A9 **P.** Uma das protagonistas do exercício F decidiu fazer uma grande mudança na sua vida. Ouça a entrevista. Quem é? A Rute? A Vanessa? Ou a Marta?

A9 **Q.** Ouça mais uma vez a entrevista. As frases abaixo são verdadeiras (V), falsas (F) ou a informação não consta no texto (NC)? Assinale.

A Rute...

1. ... agora sente-se feliz.
2. ... arranjou um namorado em Timor-Leste.
3. ... teve alguns problemas depois da chegada a Timor-Leste.
4. ... não trabalha com adultos.
5. ... diz que mudou de vida mais tarde do que devia.

R. A mudança na vida da Rute foi um sucesso. Volte a ler as histórias da Vanessa e da Marta. O que é que deviam fazer para mudarem as vidas delas e voltarem a ser felizes? Que conselhos lhes dava? Escreva. A seguir, compare os seus conselhos com os do seu colega.

Acho que a Vanessa devia...

Acho que a Marta devia...

S. E você? Há alguma coisa que gostava de mudar na sua vida? Fale sobre isto com o seu colega.

FORMAÇÃO DE PALAVRAS

A. O sufixo *-idade* serve para formar nomes a partir dos adjetivos. Escreva as palavras em falta abaixo.

1. possível possibilidade
2. novo ________
3. ________ estabilidade
4. feliz ________
5. ________ responsabilidade
6. difícil ________
7. ________ necessidade
8. sincero ________

B. Complete as frases com algumas das palavras do exercício A na forma correta.

1. Este exercício não é muito difícil.
2. A Ana contou-me todas as ________.
3. Para ser ________, essa saia fica-te mesmo mal.
4. É ________ pagar com cartão?
5. Fico sempre tão ________ quando te vejo!
6. A Inês é ________ pelas compras.
7. É mesmo ________ gastar tanto dinheiro?

GRAMÁTICA UNIDADE 1

Presente do Indicativo

Para exprimir ações ou estados habituais ou duradouros no presente, usamos o Presente do Indicativo.

	falar	*beber*	*partir*
eu	fal**o**	beb**o**	part**o**
tu	fal**as**	beb**es**	part**es**
você / ele / ela	fal**a**	beb**e**	part**e**
nós	fal**amos**	beb**emos**	part**imos**
vocês / eles / elas	fal**am**	beb**em**	part**em**

A lista dos verbos irregulares no Presente do Indicativo encontra-se nas páginas 185-186.

Estar a + Infinitivo

Para exprimir ações em curso usamos *estar a* + Infinitivo:

Ela não pode falar contigo porque está a dormir.

Ir + Infinitivo

Para exprimir futuro, usamos o Presente do Indicativo ou *ir* + Infinitivo:

Amanhã, não trabalho.
Amanhã, não vou trabalhar.

Modo Imperativo

O Imperativo singular informal afirmativo é igual à 3.ª pessoa do singular do Indicativo. As outras formas constroem-se a partir da raiz da 1.ª pessoa do singular do Indicativo.

1.ª pessoa do singular do Indicativo	*Imperativo singular informal afirmativo*	*Imperativo singular informal negativo*	*Imperativo singular formal*	*Imperativo plural*
(*-ar*) **falo**	Fala!	Não fal**es**!	(Não) Fal**e**!	(Não) Fal**em**!
(*-er*) **bebo**	Bebe!	Não beb**as**!	(Não) Beb**a**!	(Não) Beb**am**!
(*-er*) **faço**	Faz!	Não faç**as**!	(Não) Faç**a**!	(Não) Faç**am**!
(*-ir*) **parto**	Parte!	Não part**as**!	(Não) Part**a**!	(Não) Part**am**!
(*-ir*) **venho**	Vem!	Não venh**as**!	(Não) Venh**a**!	(Não) Venh**am**!

Modo Imperativo irregular:

dar – Dá! Não dês! (Não) Dê! (Não) Deem!
estar – Está! Não estejas! (Não) Esteja! (Não) Estejam!
ir – Vai! Não vás! (Não) Vá! (Não) Vão!
ser – Sê! Não sejas! (Não) Seja! (Não) Sejam!

Verbos com irregularidades (*-ear*)

O verbo *pentear* conjuga-se como *passear*:
penteio, penteias, penteia, penteamos, penteiam.

A. Complete com o verbo na forma correta do Presente do Indicativo.

1. Não bebemos muito leite. *(nós/beber)*
2. Onde é que sentamos-nos? *(nós/sentar-se)*
3. Eles não veem bem ao longe. *(ver)*
4. preferes lanchar fora ou em casa? *(tu/preferir)*
5. Nos dias frios, vesto roupa quente. *(eu/vestir)*
6. Eles vêm a Lisboa na próxima sexta. *(vir)*
7. Às vezes, durmo à tarde. *(eu/dormir)*
8. Os pais dão prendas aos filhos. *(dar)*
9. diverto-me muito nesta cidade. *(eu/divertir-se)*
10. Porque é que pões o casaco aí? *(tu/pôr)*

B. Sublinhe a opção correta. Em algumas frases, as duas opções estão corretas.

1. Porque é que nunca **usas/estás a usar** óculos?
2. Aqui **chove/está a chover** muito no inverno.
3. **Sinto-me/Estou a sentir-me** muito mal.
4. Olha! Aquele rapaz **sorri/está a sorrir** para ti!
5. Acho que **fico/estou a ficar** com dor de dentes.
6. Quando **vens/estás a vir** para casa?
7. **Vou/Estou a ir** ao cinema agora.
8. Agora **trabalhas/estás a trabalhar** aqui?
9. **Vejo/Estou a ver** os meus pais amanhã.
10. **Olhas/Estás a olhar** para onde?

C. Complete as frases com o verbo na forma correta do Imperativo.

1. Fiquem connosco! *(vocês/ficar)*
2. Não ________ nisso! *(tu/pensar)*
3. ________ os sapatos! *(tu/calçar)*
4. ________ a porta, se faz favor! *(você/fechar)*
5. Não ________ nada agora! *(vocês/escrever)*
6. ________ em frente! *(vocês/ir)*
7. Não ________ as chaves! *(você/perder)*
8. Não ________ esse livro! *(você/ler)*
9. ________ a sopa! *(tu/servir)*
10. ________ a consulta no médico! *(você/marcar)*

Pretérito Perfeito Simples do Indicativo (P.P.S.)

- Usamos o Pretérito Perfeito Simples para exprimir ações concluídas no passado:
  Ontem, almocei em casa.

	falar	*beber*	*partir*
eu	falei	bebi	parti
tu	falaste	bebeste	partiste
você / ele / ela	falou	bebeu	partiu
nós	falámos	bebemos	partimos
vocês / eles / elas	falaram	beberam	partiram

- Os verbos que terminam em *-car*, *-çar* e *-gar* têm uma alteração ortográfica:
  marcar – marquei, marcaste, etc.
  almoçar – almocei, almoçaste, etc.
  pagar – paguei, pagaste, etc.
- A lista dos verbos irregulares no Pretérito Perfeito Simples encontra-se nas páginas 186-187.

Pretérito Imperfeito do Indicativo

- Usamos o Pretérito Imperfeito para ações/estados habituais ou durativos no passado:
  Antigamente, não vivia ninguém nesta casa.

	falar	*beber*	*partir*
eu	falava	bebia	partia
tu	falavas	bebias	partias
você / ele / ela	falava	bebia	partia
nós	falávamos	bebíamos	partíamos
vocês / eles / elas	falavam	bebiam	partiam

- A lista dos verbos irregulares no Pretérito Imperfeito encontra-se na página 187.

Uso contrastivo do Pretérito Perfeito Simples e do Pretérito Imperfeito

Nas frases complexas, usamos o Pretérito Imperfeito para ações ou estados durativos e o P.P.S. para ações pontuais:

Quando era criança, os meus pais mudaram-se para Lisboa.

Estávamos na rua, quando começou a chover.

A. Complete com o(s) verbo(s) na forma correta do P.P.S.

1. Quando é que você começou a trabalhar aqui? *(começar)*
2. O Pedro ________ atrasado à escola porque ________. *(chegar, adormecer)*
3. Sempre ________ conhecer-te! *(nós/querer)*
4. ________ a conta de gás no mês passado. *(eu/pagar)*
5. Já ________ o bolo que ________? *(tu/provar, eu/fazer)*
6. O senhor ________ na reunião anteontem? *(estar)*
7. Não ________ o que você ________. *(eu/compreender, dizer)*
8. Quando ________ a última vez que me ________ uma prenda? *(ser, tu/dar)*
9. Vocês ainda não ________ este filme, pois não? *(ver)*
10. Ontem, não me ________ sair de casa. *(apetecer)*
11. Ainda bem que você ________ à minha festa de anos! *(vir)*
12. Há bocado ________ que o meu voo ________ cancelado. *(eu/saber, ser)*
13. Nunca antes as costas me ________ tanto como agora! *(doer)*
14. ________ esta casa há quatro anos. *(eu/alugar)*
15. ________ nesta esquina e depois ________ por aquela rua. *(nós/virar, seguir)*

B. Complete com o(s) verbo(s) no P.P.S. ou no Pretérito Imperfeito.

1. Não comi a sopa porque não tinha fome. *(eu/comer, ter)*
2. ________ oito e meia quando a Ana ________ de casa. *(ser, sair)*
3. Quando ________ em Évora, nunca ________ à praia. *(eu/viver, ir)*
4. Quando os pais ________ a notícia, ________ a chorar. *(ouvir, começar)*
5. O Miguel ________ a camisa porque ________ com calor. *(tirar, estar)*
6. ________ o braço quando ________ das escadas? *(tu/partir, cair)*

Verbos com irregularidades (*mentir* e *odiar*)

	mentir	*odiar*
eu	minto	odeio
tu	mentes	odeias
você / ele / ela	mente	odeia
nós	mentimos	odiamos
vocês / eles / elas	mentem	odeiam

Pronomes relativos invariáveis

- O pronome relativo *que* refere-se a coisas ou a pessoas:

  O livro que está na mesa é teu.
  A mulher que mora nesta casa chama-se Ana.

- Quando o pronome se refere a pessoas e é precedido por preposição, usamos *quem*:

  A mulher com quem falaste mora nesta casa.

- O pronome relativo *onde* refere-se a lugares:

  A escola onde estudei já não existe.

Uso de *mesmo*

- A palavra *mesmo*, como advérbio, é invariável e é usada antes do adjetivo/advérbio ou depois do verbo. Serve de intensificador:

  Ela é mesmo bonita.
  Ela fala árabe mesmo bem.
  Ele trabalha mesmo.

- A palavra *mesmo*, como determinante, é variável e serve de intensificador. É usada depois do pronome:

  Eu mesmo vou falar com o chefe.

- A palavra *mesmo*, como adjetivo ou pronome, é variável e expressa identidade/igualdade. É precedida de artigo definido:

  Ficámos no mesmo hotel.
  Vamos comer o mesmo!
  Está tudo na mesma.

Verbos com irregularidades (*manter*)

	manter
eu	mantenho
tu	manténs
você / ele / ela	mantém
nós	mantemos
vocês / eles / elas	mantêm

A. Complete com *mentir* ou *odiar* na forma correta do Presente do Indicativo.

1. A Ana odeia levantar-se muito cedo.
2. Eu raramente ________.
3. ________ filmes que acabam mal. *(nós)*
4. Porque é que ________ à mãe? *(tu)*
5. ________-te! *(eu)*
6. Quando as pessoas ________, evitam olhar nos olhos.

B. Complete com *que*, *quem* ou *onde* e a preposição onde necessário.

1. O restaurante onde trabalho é muito caro.
2. Quem é que viu o carro ________ estava em cima do passeio?
3. O rapaz ________ te encontraste no sábado é meu vizinho.
4. Os alunos ________ chumbaram no exame vão ter de estudar mais.
5. O apartamento ________ me falaste já não está à venda.
6. Badajoz é a cidade ________ ficámos alojados no caminho para Madrid.
7. A mulher ________ me apaixonei chama-se Sofia.
8. As pessoas ________ conheci na festa eram muito simpáticas.

C. Escreva *mesmo* na posição correta.

1. Vivemos no mesmo bairro ________.
2. Estou ________ farta ________ deste trabalho.
3. O João ________ gosta ________ da Mónica.
4. Os correios ficam ________ longe ________ daqui.
5. Fui ________ eu ________ que arranjei o carro.

D. Complete com *manter* na forma correta do Presente do Indicativo.

1. Mudei de telemóvel, mas mantenho o mesmo número.
2. ________ os planos para domingo ou alteramo-los? *(nós)*
3. A Sara ________ contacto com o ex-namorado dela.
4. Emagreceste muito! Agora vê se ________ esse peso!

Pretérito Imperfeito do Indicativo como forma de cortesia

Usamos o Pretérito Imperfeito do Indicativo como forma de cortesia para:

- fazer pedidos (por exemplo, num café, num restaurante ou numa loja):

  Queria uma fatia desse bolo, se faz favor.

- pedir informações:

  Podia dizer-me onde é a casa de banho?

- pedir um favor:

  Fazias-me um café?

- pedir ajuda:

  Podia ajudar-me com esta mala?

Pretérito Imperfeito do Indicativo com valor de Condicional

Usamos o Pretérito Imperfeito do Indicativo com valor de Condicional para:

- exprimir desejos ou vontades:

  Apetecia-me ir ao cinema.
  Era bom estar na praia agora.
  Gostava de poder dormir mais.

- exprimir gostos:

  Comprei umas calças brancas, mas acho que gostava mais de umas azuis.

- exprimir preferências:

  Preferia ficar em casa em vez de ir às compras.

- fazer sugestões ou planos para o futuro:

  Alugávamos um carro e saíamos da cidade. Que tal?

- exprimir obrigação ou dar conselhos:

  Devias ir para a cama. Já é tarde.
  Acho que a Ana devia estudar mais.

- falar de ações pouco prováveis que dependem de uma condição:

  Fazia uma sopa, mas não tenho legumes.

A. Complete as frases com o verbo na forma correta do Imperfeito.

1. Queria uma bica cheia, se faz favor. (*eu/querer*)
2. ___ dizer-me onde é a estação de comboios? (*você/poder*)
3. Os senhores ___ esperar pelo médico na sala de espera. (*dever*)
4. ___-me um guardanapo, se faz favor? (*tu/dar*)
5. No ano que vem, ___ de ir à China. (*nós/gostar*)
6. A Filomena ___-me o telemóvel? (*trazer*)
7. ___-me as horas, se faz favor? (*você/dizer*)
8. Acho que ___ ficar em casa amanhã. (*tu/dever*)
9. Não te ___ fazer uma festa? (*apetecer*)
10. ___ não falar sobre o que aconteceu ontem. (*nós/preferir*)
11. Ela ___ de estudar Medicina. (*gostar*)
12. Nós ___ ir ao concerto dos U2. (*adorar*)

B. Transforme as frases como no exemplo.

1. Não compramos o carro, porque não temos dinheiro.

   Comprávamos o carro, mas não temos dinheiro.

2. Não saio de casa, porque estou com gripe.

   ___

3. Não telefono para a Júlia, porque o telemóvel ficou sem bateria.

   ___

4. Não vos ofereço um bolo, porque estão de dieta.

   ___

5. Não ponho a toalha na mesa, porque está suja.

   ___

6. O Jorge não vai à escola, porque lhe dói a cabeça.

   ___

PORTUGUÊS EM AÇÃO 1

NO AEROPORTO

A. Faça a correspondência entre os sinónimos.

1. dizer como é	a. lamentar
2. encontrar	b. fazer escala
3. ter pena	c. localizar
4. levar	d. descrever
5. mudar	e. residir
6. morar	f. escusar
7. mudar de avião	g. alterar
8. não precisar de	h. entregar

A10 **B.** A Raquel está no aeroporto de Lisboa. Acabou de chegar do Brasil. Ouça o diálogo. O que é que aconteceu?

A10 **C.** Leia o diálogo e complete-o com as palavras que faltam. A seguir, ouça para confirmar.

Raquel: Boa noite! Acabei de chegar de Curitiba, mas a minha mala não veio.

Funcionário: Dê-me o seu ____________[1] de embarque, se faz favor.

Raquel: Aqui está.

Funcionário: Fez escala em São Paulo, não foi? Lamento, mas, de momento, o sistema não ____________[2] localizar a sua bagagem. Reside em Portugal?

Raquel: Resido, sim.

Funcionário: ____________[3] este formulário, se faz favor. Escreva aqui a sua morada e descreva a mala: cor, tamanho e peso. Precisamos do máximo de informação para encontrar a sua mala. Depois de a sua bagagem chegar a Lisboa, vamos ____________[4] em contacto consigo.

Raquel: Acha que vai ____________[5] muito?

Funcionário: Não. Provavelmente, a mala ainda está em São Paulo e vai chegar no voo de amanhã.

Raquel: Vou ter de voltar aqui para vir ____________[6] a mala? É que eu quero ir ainda hoje à noite para Faro.

Funcionário: Não, não. A senhora escusa de voltar cá. Não tem de ____________[7] os seus planos. Nós entregamos a mala na morada que está no formulário.

Raquel: Muito obrigada.

D. Observe as palavras na caixa abaixo. Tape o diálogo à direita com uma folha de papel e pratique, com o seu colega, um diálogo parecido usando as palavras listadas abaixo.

voo embarque escala bagagem
morada descrever informação contacto
demorar entregar formulário

E. Já lhe aconteceu perder uma mala num aeroporto? Ou, se calhar, teve outros problemas como, por exemplo, perder objetos que estavam dentro da mala ou ter que pagar pelo excesso de peso? Fale com o seu colega sobre isso.

UM *E-MAIL* INFORMAL: DESCRIÇÃO PESSOAL

A. A família Santos mora em Coimbra. Em breve, vai receber em casa o Georgios, um estudante de Erasmus, de Chipre, que vem passar seis meses a Coimbra para aprender português na universidade. Leia o *e-mail* que a Ana Santos escreveu ao Georgios.

> Caro Georgios,
>
> Estamos muito felizes por saber que vai, em breve, ficar cá na nossa casa. Antes da sua chegada, queríamos conhecê-lo um pouco: saber como é, do que gosta, que hábitos tem. Conte-nos coisas sobre si.
>
> Um abraço,
>
> Família Santos

B. Leia a resposta do Georgios. O computador encontrou oito erros no texto dele. Corrija-os.

> Cara família Santos,
>
> Muitíssimo obrigado pelo vosso *e-mail*.
>
> Como já sabem, chamo-me Georgios e sou de Chipre. Tenho 23 anos e sou estudante de *Design* Gráfico. Vivo com a minha mãe em Nicósia, que também é a minha cidade natal. Os meus país estão divorciados. Tenho um irmão mais velho, que já é casado e tem uma filha.
>
> Sou uma pessoa bem-disposta e alegre, que dá-se bem com toda a gente. Gosto de rir e acho que tenho sentido de humor. Sou amigo do meu amigo. Gosto de sair à noite e divertir-me, mas também sei ser responsável e organizado. Obviamente, também tenho defeitos. Às vezes, sou impaciente e também não sou muito pontual. Detesto acordar-me muito cedo de manhã.
>
> Interesso-me no cinema e literatura contemporânea. Infelizmente, ainda não consigo ler romances em português, mas espero poder fazer-lo em breve. Adoro animais e viajens.
>
> Pedo desculpa pelos erros, mas o meu português ainda não é bom. Espero o melhorar em Coimbra, também com a ajuda e o apoio da vossa família.
>
> Um abraço,
>
> Georgios

C. Leia o *e-mail* do Georgios mais uma vez. A seguir, tape-o. Lembra-se dos adjetivos e expressões que o Georgios usa para descrever o carácter dele? Quais são os interesses dele?

D. Escreva um *e-mail* como o do Georgios sobre si. Fale sobre a sua família, o seu carácter e os seus interesses.

A. Escolha a opção correta.

1. Quando *foi* a última vez que te vi?
   a. era b. foi c. é
2. ______ a decisão de vender a casa.
   a. Fiz b. Tomei c. Pus
3. Aqui quase nunca ______.
   a. chuva b. chova c. chove
4. Tens de ______ um passo para a frente.
   a. fazer b. dar c. vir
5. ______ um bolo, mas não posso.
   a. Comia b. Comi c. Como
6. Já não te ______ há meses!
   a. vejo b. vi c. vim
7. A senhora ______ telefonei era simpática.
   a. para que b. que c. para quem
8. Aquela é a casa ______ nasci.
   a. que b. qual c. em que
9. Já ______ ser oito horas!
   a. deviam b. devia c. devem
10. ______ falei com a Mafalda!
    a. Mesmo eu b. Mesmo c. Eu mesmo
11. Ela vai ______ comprar a casa.
    a. mesma b. mesmo c. a mesma

B. Corrija as frases como nos exemplos.

1. Detesto estar ~~em~~ pressa. *com*
2. Tenho de fazer/ barba. *a*
3. Acordo sempre as horas. ______
4. Quero mesma coisa! ______
5. Nunca como o pequeno-almoço. ______
6. Já tiveste duche? ______
7. Estou com muito sonho. ______
8. Não arrependo de nada. ______
9. Vamos encontrar-nos breve. ______
10. Vamos tomar copos à noite? ______
11. Não posso contar em ti. ______

C. Escreva a palavra que falta.

1. Candidatei-me *a* este emprego.
2. A Teresa é alérgica ______ pó.
3. Nós não temos nada ______ comum.
4. Não confio ______ vocês.
5. Estás ______ espera de quê?
6. Não me posso queixar ______ nada.
7. Sofro ______ dores de cabeça frequentes.
8. Nada mudou. Está tudo ______ mesma.
9. Quando é que a Ana ______ anos?

D. Complete as letras que faltam nas palavras.

1. A Ásia é o maior c*ontinente*.
2. Ela fala português com s_ _ _ _ _ _ do Brasil.
3. Nuno, já e_ _ _ _ _ _ _ os dentes?
4. Tenho muito o_ _ _ _ _ _ em ser português!
5. O meu s_ _ _ _ é ser atriz de teatro!
6. O seu visto já não está v_ _ _ _ _.
7. A Anke é f_ _ _ _ _ _ nativa de alemão.
8. O Jorge não tem s_ _ _ _ _ _ de humor.
9. O nosso avião vai fazer e_ _ _ _ _ em Lisboa.
10. A Inês mora nos a_ _ _ _ _ _ _ _ de Lisboa.

E. Reformule as frases usando a palavra dada.

1. Usamos a mesma casa de banho. *(partilhar)*
   Partilhamos a casa de banho.
2. A cidade em que nasci é Berlim. *(natal)*
   ______
3. Somos completamente diferentes! *(comum)*
   ______
4. Como vão as tuas aulas? *(correr)*
   ______
5. Pode passar-me o sal? *(importar-se)*
   ______
6. Este encontro serve para quê? *(objetivo)*
   ______
7. Já não aguento este barulho! *(farto)*
   ______
8. O nosso plano foi um sucesso. *(resultar)*
   ______
9. Tenho uma boa relação com os colegas. *(dar-se)*
   ______
10. Na cozinha portuguesa, gosto de tudo menos de açorda. *(exceção)*
    ______

F. Escreva o sinónimo pelo qual pode substituir a palavra sublinhada.

1. <u>Mudei</u> a data do encontro. *Alterei*
2. Este trabalho é muito <u>duro</u>. ______
3. Não <u>compreendo</u> nada. ______
4. <u>Entrega</u> esta carta à Ana! ______
5. Esta palavra é muito <u>frequente</u>. ______
6. É <u>necessário</u> fazer compras. ______

G. Escreva a palavra com o significado oposto.

1. masculino *feminino*
2. melhorar ______
3. futuro ______
4. amar ______
5. belo ______
6. maldisposto ______

H. Complete as frases com a palavra relacionada com a palavra destacada.

1. Não é **necessário** ligar o aquecimento.
   Não há *necessidade* de ligar o aquecimento.
2. Sabes quanto **pesa** esta mala?
   Sabes qual é o ______ desta mala?
3. Vou **apoiar**-te em tudo.
   Podes contar com o meu ______.
4. A Ana vai **mudar**-se para a casa nova.
   A Ana vai fazer a ______ para a casa nova.
5. A sua **residência** é em Portugal?
   Você ______ em Portugal?
6. O Hugo é uma pessoa muito **calma**.
   O Hugo é uma pessoa com muita ______.

A11 **I. Ouça os textos e escolha a opção correta.**

1. O Paulo
   a. conheceu o Rui na festa de anos dele.
   b. viu o Rui poucas vezes.
   c. não confia no Rui.

2. A Ana
   a. não foi à festa da Anabela.
   b. quer saber se o Rui é casado.
   c. não está interessada no Rui.

3. O pai
   a. não está surpreendido com o que aconteceu.
   b. ajudou a Fátima a arranjar aquele emprego.
   c. acha que a Fátima deve falar com a diretora.

4. A Fátima
   a. está arrependida do que disse.
   b. deu-se bem no emprego até hoje.
   c. acha que o plano do pai vai resultar.

J. Leia o texto e verifique o significado das palavras desconhecidas no glossário. A seguir, responda às perguntas.

Em Portugal, costuma dizer-se sobre uma pessoa maldisposta ou pouco faladora que "está com cara de poucos amigos". Ora bem, ter poucos amigos é algo que todos devemos evitar, não apenas porque a vida sem amigos é menos interessante, mas sobretudo porque ter muitos amigos é muito importante para a nossa saúde. Vários estudos mostram que a nossa felicidade depende, em grande parte, das relações com outras pessoas que mantemos ao longo da vida. As pessoas com muitos amigos à volta têm menos problemas de saúde e podem ter mais 10 anos de vida. Os estudos mostram que os amigos virtuais também são importantes, sobretudo para os idosos que não saem de casa e recebem visitas com menos frequência. Para muitos deles, o telefone e o computador são os únicos meios de contacto com o mundo. Por isso, fica a dica: cuidem dos vossos amigos, porque, desta forma, estão a cuidar da vossa saúde.

1. O que significa "estar com cara de poucos amigos"?
2. Porque é que é bom ter muitos amigos?
3. Porque é que os amigos virtuais são importantes para os idosos?

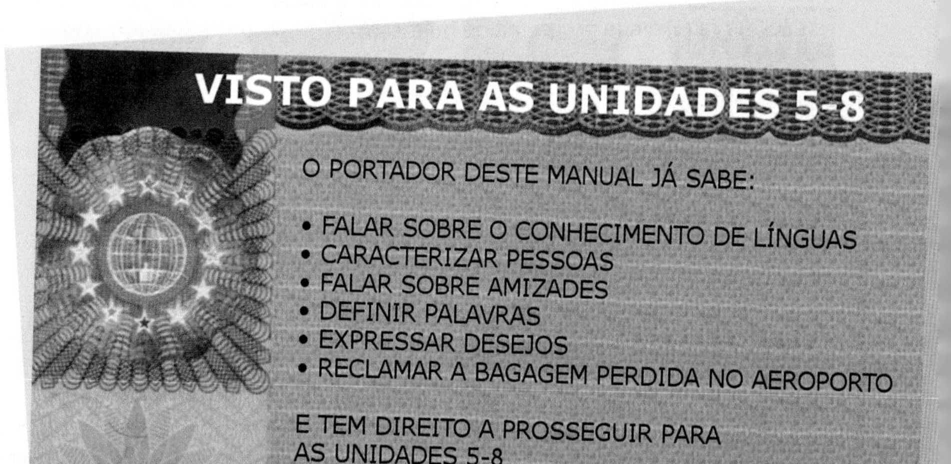

UNIDADE 5

ESTA NÃO É A MINHA FAMÍLIA!

COMUNICAÇÃO	VOCABULÁRIO	PRONÚNCIA	GRAMÁTICA
falar sobre família e problemas familiares	família, tarefas domésticas	vogais nasais, sons [r] e [R]	**demais/demasiado**, infinitivo impessoal

A OUTRA FAMÍLIA

A. Escreva cinco perguntas para obter informação sobre a família do seu colega. Faça as perguntas ao seu colega e ouça as respostas. Faça mais perguntas, se necessário.

A12 **B.** Ouça o diálogo entre duas vizinhas. De que é que falam? Escolha a opção correta.

a. do tempo b. de uma vizinha c. do prédio

A12 **C.** Leia as palavras da caixa abaixo. Ouça o diálogo mais uma vez e sublinhe as palavras que aparecem no diálogo.

avô bisavó filha filho genro mulher nora sobrinho sogra sogro

D. Use quatro das palavras da caixa acima para completar as frases abaixo.

1. O _________ é o filho do tio ou da tia.
2. A bisavó é a mãe do _________.
3. A _________ é a mulher do filho.
4. O genro é o marido da _________.

E. Olhe para as fotografias e leia o texto abaixo.

A Outra Família é um programa de televisão que mostra duas famílias muito diferentes. Cada uma das mães troca de família e vai viver com a outra família durante duas semanas. Durante a primeira semana, as mães têm de seguir as regras da outra casa. Na segunda semana, toda a família tem de seguir as regras da nova mãe. As famílias do programa de hoje são:

FAMÍLIA SILVA

A mãe, a Elisabete, é funcionária pública. O pai, o João, trabalha na construção civil. Têm dois filhos, a Sandra e o Ruben.

FAMÍLIA LENCASTRE

A mãe, a Catarina, é empresária. O pai, o Manuel, é funcionário numa agência de viagens. Têm dois filhos, a Sofia e o Guilherme.

A13 **F.** Ouça a Elisabete e a Catarina a contar as experiências e impressões depois da primeira semana passada na casa da outra família. Alguma delas gostou de alguma coisa?

A13 **G.** Ouça os textos mais uma vez e complete a tabela abaixo.

Quem fala sobre...	Catarina	Elisabete
... a comida?	✓	
... o carácter dos filhos?		
... o pai da família?		
... as atividades dos filhos?		
... a outra mãe?		

H. Agora leia os textos. Sabe o significado das palavras destacadas? Consulte o glossário ou pergunte ao seu colega.

CATARINA SOBRE A FAMÍLIA SILVA

Foi difícil aguentar uma semana. O pai da família não faz nada em casa. Chega do trabalho, pega num jornal e fica à espera do jantar. Grita demais com os filhos e acho que eles têm medo dele. Os miúdos, quando não estão na escola, passam o tempo todo a ver televisão ou em frente ao computador.
A dieta deles é uma **vergonha**! Naquela casa ninguém cozinha. À hora do almoço, tiram uma piza do **congelador**, põem-na no **micro-ondas** e já está!
A casa está sempre desarrumada. Parece que a Elisabete não se preocupa muito com as tarefas domésticas. Ah, e eles têm um cão que dorme nas camas dos miúdos. Que horror!

ELISABETE SOBRE A FAMÍLIA LENCASTRE

A casa em que vive a família Lencastre é maravilhosa! Mas tenho de ser sincera – a semana que passei nesta casa não foi muito agradável. Os filhos são muito **mal-educados**. Não é nada fácil **lidar com** eles. A Sofia é uma **menina** muito **mimada**. O quarto dela está cheio de brinquedos e de roupa caríssima que ela nunca veste! O Guilherme faz o que quer e tem muito **mau feitio**.
Se calhar, estas crianças **portam-se** assim tão mal porque não têm quase nenhum tempo livre. Além da escola, têm aulas de inglês, aulas de francês, natação três vezes por semana... São demasiadas coisas para crianças com esta idade.

I. Observe as frases abaixo. Consegue descobrir o significado e as regras de uso das palavras *demasiado* e *demais*?

1. Há *demasiados* carros nesta cidade.
2. Esta mala é *demasiado* grande.
3. A Alice fala *demasiado*.
4. Esta mala é grande *demais*.
5. A Alice fala *demais*.

J. Encontre e sublinhe as frases com *demasiado* ou *demais* nos textos acima. A que frases do exercício I correspondem?

VÁ À GRAMÁTICA NA PÁGINA 48 E FAÇA O EXERCÍCIO A.

Eu acho que os filhos da família Lencastre (não) devem...

Eu acho que o João Silva (não) deve...

K. Que tipo de mudanças são necessárias nas casas dos Lencastre e dos Silva? Fale sobre isto com o seu colega.

L. Na segunda semana do programa, a Elisabete e a Catarina introduzem as suas próprias regras na outra casa. Leia as listas abaixo. Que lista se refere à família Silva? Que lista se refere à família Lencastre? Escreva o apelido em falta.

AS NOVAS REGRAS DA CASA DA FAMÍLIA ____________:

- A partir de agora, nesta casa, é proibido ver televisão de segunda a sexta-feira. ☐
- Não gritar com os filhos! O pai deve aprender a falar com os filhos com calma. Não pode levantar a voz. ☐
- Todos os membros desta família vão comer fruta, legumes e peixe. ☐
- O pai vai ter de cozinhar. ☐
- O cão não pode ir para cima das camas nem do sofá. ☐
- Arrumar a casa não é vergonha nenhuma. Todos têm de o fazer. ☐

AS NOVAS REGRAS DA CASA DA FAMÍLIA ____________:

- A partir de agora, as crianças têm de se portar bem. ☐
- Os filhos têm demasiada roupa e demasiados brinquedos. A Sofia vai dar a roupa que não usa a quem precisa. O Guilherme vai fazer o mesmo com os brinquedos. ☐
- Os filhos vão deixar de ir às aulas de francês e à natação. ☐
- Ter um animal de estimação em casa faz bem. O pai vai arranjar um gato ou um cão para os filhos. Vão ser mais felizes. ☐

M. Encontre e sublinhe nas listas acima todos os verbos no Infinitivo.

VÁ À GRAMÁTICA NA PÁGINA 48 E FAÇA OS EXERCÍCIOS B E C.

N. Na sua opinião, quais das novas regras da casa dos Silva e dos Lencastre serão bem recebidas? Quais é que serão mal recebidas? Fale sobre isto com o seu colega.

A14 **O.** Ouça os pais da família a dar a sua opinião sobre as novas regras. Assinale, nas listas acima, com ✓, as regras de que os pais gostaram e, com X, as regras de que não gostaram. O que pensa sobre as reações?

P. Na sua família, ou nas famílias dos seus amigos, as crianças portam-se sempre bem? São bem--educadas ou mal-educadas? São mimadas ou nem por isso? Alguma delas tem mau feitio? Fale sobre isto com o seu colega.

Q. Na sua casa, alguma das questões abaixo é um problema? Porquê? Fale sobre isto com o seu colega.

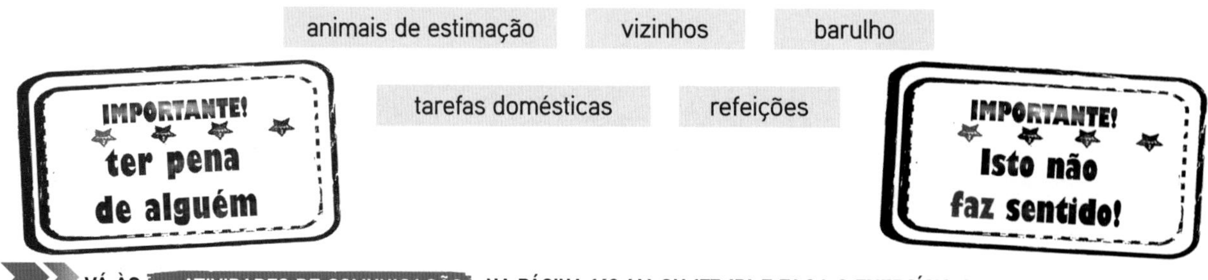

VÁ ÀS ATIVIDADES DE COMUNICAÇÃO NA PÁGINA 169 (A) OU 177 (B) E FAÇA O EXERCÍCIO 4.

NÃO CUSTA NADA FAZER A CAMA!

R. Olhe para as fotografias que mostram várias tarefas domésticas. Escreva R junto às relacionadas com a roupa, C junto às relacionadas com a comida e M junto às relacionadas com a manutenção da casa.

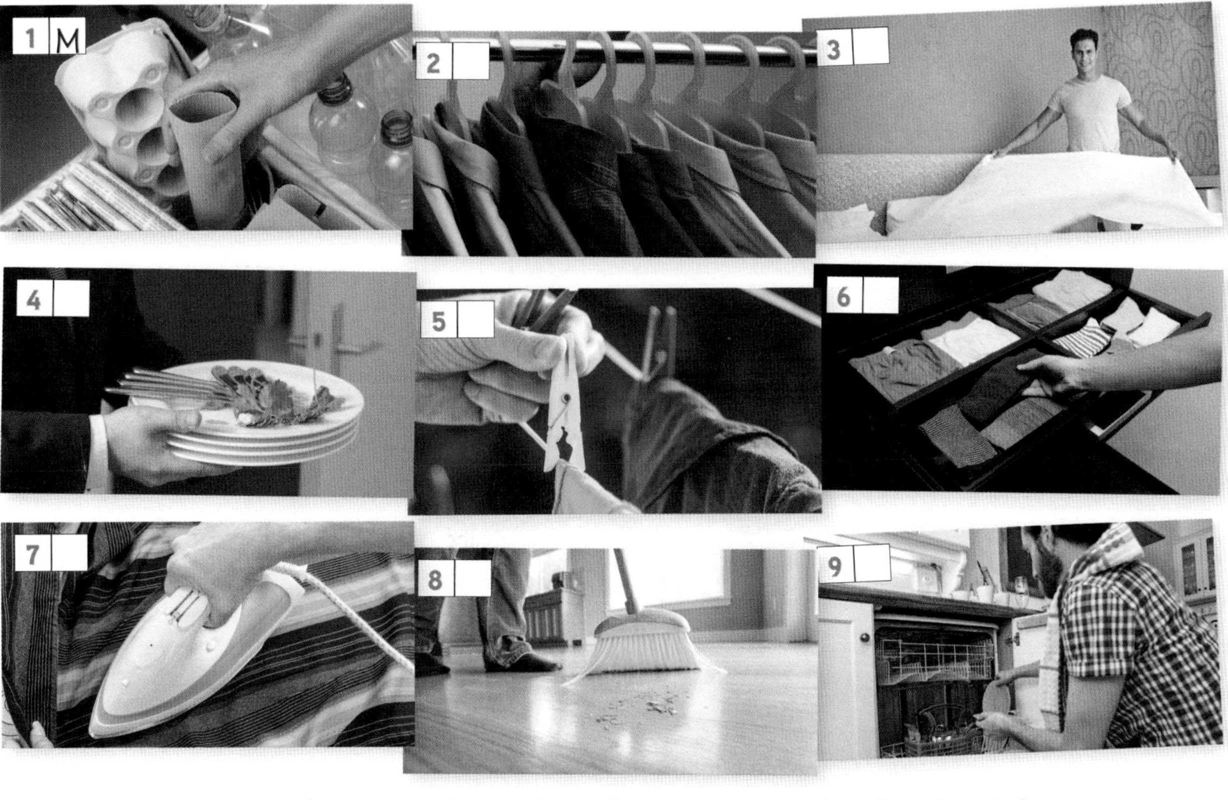

S. Faça a correspondência entre as fotografias acima e as expressões da caixa abaixo.

[7] engomar [ ] varrer o chão [ ] fazer a cama [ ] pôr a loiça na máquina
[ ] fazer a separação do lixo [ ] pôr a roupa a secar [ ] levantar a mesa
[ ] pendurar as camisas no roupeiro [ ] arrumar as meias e a roupa interior na gaveta

T. Faça perguntas ao seu colega para saber o que ele gosta e não gosta de fazer em casa. Ele deve tentar usar as respostas listadas na caixa ao lado.

Nunca faço isso. Nem pensar!
Detesto! Não me importo.
Isso não custa nada.
Isso não dá trabalho nenhum.
Gosto, sim!

PRONÚNCIA

A15 **A.** Sublinhe as palavras que não têm vogal nasal. Ouça para confirmar.

membro menina genro engomar
pendurar mimado inveja sincero

A15 **B.** Sublinhe todas as letras pronunciadas como a letra *r* em *rua*. Ouça para confirmar.

rua varrer arredores genro
roupeiro arrepender prazer regra

UNIDADE 6

DOU-ME BEM COM A TECNOLOGIA

COMUNICAÇÃO	VOCABULÁRIO	FORMAÇÃO DE PALAVRAS	GRAMÁTICA
resolver problemas e falar sobre máquinas (computadores, telemóveis, impressoras, etc.)	internet e máquinas (computadores, telemóveis, impressoras, etc.)	sufixo nominal **-ador**	infinitivo pessoal (com **ser** + adjetivo e com preposições)

ESTÁ VICIADO EM TECNOLOGIA?

A. Escolha a fotografia que representa melhor a sua relação com a tecnologia. Compare a sua escolha com a do seu colega.

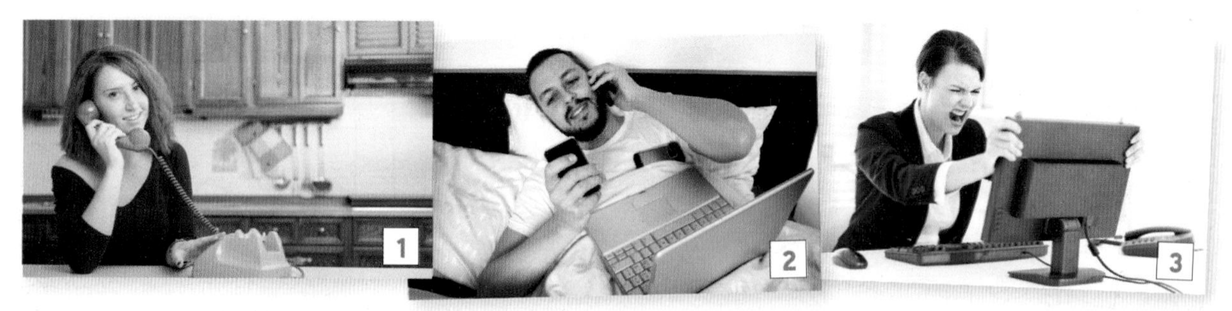

B. Está viciado em tecnologia? Complete o inquérito abaixo assinalando as respostas verdadeiras para si.

1. Quanto tempo passa por dia na sua rede social preferida?

a. Várias horas.
b. Vou lá dia sim, dia não.
c. Nenhum.

2. Está na rua e viu que o seu telemóvel ficou em casa. O que pensa?

a. Que chatice! Tenho de voltar a casa!
b. Paciência! Mas vai ser difícil estar todo o dia sem ele.
c. Ainda bem! Ninguém me vai chatear!

3. Acordou antes de o despertador tocar. O que faz?

a. Vejo as novidades nas redes sociais.
b. Vejo se tenho mensagens novas no *e-mail*.
c. Durmo mais um pouco.

4. Tem um *Kindle*?

a. Claro que tenho! O último modelo!
b. Não, prefiro um livro em papel.
c. *Kindle*? Não sei o que é.

5. Está num café à espera de um amigo, mas ele está atrasado. O que faz?

a. Tiro *selfies* e coloco-as na Internet.
b. Ouço a música que tenho no meu telemóvel.
c. Olho para as pessoas à minha volta.

6. Acabou de conhecer uma pessoa interessante. O que é que lhe pergunta no fim do encontro?

a. Tens uma conta no *Instagram*?
b. Queres o meu *Skype*?
c. Dás-me o teu número de telefone?

C. Vá à página 184 para ver o resultado do seu inquérito.

D. **Leia o texto sobre os "desligados". Escreva os títulos para os parágrafos no lugar certo.**

Todos devem tentar | Há muitos problemas | A idade | Estamos fartos disso | Não tem de desligar tudo

OS "DESLIGADOS" – MODA OU REGRESSO À VIDA NORMAL?

1. Estamos farto disso

Pode ser apenas uma nova **moda**, mas o número de pessoas que estão cansadas da tecnologia moderna está a **aumentar**. Essas pessoas já não querem estar ligadas à Internet 24 horas por dia. São os "desligados". Jaime Oliveira, o português que estuda a relação entre as tecnologias e a nossa vida, diz que "essas pessoas já sabem que há coisas muito mais interessantes para fazer na vida do que viver no mundo virtual. Muitas delas começam a achar que estar sempre ligado à rede é uma **chatice**. Querem voltar a ser livres. Querem ir ao restaurante sem sentirem a necessidade de colocarem na Internet a fotografia do prato que estão a comer e sem terem de ficar à espera dos *likes* que vão receber. Querem ir de férias sem dizerem a dezenas de pessoas onde vão e o que vão fazer. Os 'desligados' não querem estar em contacto com toda a gente todo o tempo."

2. A idade

Os "desligados" são, na sua maioria, pessoas jovens. "Muitos deles são **adolescentes**, pessoas que nasceram com as tecnologias e não conhecem a vida sem elas. Isto mostra que a vida virtual nunca vai ser para nós uma coisa normal e que sempre vamos querer algo diferente", diz Jaime Oliveira.

3. Não tem de desligar tudo

Há vários tipos de "desligados". Alguns apenas evitam o *Skype*, o *WhatsApp* e as redes sociais. Outros também não usam o telemóvel. Atendem só as chamadas no telefone fixo.

4. há muitos problemas

Obviamente, ser um "desligado" não é nada fácil. É quase como perder contacto com o mundo. Por isso, poucas pessoas decidem desistir completamente da Internet. A **maioria** delas tenta viver fora da rede um ou dois dias por semana. "Os fins de semana sem rede estão muito na moda", diz Catarina Costa, uma dos "desligados". "É porque durante a semana é mais difícil estarmos fora da rede por causa do trabalho ou da escola. Mas, aos fins de semana, também é difícil. O maior problema é a família. Para os meus pais, não é fácil não saberem onde estou e o que estou a fazer."

5. Todos devem tentar

Mesmo assim, a Catarina está a gostar da experiência. "Não penso **desistir**. Os dias em que estou fora da rede são mais bonitos. Sem o telemóvel e sem o computador, sinto-me mais leve, mais livre e preocupo-me só com coisas importantes. Recomendo a toda a gente!"

E. **Sabe o que significam as palavras destacadas no texto? Escreva-as abaixo, ao lado da definição ou do sinónimo correto.**

1. desistir → deixar de fazer algo
2. maioria → mais do que 50%
3. adolescentes → entre crianças e adultos
4. a moda → algo popular de momento
5. aumentar → fazer maior
6. uma chatice → algo de que não gostamos

IMPORTANTE!
desistir de algo

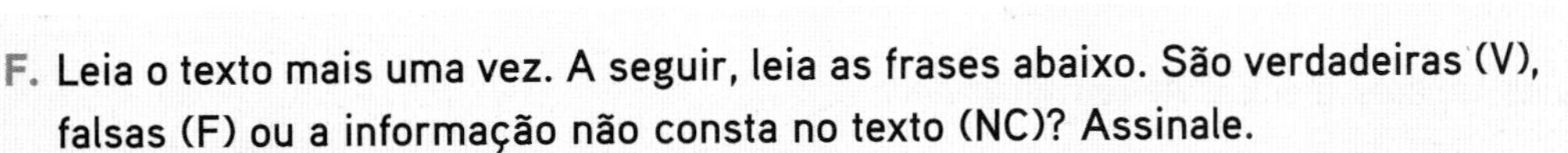

F. **Leia o texto mais uma vez. A seguir, leia as frases abaixo. São verdadeiras (V), falsas (F) ou a informação não consta no texto (NC)? Assinale.**

1. Jaime Oliveira já viveu a experiência de ser um "desligado". V F NC (X)
2. Os "desligados" não usam Internet nem telefone. V F (X) NC
3. Todos os "desligados" são pessoas novas. V F (X) NC
4. Os "desligados" não podem contar muito com o apoio da família. V (X) F NC
5. A Catarina acha que todos deviam fazer o mesmo que ela. V F NC (X)

A16 G. Ouça e leia as frases. Complete-as com as palavras em falta.

1. Querem ir de férias sem ________ a dezenas de pessoas onde vão.
2. Durante a semana, é mais difícil ________ fora da rede por causa do trabalho.
3. Para os meus pais, não é fácil não ________ onde estou.

IMPORTANTE!
enviar algo em anexo

VÁ À GRAMÁTICA NA PÁGINA 49 E FAÇA OS EXERCÍCIOS A, B E C.

PODES MANDAR ESSE FICHEIRO EM ANEXO?

H. Faça a correspondência entre as palavras e as fotografias.

- ☐ o rato
- ☐ o ficheiro
- ☐ o cabo
- ☐ a pasta
- ☐ o portátil
- ☐ o ecrã
- ☐ a tecla
- ☐ o teclado

1 2 3 4 5 6 7 8

A17 I. Ouça o diálogo. Quem sabe mais sobre computadores, a Ana ou o Miguel?

A17 J. Ouça o diálogo mais uma vez e complete as expressões com as palavras em falta.

a. enviar o ficheiro em ________
b. descarregar o ________
c. guardar o ficheiro no ________
d. instalar um ________
e. carregar numa ________
f. guardar o ficheiro numa ________

K. Faça frases usando os nomes das máquinas e as expressões das caixas abaixo. Use o Infinitivo Pessoal.

~~aspirador~~ / micro-ondas / impressora / ferro de engomar / secador / máquina de barbear

1. Para *aspirares os tapetes*, precisas *de um aspirador*.
2. Para ________________, precisas ________________.
3. ________________, precisamos ________________.
4. ________________, preciso ________________.
5. ________________, precisam ________________.
6. ________________, precisa ________________.

~~aspirar os tapetes~~
imprimir o relatório
aquecer a sopa
secar o cabelo
engomar a roupa
fazer a barba

A18 **L.** Ouça o diálogo. Complete-o com as palavras em falta. Onde é que se passa?

A: Diga, se faz favor.
B: Queria __tirar__ uma fotocópia destas duas páginas. Frente e verso.
A: __uma__ de cada?
B: Sim.
A: A preto e branco?
B: É melhor fazer a __cores__.

A19 **M.** Ouça três diálogos. De que equipamento estão as pessoas a falar? Faça a correspondência entre as fotografias e os diálogos.

1. Diálogo __2__

2. Diálogo __3__

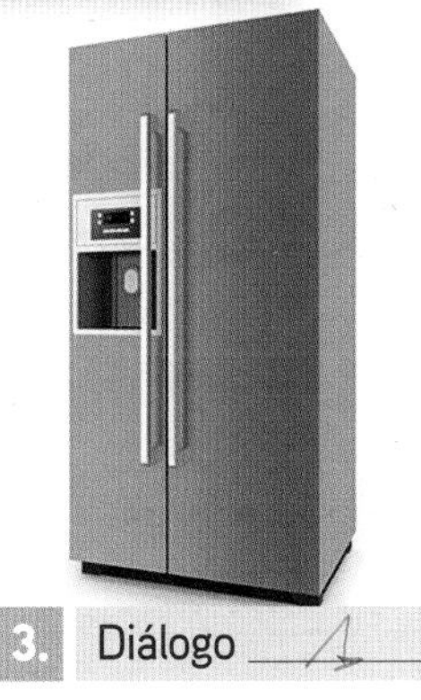

3. Diálogo __1__

A19 **N.** Leia e ouça os diálogos mais uma vez. Sublinhe todas as formas do Infinitivo Pessoal.

A.

A: O que é que achas deste? Vai ficar bem na nossa cozinha, não vai?
B: Tem só uma porta. É melhor comprarmos com duas.
A: Então, que tal aquele? Tem duas portas e não me parece nada feio. O que é que ele tem na porta?
B: É para tirares gelo e água fresca.

B.

A: Não consigo imprimir nada. Não sei o que se passa.
B: É melhor veres se tem papel.
A: Tem, tem. Acabei de pôr. Se calhar, acabou a tinta.
B: Não me parece. Deixa-me ver. Ah, já sei.
A: O que é que é?
B: Estás a ver esta luz? Está uma folha lá dentro. Temos de tirá-la.

C.

A: Joana, tens uma mensagem! Deve ser o Rui.
B: Deixa-me ver. Não. É do meu banco. Enviaram-me um cartão de crédito novo. O que é que respondo?
A: Essa mensagem não é para responderes. Podes apagá-la.
B: A bateria acabou. Apago-a depois.
A: Acabou? Então, é melhor pores a carregar.

O. Que máquinas há em sua casa? Para que servem? Fale sobre isto com o seu colega.

FORMAÇÃO DE PALAVRAS

A. Formamos os nomes que se referem às pessoas ou máquinas acrescentando o sufixo *-ador* à raiz do verbo: ***secar*** – ***secador***. Escreva as palavras em falta abaixo.

1. secar — *secador*
2. carregar — carregador
3. ________ — aspirador
4. trabalhar — ________
5. ________ — jogador
6. fumar — ________

B. Complete as frases com algumas das palavras do exercício A na forma correta.

1. A Nádia quer *secar* o cabelo.
2. O Rui ganha bem porque é um bom ________.
3. Onde está o ________ do meu telefone?
4. O Nuno queria ser ________ de futebol.
5. Já ________ todos os tapetes?
6. Só vou a restaurantes onde é proibido ________.

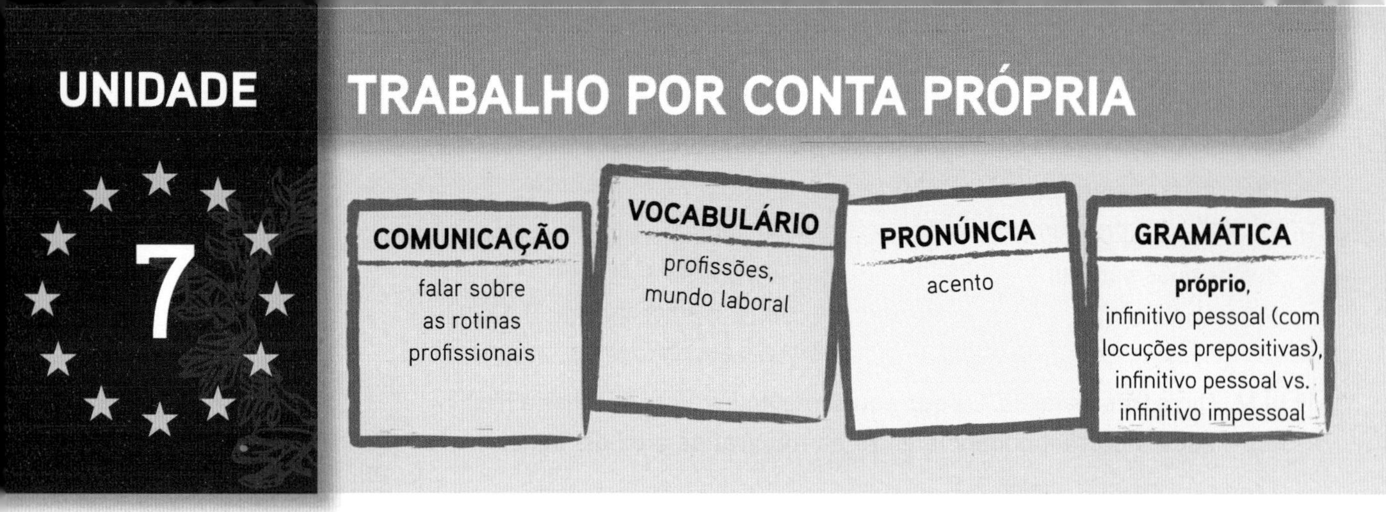

UNIDADE 7 TRABALHO POR CONTA PRÓPRIA

COMUNICAÇÃO	VOCABULÁRIO	PRONÚNCIA	GRAMÁTICA
falar sobre as rotinas profissionais	profissões, mundo laboral	acento	**próprio**, infinitivo pessoal (com locuções prepositivas), infinitivo pessoal vs. infinitivo impessoal

OS MEUS HORÁRIOS SÃO MUITO CANSATIVOS!

A. Faça a correspondência entre os nomes das profissões e as fotografias.

☐ cabeleireiro ☐ contabilista ☐ carteiro ☐ veterinária ☐ cozinheiro ☐ assistente de bordo

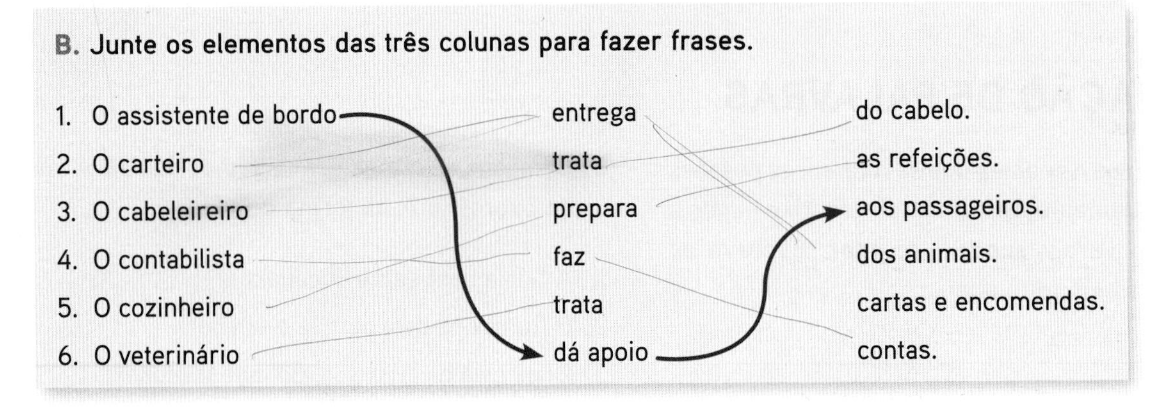

B. Junte os elementos das três colunas para fazer frases.

1. O assistente de bordo	entrega	do cabelo.
2. O carteiro	trata	as refeições.
3. O cabeleireiro	prepara	aos passageiros.
4. O contabilista	faz	dos animais.
5. O cozinheiro	trata	cartas e encomendas.
6. O veterinário	dá apoio	contas.

C. Quais das profissões apresentadas acima lhe parecem interessantes? Porquê? Quais delas são bem pagas? Gostava de ter alguma destas profissões? Tem alguém na família com estas profissões? Faça estas perguntas ao seu colega.

VÁ ÀS ATIVIDADES DE COMUNICAÇÃO NA PÁGINA 170 (A) OU 178 (B) E FAÇA O EXERCÍCIO 5.

A20 D. Ouça três pessoas a falar sobre as profissões que têm. Quais são? Complete as frases com as profissões do exercício A.

1. O Tiago é ________________. 2. A Cátia é ________________. 3. A Vanda é ________________.

A20 E. Ouça mais uma vez as três pessoas a falar sobre as profissões e complete o quadro abaixo com ✓.

Quem é que...	Tiago	Cátia	Vanda
... ganha bem?			
... acha que as pessoas têm uma ideia errada do que faz?			
... ainda tem pouca experiência profissional?			
... às vezes, gostava de ter um trabalho diferente?			
... está à espera de uma mudança?			
... tem horários difíceis?			

F. Faça a correspondência entre as colunas. Lembra-se de quem usou as expressões da coluna à esquerda nos textos do exercício D? Escreva o nome certo na coluna à direita.

1. trabalhar por conta própria	a. trabalhar mais tempo	________
2. ter horário fixo	b. trabalhar em horários diferentes	________
3. fazer horas extra	c. trabalhar sempre às mesmas horas	________
4. trabalhar por turnos	d. ser o seu próprio chefe	Tiago
5. fazer um estágio	e. aprender a trabalhar	________
6. trabalhar nos feriados	f. ter o horário completo	________
7. trabalhar a tempo inteiro	g. trabalhar também no Natal	________

G. Faça as perguntas abaixo ao seu colega.

Alguém na tua família...

... é funcionário público?

... trabalha por conta própria?

... faz muitas horas extra?

... está a fazer um estágio profissional?

... trabalha por turnos?

... trabalha nos feriados e fins de semana?

Alguém na tua família trabalha por turnos?

Sim. A minha irmã. Ela é enfermeira.

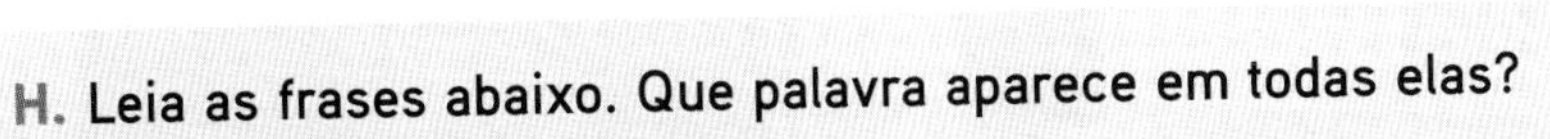

H. Leia as frases abaixo. Que palavra aparece em todas elas?

1. Queria trabalhar por conta própria.
2. Fui eu próprio que fiz este bolo.
3. Quero abrir o meu próprio espaço.
4. A: Posso falar com a Ana Lino?
   B: É a própria.

VÁ À GRAMÁTICA NA PÁGINA 50 E FAÇA O EXERCÍCIO A.

UM DIA NA VIDA DE UM TRADUTOR/INTÉRPRETE

I. O Miguel é tradutor e intérprete. Leia como é o seu dia de trabalho típico. Algumas frases foram retiradas do texto. Escreva-as no lugar certo.

a. Normalmente, são conferências ou reuniões de negócios. **b.** São horas extra que ninguém me paga.

c. Gosto de almoçar com calma, sem falar nem pensar sobre os assuntos profissionais.

d. O dia começa com uma pequena reunião. **e.** Prefiro fazer isto em casa do que no escritório.

7h00 – Acordo sempre à mesma hora. **Depois de** beber um café e comer uma torrada, sento-me à mesa da cozinha e planeio o meu dia de trabalho.

7h30 – Ligo o computador e vejo a correspondência. ______________________________[1]. A maioria dos *e-mails* é de clientes que querem saber quais são os preços das traduções. Respondo aos *e-mails* mais urgentes. **No caso de** não haver nada de importante, leio as notícias *online*.

8h00 – Começo a tratar de mim. Saio de casa por volta das 8h45.

9h15 – Chego ao trabalho. Sou responsável por uma equipa de cinco pessoas. ______________________________[2]. **Além de** tratarmos dos assuntos mais urgentes, falamos também sobre os problemas que podemos ter com as traduções futuras. Uma vez por semana, normalmente à segunda, tenho de fazer um relatório das nossas atividades.

9h45 – Começamos a trabalhar. Eu traduzo de francês para português. Os meus colegas tratam das traduções de espanhol, inglês, alemão, italiano, árabe e mandarim.

12h30 – **Apesar de** haver muitos restaurantes perto do escritório, prefiro ir almoçar a casa. Não gosto de almoçar com os meus colegas porque, quando estou com eles, estamos sempre a falar sobre o trabalho. ______________________________[3].

14h00 – De volta ao escritório. Dois ou três dias por semana, depois da hora do almoço, trabalho como intérprete. ______________________________[4]. Quando trabalho como intérprete, posso fazer muitos contactos e arranjar novos clientes para a nossa empresa de traduções.

18h00 – Saio do escritório e regresso a casa. À noite, gosto de jantar fora. Dois dias por semana, **em vez de** jantar fora, como alguma coisa rápida e vou ao ginásio. Tento não levar trabalho para casa, mas, às vezes, é impossível. ______________________________[5].

23h30 – **Antes de** ir para a cama, gosto de ouvir música.

J. Leia o texto sobre o Miguel mais uma vez. As frases abaixo são falsas. Mude em cada uma delas apenas uma palavra para as tornar verdadeiras.

1. O Miguel telefona aos clientes de manhã.
2. Os intérpretes fazem reuniões diariamente.
3. O Miguel trabalha como intérprete na parte da manhã.
4. O Miguel costuma almoçar fora.
5. Às vezes, é possível não levar o trabalho para casa.

K. Complete as frases com as expressões destacadas no texto sobre o Miguel para as frases à esquerda terem o mesmo significado que as frases à direita.

1a. Antes de ir trabalhar, leio as notícias.	1b. Primeiro, leio as notícias. A seguir, vou trabalhar.
2a. Além de ser barato, este bar serve bom café.	2b. Este bar é barato. E também serve bom café.
3a. Apesar de estar a chover, vou passear.	3b. Está a chover, mas não faz mal. Vou passear.
4a. Depois de almoçarmos, vamos às compras.	4b. Primeiro, vamos almoçar. A seguir, vamos às compras.
5a. Em vez de ir ao cinema, vou ao teatro.	5b. Hoje, não vou ao cinema. Prefiro ir ao teatro.
6a. Deve estar frio, vais ter de vestir o casaco.	6b. Se calhar vai estar frio e, então, vais ter de vestir o casaco.

VÁ À GRAMÁTICA NA PÁGINA 50 E FAÇA OS EXERCÍCIOS B E C.

L. Pense sobre o seu trabalho ou sobre o de alguém que conhece. Quais das tarefas abaixo fazem parte das suas responsabilidades ou da pessoa que conhece? Sublinhe-as. Com que frequência faz estas atividades? Fale sobre isto com o seu colega.

M. Como é o seu dia de trabalho típico ou o de alguém que conhece? Fale sobre isto com o seu colega.

PRONÚNCIA

A21 **A.** Ouça e repita as palavras acentuadas na última sílaba. Conhece as regras de acentuação?

social papel razão relação
apesar pendurar traduz xadrez

A21 **B.** Ouça e repita as palavras acentuadas na penúltima sílaba. Conhece as regras de acentuação?

fatura carrega chatice escolhe
entrego coragem tratam sandes falas

A21 **C.** Ouça e repita as palavras. Sabe porque é que têm acento gráfico?

portátil estável Setúbal carácter

A21 **D.** Ouça e repita as palavras. Sabe porque é que têm acento gráfico?

sofá café bisavó além através

ESTÁ TUDO NA SUA AGENDA!

A. Faça a correspondência entre as palavras e as fotografias.

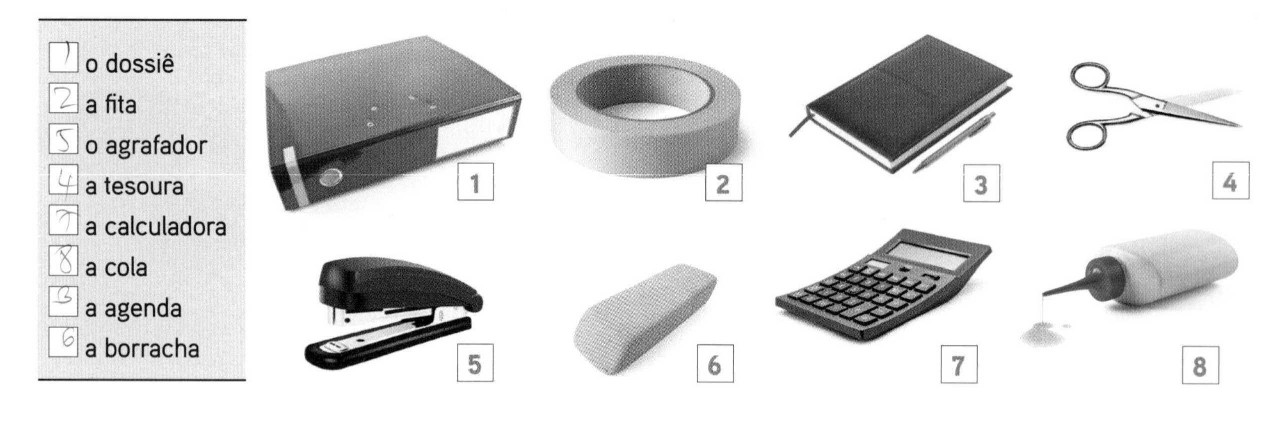

A22 **B.** Ouça o diálogo. Quem lhe parece melhor trabalhador? A Ana ou o Jorge? Porquê?

A22 **C.** Ouça o diálogo mais uma vez. Quantas palavras do exercício A ouve? Sublinhe-as.

DE QUE DISCIPLINAS GOSTAVAS NA ESCOLA?

D. Faça a correspondência entre os nomes das disciplinas e as fotografias.

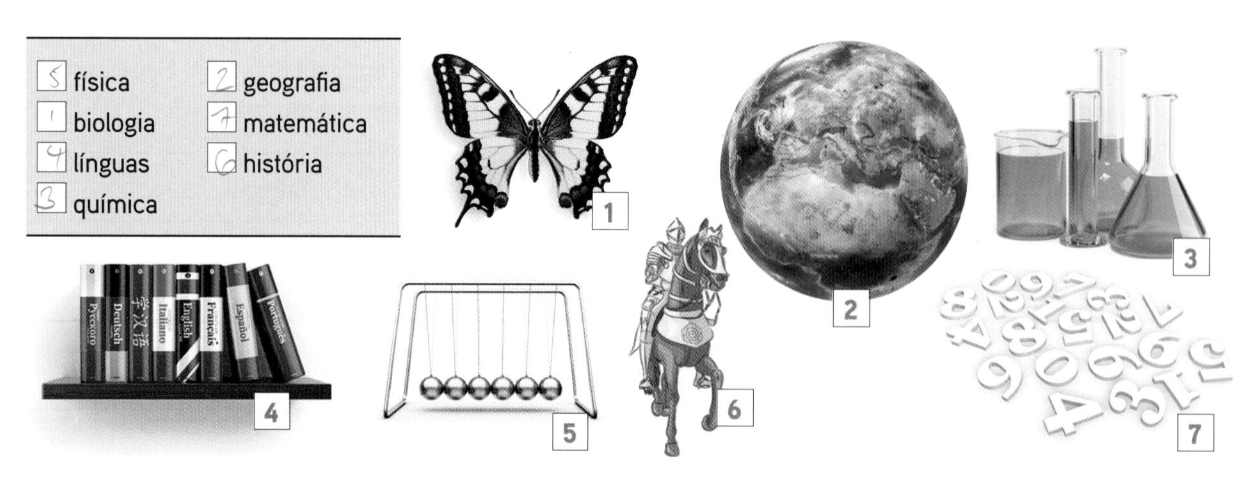

A23 **E.** Ouça o diálogo. Que disciplina ensina a professora?

A23 **F. Leia e ouça o diálogo mais uma vez. Complete-o com as palavras da caixa. Sabe o que significam? Consulte o glossário ou pergunte ao seu colega.**

textos / trabalhos de casa / teste / notas (2x) / revisão / turma

Professora: Calma! Calma! Parem de falar. Parem com isso. Sentem-se todos, se faz favor. Antes de começarmos a aula de hoje, vamos fazer uma _revisão_[1] do que aprendemos na semana passada. Então, quem é que sabe como se chamava o primeiro rei de Portugal? Ninguém? E alguém sabe em que século viveu? Também ninguém? Ninguém em toda a _turma_[2]? Como é possível? Falámos sobre isto na semana passada!
Aluna: Ó professora, mas o _teste_[3] vai ser só daqui a um mês!
Professora: Mas vocês têm de estudar todas as semanas. Não podem estar à espera do teste. Quem quer ter boas _notas_[4], tem de estudar, ler muitos _textos_[5], tomar _notas_[6] e fazer os _trabalhos de casa_[7]!

G. Faça estas perguntas ao seu colega.

1. De que disciplinas gostavas na escola? Porquê?
2. De que disciplinas não gostavas? Porquê?
3. Eras bom aluno? Tinhas boas notas?
4. Davas-te bem com os teus colegas?

A24 **H. Assinale quais das frases abaixo são verdadeiras (V) e quais são falsas (F). Compare as suas respostas com as do seu colega. Ouça para confirmar.**

1. As universidades mais antigas de Portugal são a Universidade de Coimbra e a Universidade do Porto. V F (F marcado)
2. Nas universidades portuguesas, os alunos têm notas de 0 a 10. – 20 V F (F marcado)
3. As crianças, em Portugal, vão para a escola aos seis anos. V F (V marcado)
4. Em janeiro, não há aulas no Brasil. V F (V marcado)

I. Como é no seu país? Reformule as frases do exercício H para serem verdadeiras para o seu país.

1. A universidade mais antiga ____________.
2. Nas universidades _francesas, os alunos têm notas de 0 a 20_.
3. As crianças _, em França, vão para a escola aos 3 anos_.
4. Em _Agosto_ não há aulas _na França_.

A25 **J. Vai ouvir as entrevistas com três estudantes que falam sobre a experiência de serem estudantes Erasmus em Portugal. Faça a correspondência entre o título abaixo e a pessoa certa.**

Amores infelizes _Annalisa_ Escolhas difíceis _✓_ Amizades impossíveis _Georgio_

K. **Leia as entrevistas. Sabe o que significam as palavras e as expressões destacadas? Consulte o glossário ou pergunte ao seu colega.**

Entrevistador: Passar um semestre numa universidade diferente é ótimo. Toda a gente o diz. Mas é assim, de facto, tão bom? Vamos ouvir três estudantes que fizeram Erasmus em Portugal. Como é que foi?

Georgios, de Lárnaca: O Erasmus em Portugal foi uma experiência fantástica! Foi a primeira vez que vivi fora da casa dos meus pais e, ainda por cima, no estrangeiro. Valeu a pena! Conheci muitas pessoas interessantes. Só é pena serem quase todas estrangeiras. Não sei porquê, mas não consegui fazer amigos portugueses. Passei os meus tempos livres com estrangeiros, por isso falei muito em inglês e não pratiquei o meu português tanto quanto queria. Mas não faz mal. Logo depois de voltar para Chipre, inscrevi-me num curso de português. Quero aprender a língua bem porque sei que um dia hei de voltar a Portugal.

Viktorija, de Vilnius: Em Portugal, tudo foi muito diferente da Lituânia. O clima, as pessoas, a comida... Gostei de tudo, se calhar com exceção da comida porque eu não sou fã de peixe. Além de estudar, em Portugal tive de fazer investigação para a minha tese. As disciplinas que frequentei eram interessantes. Nem sempre foi fácil estudar porque a vida social nas universidades é muito mais rica do que na Lituânia. Havia sempre festas, jantares, passeios, e, obviamente, a praia. Tive muita pena de sair de Portugal e despedir-me dos meus amigos. Sei que um dia havemos de nos encontrar todos outra vez. Eles hão de vir a Vilnius e conhecer a minha cidade!

Annalisa, de Palermo: Para mim, algumas coisas *correram/corriam* bem durante a minha estadia em Portugal. Outras, nem por isso. Aprender português não *foi/era* difícil porque a minha língua é bastante próxima do português. *Senti-me/Sentia-me* bastante à vontade nas aulas que *frequentei/frequentava*. *Compreendi/Compreendia* quase tudo o que *disseram/diziam* os professores, apesar de falarem muito rapidamente. Até *consegui/conseguia* tirar apontamentos em português. Mas a minha vida pessoal não *correu/corria* assim tão bem. *Conheci/Conhecia* um rapaz cipriota, também estudante Erasmus. *Gostei/Gostava* muito dele e acho que ele também *gostou/gostava* de mim. Até *comecei/começava* a fazer planos para o futuro. Mas quando *chegou/chegava* o momento de sairmos de Portugal, ele *decidiu/decidia* terminar a nossa relação. Isto *foi/era* já há uns meses, mas ainda sinto muita dor quando penso nisso. Um dia, ele há de perceber que *tomou/tomava* a decisão errada.

L. **Leia as entrevistas mais uma vez e complete as frases para estarem de acordo com o texto.**

1. Antes de vir para Portugal, o Georgios nunca ________________________________.
2. Depois de voltar para Chipre, o Georgios continuou ________________________________.
3. A única coisa de que a Viktorija não gostou ________________________________.
4. Em Portugal, a Viktorija andava muito ________________________________.
5. A Annalisa não teve problemas ________________________________.
6. A Annalisa ainda tem problemas em aceitar ________________________________.

A26 **M.** **Leia mais uma vez a entrevista com a Annalisa. Sublinhe a forma correta dos pares de verbos. Em algumas frases, ambas as opções estão corretas. Ouça para confirmar.**

VÁ ÀS ATIVIDADES DE COMUNICAÇÃO NA PÁGINA 170 (A) OU 178 (B) E FAÇA O EXERCÍCIO 6.

N. E você? Já alguma vez teve a experiência de estudar no estrangeiro? Ou, se calhar, conhece alguém que teve esta experiência? Onde foi? Como correu?

O. Leia a frase abaixo e sublinhe a opção correta.

Um dia hei de voltar a Portugal significa que:

a. Um dia tenho de voltar a Portugal.
b. Um dia vou, de certeza, voltar a Portugal.
c. Um dia, provavelmente, vou voltar a Portugal.

VÁ À GRAMÁTICA NA PÁGINA 51 E FAÇA OS EXERCÍCIOS A E B.

P. Escreva duas frases verdadeiras sobre si usando *haver de*.

1. Hei de falar mais português.
2. Hei de frequentar uma nova disciplina em português no próximo ano.

É PROIBIDO FUMAR!

Q. Leia os avisos e informações. Sabe o que significam? Dê exemplos de situações e espaços em que pode encontrar estes avisos e informações.

RECEBIDO
17 NOV 2016

R. Escreva as formas verbais que se encontram nos avisos e informações acima junto ao Infinitivo. Sabe como se chamam estas formas verbais? Consegue descobrir a regra de formação destas formas?

1. cancelar cancelado
2. reservar reservado
3. vender vendido
4. receber recebido
5. proibir proibido
6. permitir permitido
7. pagar pago
8. abrir aberto.

VÁ À GRAMÁTICA NA PÁGINA 51 E FAÇA O EXERCÍCIO C.

FORMAÇÃO DE PALAVRAS

A. Muitos nomes são formados a partir de verbos com o uso da terminação *-ão*. Escreva as palavras em falta abaixo.

1. traduzir	*tradução*
2. decorar	decoração
3. decidir	decisão
4. compreender	compreensão
5. discutir	discussão
6. permitir	permissão

B. Complete as frases com algumas das palavras do exercício A na forma correta.

1. Não gosto da *decoração* deste quarto.
2. Tive de tomar uma __________ difícil.
3. Podes __________ esta carta para alemão?
4. Não saias de casa sem a minha __________!
5. Não consigo __________ o que ele diz.
6. Não gosto de __________ contigo.

GRAMÁTICA UNIDADE 5

Uso de *demasiado* e *demais*

- Como adjetivo, *demasiado* precede o nome e é variável (*Há demasiadas pessoas aqui*).
- Como advérbio, *demasiado* coloca-se antes do adjetivo (*Esta casa é demasiado grande*) ou depois do verbo (*A Ana trabalha demasiado*) e é invariável.
- Como advérbio, em vez de *demasiado* podemos usar *demais*, que se coloca tanto depois do adjetivo (*Esta casa é grande demais*) como do verbo (*A Ana trabalha demais*).

Infinitivo Impessoal

Na língua portuguesa, existe o Infinitivo Impessoal (não flexionado) e o Infinitivo Pessoal (flexionado). O Infinitivo Impessoal é usado:

- em verbos principais que fazem parte de uma locução verbal (depois de *acabar de, adorar, andar a, continuar a, conseguir, costumar, deixar de, detestar, dever, estar a, gostar de, importar-se de, ir, poder, precisar de, preferir, querer, saber, tentar, ter de/que,* etc.):

  Gosto de cozinhar.
  Amanhã, vou ver a Ana.
  Prefiro comer fora.

- quando tem a função de Imperativo:

  Não fumar!

- quando equivale a um nome:

  (O facto de) beber muito álcool faz mal.

- em *ser* + adjetivo/nome + Infinitivo, quando não nos referimos a um sujeito determinado:

  É necessário comer fruta e legumes.
  É favor fechar a porta.

- em frases subordinadas quando o sujeito é o mesmo da frase principal. O sujeito não pode estar expresso na frase subordinada:

  Vamos ao Porto para trabalhar.
  Tu foste para casa depois de almoçar?

A. Assinale abaixo as frases corretas com ✓ e as erradas com ✗. Corrija as erradas.

1. Há demasiados carros nesta cidade. ✓
2. A Ana comeu demasiada e agora sente-se mal. ☐
3. Tu tens tempo demasiado livre. ☐
4. O Rui fala demasiado ao telemóvel. ☐
5. Acho que tu fumas demais. ☐
6. Este exercício é demais fácil. ☐
7. Comes demais carne. ☐
8. O Rui chegou demasiado tarde. ☐

B. Complete os verbos com a terminação correta.

1. Eu não quer*o* viv*er* noutro país.
2. A Ana and___ a aprend___ espanhol.
3. Sempre quis conhec___ esta cidade.
4. Aqui não se pod___ beb___ álcool.
5. Eu precis___ de começ___ a ganh___ dinheiro.
6. Para mim, cozinh___ é descans___.
7. A esta hora, ela dev___ est___ a dorm___.
8. Alguém sab___ diz___-me onde fic___ o hospital?
9. Vou tent___ v___ busc___ a Ritinha às 8 horas.
10. Não nos pod___ queix___ de nada.
11. É chato t___ de acord___ às 5 da manhã.
12. Não sei se vou conseg___ vend___ esta casa.

C. Faça frases com as palavras dadas.

1. rua / nada / encontrar / é / não / esta / fácil
   Não é nada fácil encontrar esta rua.
2. a / cozinha / vou / em / arrumar / casa / a / ficar
   ____
3. os / comer / podes / de / depois / arrumar / pratos
   ______________________________?
4. faz / comer / mal / saúde / carne / à / muita
   ____
5. atrasado / à / Rui / o / escola / continua / chegar / a
   ____

Infinitivo Pessoal (com *ser* + adjetivo/nome e com preposições)

- O Infinitivo Pessoal é usado quando nos referimos a um sujeito determinado e é importante indicá-lo através do verbo. O sujeito pode estar expresso na frase subordinada se for diferente do da frase principal.
- As formas do Infinitivo Pessoal são regulares para todos os verbos.

	falar	*beber*	*partir*
eu	falar	beber	partir
tu	falar**es**	beber**es**	partir**es**
você / ele / ela	falar	beber	partir
nós	falar**mos**	beber**mos**	partir**mos**
vocês / eles / elas	falar**em**	beber**em**	partir**em**

- O Infinitivo Pessoal é usado com *ser* + adjetivo/ /nome quando nos referimos a um sujeito determinado.

  É possível (nós) falarmos ao telefone?
  É uma pena (tu) não quereres ir comigo à praia.

- O Infinitivo Pessoal também é usado em frases subordinadas depois das preposições *até, para, por* e *sem*:

  Ficas aqui até terminares o trabalho.
  Pedi-te para escreveres o e-mail.
  Ele ficou em casa por estar doente.

Atenção: O sujeito da frase subordinada pode ser o mesmo da frase principal ou diferente.

Vamos parar para tomarmos um café.
Vamos parar para (tu) tomares um café.

A. Complete com o verbo na forma do Infinitivo Pessoal.

1. É preciso comprares leite. *(tu/comprar)*
2. Não é melhor ________ essa camisa? *(tu/engomar)*
3. É importante não ________ tanta água. *(nós/gastar)*
4. É melhor você ________ a janela. *(fechar)*
5. É perigoso ________ aqui à noite. *(vocês/andar)*
6. É possível eu ________ em dinheiro? *(pagar)*
7. Era bom ________ este museu. *(nós/visitar)*
8. É pena não ________ ir connosco. *(tu/poder)*
9. Não é bom a Ana ________ tanto café! *(beber)*
10. É melhor ________ um casaco. *(tu/vestir)*

B. Complete as frases com *até*, *para*, *por* ou *sem* e o verbo na forma do Infinitivo Pessoal.

1. Não posso ir trabalhar por estar doente. *(estar)*
2. Esse bolo não é ________ agora. *(tu/comer)*
3. Convida-os ________ um chá. *(eles/tomar)*
4. Vou esperar ________ a chuva ________ *(passar)*
5. Sentem-se à mesa ________ algo. *(comer)*
6. Esta carta é ________ eu ________? *(traduzir)*
7. Não gostamos desta casa ________ escura. *(ser)*
8. Preciso de vocês ________ me ________ *(ajudar)*
9. Ela passou por mim ________ nada. *(dizer)*
10. A Ana disse-nos ________ aqui. *(esperar)*

C. Faça frases com as palavras dadas.

1. à / até / aqui / ficamos / chegares / espera
   Ficamos aqui à espera até chegares.
2. te / lhe / Pedro / para / o / telefonares / pediu
   ____
3. melhor / que / irmos / acho / dormir / é
   ____
4. vocês / fatura / é / a / assinarem / preciso
   ____
5. é / vista / não / o / termos / pena / mar / para
   ____

Uso de *próprio*

A palavra *próprio* é variável.

- Usada como adjetivo expressa exclusividade:
  Quero ter a minha própria casa.
  Ele trabalha por conta própria.
- Usada como determinante demonstrativo segue o pronome e equivale a *mesmo:*
  Ele próprio disse isto.
- É também usada em substituição do nome/pronome ao telefone:
  É o próprio! (= Sou eu!)

Infinitivo Pessoal (com locuções prepositivas)

O Infinitivo Pessoal é usado em frases subordinadas depois das locuções *antes de, depois de, em vez de, no caso de, apesar de, além de* e *por causa de*:

Antes de ires para a cama, apaga as luzes.

Diferença entre Infinitivo Impessoal e Pessoal

- Em *ser* + adjetivo/nome:
  É proibido fumar. (em geral, Infinitivo Impessoal)
  É interessante (tu) dizeres isso. (sujeito determinado, Infinitivo Pessoal)
- Em frases subordinadas com o mesmo sujeito da frase principal e sem outras marcas de pessoa podemos usar o Infinitivo Impessoal ou Pessoal:
  Eles saíram do café sem pagar a conta.
  Eles saíram do café sem pagarem a conta.
- Quando há outras marcas de pessoa na frase subordinada (por exemplo, no adjetivo), temos de usar o Infinitivo Pessoal:
  Eles ficaram em casa por estarem doentes.
- Em frases subordinadas em que o sujeito é diferente do da frase principal, temos de usar o Infinitivo Pessoal:
  Arrumei a casa toda antes de (tu) acordares.
- O nome/pronome tem de estar expresso caso a sua falta mude o sentido da frase ou a torne ambígua:
  Arrumei a casa toda antes de o Rui acordar.

A. Reescreva as frases completando-as com *próprio* na forma e posição corretas.

1. Vou ter a minha empresa.
   ____
2. Não é a altura para falar sobre isso.
   ____
3. Este é o seu apelido ou nome?
   ____
4. Tu quiseste comprar este carro!
   ____
5. Os estudantes fizeram tudo isto.
   ____

B. Complete com o verbo na forma do Infinitivo Pessoal.

1. Quero ir aos correios antes de ____. *(fechar)*
2. No caso de não ____, deixo uma mensagem. *(tu/atender)*
3. Lavem os pratos depois de ____. *(comer)*
4. Apesar de ____ cansada, fui ao ginásio. *(estar)*
5. Em vez de ____ à bola, devias estudar. *(jogar)*
6. Além de ____ bonita, és também inteligente! *(ser)*
7. A reunião foi cancelada por causa de ____ atrasados. *(nós/chegar)*
8. Não te esqueças de limpar a máquina depois de ____ a barba. *(fazer)*
9. Fecha a porta depois de a Marta ____. *(sair)*
10. Apesar de ____ bem, odeio este trabalho. *(ganhar)*

C. Infinitivo Impessoal ou Pessoal? Sublinhe a opção correta. Em algumas frases, ambas as opções estão corretas.

1. É ótimo **estar/estarem** aqui comigo!
2. Ela pediu para tu **ir/ires** a casa dela.
3. Tens este trabalho por saber **falar/falares** alemão.
4. Deitaste-te depois de **chegar/chegares** a casa?
5. Não precisas de **comprar/comprares** pão.
6. Foste à escola apesar de **estar/estares** com gripe?
7. É pena terem de **ir/irem** embora tão cedo.
8. Não é melhor nós **esperar/esperarmos** lá fora?
9. Continuas a **viver/viveres** no centro da cidade?
10. Vocês gostam de nós por **ser/sermos** simpáticos.

P.P.S. vs. Imperfeito do Indicativo

- Usamos o P.P.S. quando nos referimos a uma ação ou estado concluído, sem continuação no presente:

Ontem, vi um filme muito interessante.
Sempre quis ter um Jaguar.
Já comi uma vez este prato e não gostei.
Soube que tiveste um acidente de carro.

- Usamos o Imperfeito quando nos referimos a uma ação ou estado passado durativo ou frequentativo:

Depois das aulas, vínhamos sempre a esta pastelaria.

- Usamos o Imperfeito quando nos referimos a um estado que começou antes e continuava no momento de ocorrer um facto expresso com o P.P.S. O Imperfeito representa o presente no passado:

Era muito cedo quando me levantei.

Atenção:

Já não te via há muito tempo. (Estou a ver-te agora.)
Já não te vejo há muito tempo. (Não estou a ver-te agora.)

Uso de *haver de* + Infinitivo

Haver de + Infinitivo é usado para exprimir intenção ou convicção em relação ao futuro:

Um dia hás de visitar a minha cidade.

eu	hei de	Infinitivo
tu	hás de	
você / ele / ela	há de	
nós	havemos de	
vocês / eles / elas	hão de	

Particípio Passado

- Particípio Passado regular

Infinitivo	*falar*	*beber*	*partir*
Particípio Passado	falado	bebido	partido

- Particípio Passado irregular

Infinitivo	*Particípio Passado*	*Infinitivo*	*Particípio Passado*
abrir	aberto	gastar	gasto
descobrir	descoberto	limpar	limpo
dizer	dito	pagar	pago
escrever	escrito	pôr	posto
fazer	feito	ver	visto
ganhar	ganho	vir	vindo

A. Complete os diálogos com o verbo na forma correta do P.P.S. ou Imperfeito.

1. A: Ontem vi *(eu/ver)* na rua o teu primo Jorge. ___ *(estar)* tão diferente que quase não o ___ *(eu/conhecer)*. ___ *(ele/emagrecer)* muito!
   B: Já ___ *(eu/saber)* que vocês se ___ *(encontrar)* porque ele me ___ *(dizer)*. É verdade, ele ___ *(perder)* muito peso porque ___ *(estar)* doente.
   A: A sério? O que é que ele ___ *(ter)*?
   B: Nunca se ___ *(saber)* o que ___ *(ser)*. ___ *(ele/passar)* dois meses no hospital. ___-o *(eu/visitar)* todos os sábados quando ele ___ *(estar)* lá. Parece que agora ele, finalmente, está bem.

2. A: Miguel, tu sempre ___ *(viver)* numa aldeia?
   B: Sempre. ___ *(eu/nascer)* lá e nunca ___ *(ir)* viver noutro lado.
   A: Nunca ___ *(tu/querer)* sair de lá?
   B: ___ *(haver)* uma altura em que ___ *(pensar)* muito nisso. ___ *(eu/andar)* a ver casas em Lisboa. ___ *(haver)* uma de que gostei muito, mas ___ *(ser)* cara e eu ___ *(ter)* pouco dinheiro.
   A: Se ___ *(tu/gostar)* tanto da casa, não ___ *(poder)* encontrar alguma maneira de arranjar o dinheiro que te ___ *(faltar)*?
   B: Os meus pais ___ *(querer)* emprestar-me, mas eu não ___ *(querer)*. Se calhar ___ *(fazer)* mal. Mas agora não interessa. Já não quero viver em Lisboa.

B. Complete as frases com *haver de* na forma correta.

1. Um dia hei de aprender a falar mandarim. *(eu)*
2. ___ fazer uma viagem no Rio Douro. *(nós)*
3. O Rui ___ apresentar-me o irmão.
4. Eles ___ abrir a sua própria empresa.
5. A Ana ___ conseguir um bom emprego.
6. ___ encontrar a minha cara metade. *(eu)*
7. ___ contar-me o que se passou ontem. *(tu)*
8. Vocês ___ devolver tudo o que me devem.

C. Escreva as formas do Particípio Passado.

1. praticar praticado
2. passear ___
3. ir ___
4. limpar ___
5. haver ___
6. nascer ___
7. estar ___
8. fazer ___
9. despir ___
10. parecer ___
11. preencher ___
12. abrir ___
13. odiar ___
14. vender ___

PORTUGUÊS EM AÇÃO 2

NO SERVIÇO DE ASSISTÊNCIA TÉCNICA

A27 **A.** **A máquina fotográfica da Raquel deixou de funcionar. Leia as perguntas abaixo e ouça o diálogo. A seguir, responda às perguntas.**

1. Quais são os problemas que a Raquel tem com a máquina?
2. O que é que vai acontecer com a máquina?
3. Quanto tempo é que vai demorar o arranjo da máquina?

A27 **B.** **Leia o diálogo e complete-o com as palavras que faltam. A seguir, ouça para confirmar.**

Funcionário: Quem está a _________[1]?
Raquel: Acho que sou eu. O senhor não está na fila, pois não?
Senhor: Não, não.
Raquel: Boa tarde. Olhe, comprei esta máquina há uns meses e até agora _________[2] bem. Nas últimas duas semanas, teve vários problemas e agora deixou de funcionar completamente.
Funcionário: Que problemas é que teve?
Raquel: Desligava-se antes de eu tirar a fotografia. E também quando carregava nos _________[3] não acontecia nada. Agora nem consigo ligá-la.
Funcionário: A bateria está carregada?
Raquel: Está, está.
Funcionário: Hmm, estranho. Este modelo, normalmente, não dá problemas e os clientes elogiam-no muito. Está _________[4] da garantia, não está?
Raquel: Está, sim. Aqui tem o recibo de compra.
Funcionário: Bem, vamos ter de mandá-la para a oficina para ver o que se passa.
Raquel: Em vez de a reparar, não podem _________[5] por uma nova?
Funcionário: Não. Primeiro, vamos tentar arranjá-la. Se calhar, não é nada de complicado.
Raquel: Vai demorar muito?
Funcionário: Dentro de uma semana telefonamos para informar quando fica _________[6].
Raquel: Não é preciso pagar nada, pois não?
Funcionário: Não, não. A garantia é válida por dois anos.

C. **Observe as palavras na caixa abaixo. Tape o diálogo à direita com uma folha de papel e pratique, com o seu colega, um diálogo parecido usando as palavras listadas abaixo.**

funcionar   problema   garantia
recibo   reparar   demorar

D. **Lembra-se da última vez que teve um problema com uma máquina e teve de usar os serviços de assistência técnica? Como foi? Ficou satisfeito com o serviço? Fale sobre isto com o seu colega.**

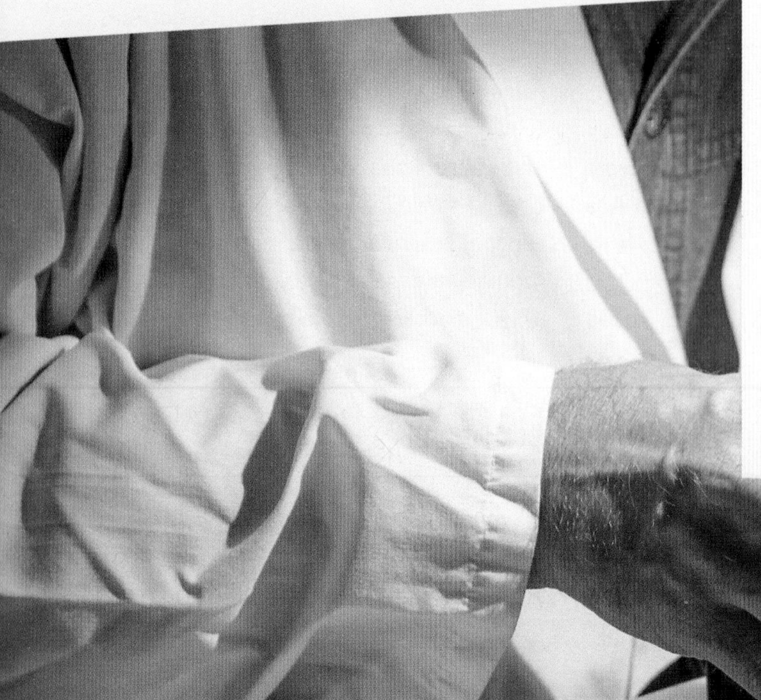

UMA CARTA INFORMAL: MANTENDO O CONTACTO

A. O Idan e a Laura são amigos que, no passado, estudaram juntos a língua portuguesa em Lisboa. Agora, cada um deles está de volta ao seu país de origem. Trocam *e-mails* para manter o contacto. Leia o *e-mail* do Idan. A seguir, complete as frases abaixo com os verbos da caixa e ordene-as.

convida	despede-se	agradece	~~pede~~	pergunta	conta	fala

- ☐ O Idan ________ da Laura.
- ☐ O Idan ________ pelo filho.
- ☐ O Idan ________ a Laura a visitá-lo.
- ☐ O Idan ________ as novidades sobre o trabalho.
- [1] O Idan *pede* desculpa por não dizer nada.
- ☐ O Idan ________ da compra que fez.
- ☐ O Idan ________ as fotografias que a Laura enviou.

Olá, Laura!

Deves estar supreendida por eu não dizer nada há tanto tempo e deves estar a pensar que me esqueci de ti. Desculpa o silêncio, mas estive muito ocupado e aconteceram muitas coisas na minha vida. Como sabes, a minha vida profissional há muito tempo que não estava a correr bem. Por isso, decidi despedir-me e procurar outra coisa. Tive medo de ficar desempregado, mas felizmente consegui encontrar um bom emprego, sem grandes problemas. O salário é o mesmo, mas os horários são muito melhores.

Mas ainda não acabei as novidades. Comprei também uma casa nova. Agora estou a arranjá-la e devo mudar-me para lá daqui a um mês. Tens de vir visitar-me em breve. Podes trazer a tua mãe e o David, porque agora tenho dois quartos de hóspedes!

E tu? Como estás? E o David? O teu filhote está a portar-se bem? Está a dar-se bem na escola? Obrigado pelas fotografias dele que me mandaste. Mudou muito desde a última vez que o vi. Está quase um homem!

Bem, por agora, é tudo. Espero ter notícias tuas em breve.

Um beijo muito grande para ti, para a tua mãe e para o David.

Idan

PS: Mando em anexo umas fotografias da casa nova. Diz-me se gostas!

B. Escreva um *e-mail* parecido com o *e-mail* do Idan a um amigo seu/uma amiga sua. Use as frases da caixa abaixo no início e no fim do *e-mail*.

Expressões e frases usadas nos *e-mails* informais:

No início do *e-mail*/carta:
Olá/Caro(a)/Querido(a) + *Nome*
Peço desculpa por não escrever há tanto tempo...
Obrigado(a) pelo(a) ... (teu *e-mail*/tua carta/tua resposta)
Que bom ter notícias tuas!

No fim:
Por agora, é tudo.
Espero ter notícias tuas em breve.
Um (grande) beijo/abraço.

REVISÃO UNIDADE 5 a UNIDADE 8

A. Escolha a opção correta.

1. O que é que eles andam a ____?
   a. fazerem b. fazer c. fazem
2. Esta mala é ____ pesada.
   a. demasiada b. demais c. demasiado
3. Há ____ pessoas nesta sala.
   a. demais b. demasiado c. demasiadas
4. É bom vocês ____ aqui comigo.
   a. estar b. estarem c. estão
5. Ficas aqui até ____ o trabalho.
   a. termines b. terminas c. terminares
6. Sempre ____ conhecer a tua irmã.
   a. queria b. quis c. queres
7. Vamos encontrar-nos ____ 9h30.
   a. para b. pelas c. as
8. É pena ____ tão longe um do outro.
   a. viver b. vivermos c. vivemos
9. ____ em Madrid duas vezes.
   a. Estou b. Estive c. Estava
10. Pode ____-me uma fatura?
    a. fazer b. passar c. preencher
11. Já ____ o contrato?
    a. assinaste b. escreveste c. passaste

B. Corrija as frases como nos exemplos.

1. É difícil lidar a este problema. com
2. Essa criança não/porta bem. se
3. Hei que arranjar um bom trabalho. ____
4. Partir de hoje, não como carne. ____
5. Apesar chuva, vou à rua. ____
6. Pedi-te para parares a falar. ____
7. Você tem toda razão. ____
8. Trabalho pela conta própria. ____
9. No caso veres a Ana, dá-lhe isto. ____
10. Estejam com vontade! ____
11. O ferro a engomar está ligado. ____

C. Escreva a palavra que falta.

1. Você é responsável pelo seu filho.
2. Vou ____ investigação para a minha tese.
3. Envio dois ficheiros ____ anexo.
4. Este exercício não ____ sentido nenhum.
5. Estou viciado ____ cigarros.
6. Este carro está a ____ problemas.
7. Vi um filme ____ preto e branco.
8. Os médicos trabalham ____ turnos.
9. Ligo para ti ____ de uma hora.

D. Complete as letras que faltam nas palavras.

1. O pai do meu marido é o meu sogro.
2. A Teresa é funcionária p____.
3. Podes dar-me duas f____ de papel?
4. O meu pai trabalha na c____ civil.
5. Não v____ a pena ver este filme.
6. Não gostas de s____ as regras, pois não?
7. Ligo para o telemóvel ou para o telefone f____?
8. De que d____ gostavas mais na escola?
9. Não me pagam h____ extra.
10. Aos domingos e f____ não trabalho.

E. Reformule as frases usando a palavra dada.

1. O professor falou bem dos alunos. *(elogiar)*
   O professor elogiou os alunos.
2. Primeiro, fecho as janelas. A seguir, saio de casa. *(antes)*
   ____
3. A única língua que falo é o português. *(além)*
   ____
4. O Marco ganha bem. *(salário)*
   ____
5. Acho que este livro é bom. *(parecer)*
   ____
6. Já não frequento o curso de inglês. *(desistir)*
   ____
7. O Ricardo trabalhou todo o dia. *(inteiro)*
   ____
8. Quero encontrar-me contigo outra vez. *(voltar)*
   ____
9. Não fico em casa. Vou dar um passeio. *(vez)*
   ____
10. Lavar este prato não custa nada. *(trabalho)*
    ____
11. Amanhã, se calhar, vai estar calor e, então, vamos à praia. *(caso)*
    ____

F. Faça a correspondência entre as colunas.

1. engomar	a. um curso
2. varrer	b. a voz
3. levantar	c. a roupa
4. aumentar	d. de um assunto
5. instalar	e. o chão
6. tratar	f. o salário
7. frequentar	g. um programa

G. Assinale a palavra que não pertence ao grupo.

1. química	agenda	física	história
2. genro	tecla	sogro	nora
3. passo	ferro	aspirador	secador
4. tecla	rato	tese	ecrã
5. tradutor	intérprete	carteiro	roupeiro
6. tesoura	tasca	borracha	cola
7. posto	recibo	visto	gasto

H. Complete as frases com a palavra relacionada com a palavra destacada.

1. Quando é que vais fazer a **tradução** do artigo?
   Quando é que vais ____ o artigo?
2. **Escolheste** bem a prenda para o João.
   A ____ da prenda para o João foi boa.
3. Este filme é muito **chato**.
   Este filme é uma grande ____
4. Agora trabalho em **horas** diferentes.
   Agora o meu ____ de trabalho é diferente.
5. Podes pôr a sopa no micro-ondas? Gosto dela **quente**.
   Podes ____ a sopa no micro-ondas? Não gosto dela fria.
6. Os pais da Ana **discutem** muito.
   Os pais da Ana têm muitas ____

A28 **I. Ouça os textos e escolha a opção correta.**

1. A professora
   a. faz uma crítica à mãe.
   b. não diz nada de bom sobre o Afonso.
   c. diz que as notas não são um problema.
2. O Afonso
   a. grita com a mãe.
   b. chumbou em alguns dos testes.
   c. bateu na professora.
3. A Tânia
   a. diz logo o que fez.
   b. explica por que razão tirou o cabo.
   c. acha que não aconteceu nada de grave.
4. O computador
   a. desliga-se, às vezes, sozinho.
   b. tem a bateria boa.
   c. guardou, provavelmente, o texto.

J. Leia o texto e verifique o significado das palavras desconhecidas no glossário. A seguir, leia as frases abaixo. São verdadeiras (V), falsas (F) ou a informação não consta no texto (NC)? Assinale.

A Universidade de Lisboa (UL) é a maior universidade portuguesa. Oferece 460 cursos de licenciatura e de mestrado. Tem 50 mil alunos e quase 4 mil docentes. 10% dos estudantes da UL são estrangeiros. Cerca de metade deles é dos países de língua oficial portuguesa (Angola, Brasil, Cabo Verde, etc.). Há também muitos estudantes da China e da Rússia. No total, há estudantes de 107 países. O que os traz para Lisboa, além da oferta do ensino e da vontade de aprender a língua portuguesa, é o clima, a cultura e a hospitalidade dos lisboetas. Os melhores estudantes podem receber bolsas de estudo e, assim, não pagar nada pelo curso que estão a frequentar. Os estudantes ficam alojados nas residências universitárias, mas há também estudantes que vivem com as famílias portuguesas.

1. A UL oferece centenas de cursos.  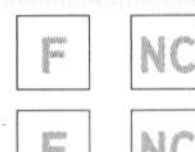
2. Cinco mil estrangeiros estudam na UL. V F NC
3. A UL é a universidade portuguesa com mais estrangeiros. 
4. Alguns estrangeiros não precisam de aprender português. 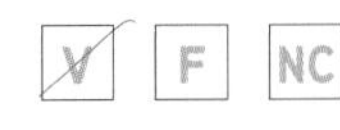
5. Os lisboetas recebem bem os estrangeiros. 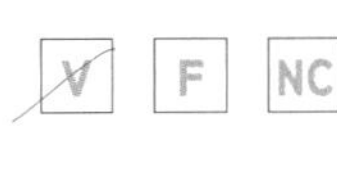
6. Todos os estudantes têm de pagar o curso. 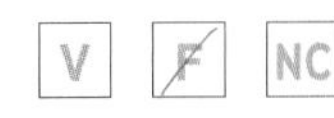

VISTO PARA AS UNIDADES 9-12

O PORTADOR DESTE MANUAL JÁ SABE:

- FALAR SOBRE PROBLEMAS FAMILIARES
- FALAR SOBRE MÁQUINAS
- FALAR SOBRE ROTINAS PROFISSIONAIS
- INTERAGIR NUM ESCRITÓRIO
- FALAR SOBRE A ESCOLA/UNIVERSIDADE
- INTERAGIR NO SERVIÇO DE ASSISTÊNCIA TÉCNICA

E TEM DIREITO A PROSSEGUIR PARA AS UNIDADES 9-12

PASSAPORTE PARA PORTUGUÊS<<<<<<<<<<<<<<<<<<
NÍVEL B1<<<<<<<<<<<<<<<<<<<<<<<<<<<<<<<<<<<<

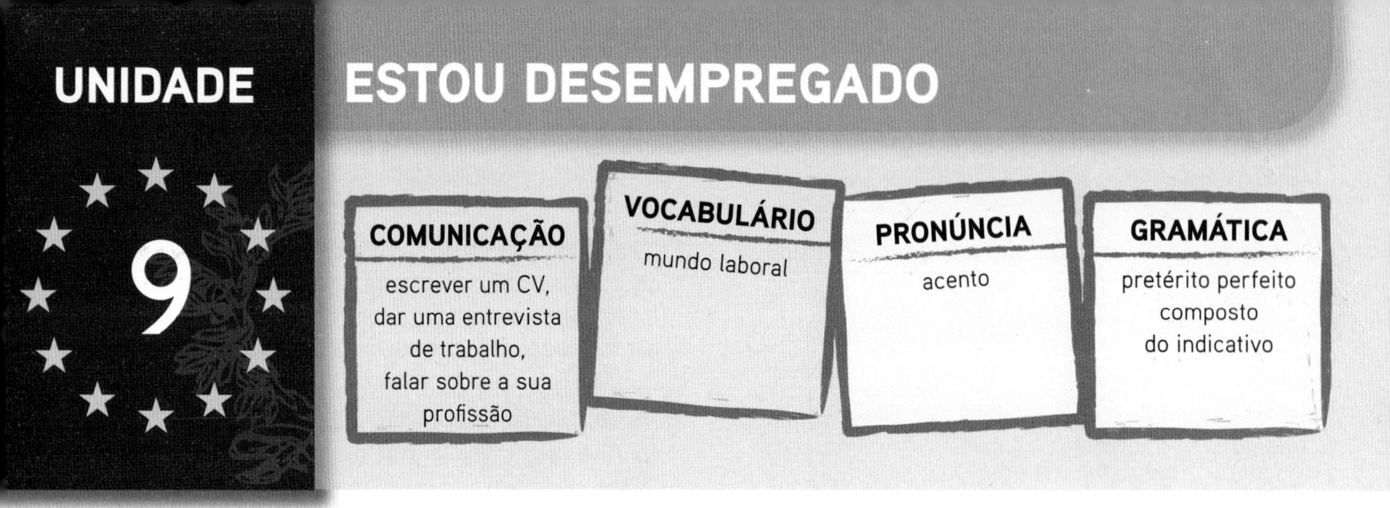

VOU CANDIDATAR-ME A ESTE EMPREGO

A. Faça a correspondência entre as profissões e os locais de trabalho.

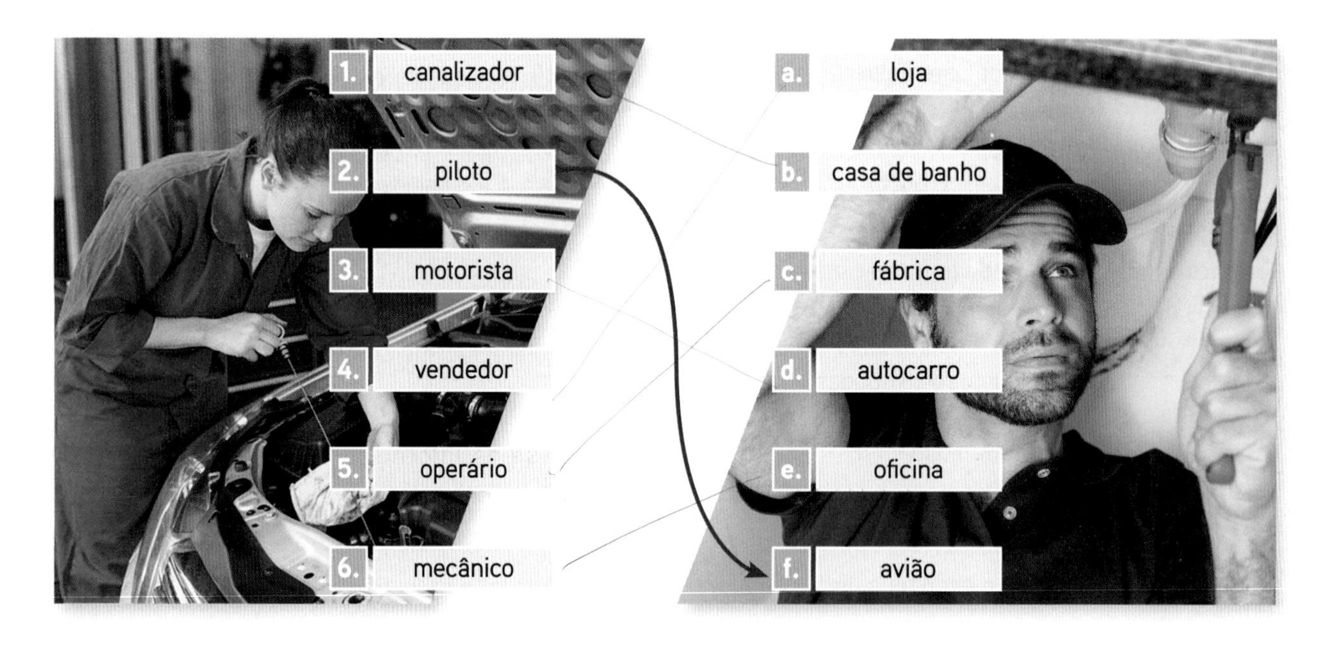

B. Leia as frases abaixo. Assinale com 🙂 as três frases que referem as coisas mais importantes para si na procura de trabalho e com 🙁 as duas frases que referem as coisas menos importantes. Compare as suas escolhas com as do seu colega.

Tenho de ter boa relação com os colegas. O meu horário tem de ser flexível e não muito rígido.
Tenho de ter boa relação com o meu chefe. O trabalho não pode ser abaixo das minhas qualificações.
O trabalho tem de ser interessante e não monótono. O trabalho tem de ser na minha área de formação.
Tenho de gostar do que faço. Tenho de poder subir na carreira. O salário tem de ser bom.
O local de trabalho tem de ter boa localização e bons transportes.

A29 C. Lembra-se do Georgios, o estudante cipriota que fez Erasmus em Portugal? Depois de terminar os estudos em Chipre, o Georgios voltou para Portugal e está à procura de emprego em Lisboa. Ouça a conversa do Georgios com um amigo. O que é que é importante para o Georgios? O que é que não é importante?

D. Leia o *curriculum vitae* do Georgios. Complete a coluna da esquerda com as palavras da caixa.

Formação Académica / Línguas / Naturalidade / Nome / Morada / Competências Pessoais
Data de Nascimento / Experiência Profissional / Nacionalidade

CURRICULUM VITAE

1	Georgios Apostolakis
2	12 de julho de 1988
3	Lárnaca, Chipre
4	Cipriota
5	Rua do Norte, n.º 14, 2.º Esq., 1200-183 Lisboa
6	• 2012 – Licenciatura em *Design* Gráfico na Universidade de Nicósia, terminou o curso com média de 15 valores • 2 semestres na Universidade de Coimbra como bolseiro Erasmus
7	2012-2014 – Colaborou como *designer* gráfico com várias empresas em Chipre
8	Grego, inglês, italiano e português
9	Ambicioso, criativo, responsável, trabalhador, gosta do trabalho em equipa

E. Leia os anúncios que o Georgios encontrou. Lembrando-se da informação que consta no CV do Georgios e da conversa com o amigo (exercício C), escolha a oferta que lhe parece melhor para o Georgios. Compare a sua escolha com a do seu colega.

Designer gráfico (m/f)

Perfil

- Boa organização de trabalho
- Pessoa ambiciosa
- Disponível para trabalhar aos fins de semana
- Formação na área de *design* gráfico

Salário: 900€-1200€/mês

Localização: Lisboa

Designer gráfico (m/f)

Perfil

- Gosto pelo trabalho em equipa
- Pessoa organizada e responsável
- Horário de 2.ª a 6.ª feira
- Experiência de pelo menos 4 anos

Salário: 850€/mês

Localização: Lisboa

Designer gráfico (m/f)

Perfil

- Boa capacidade de comunicação
- Pessoa criativa e organizada
- Conhecimentos de *marketing* e publicidade são bem-vindos

Salário: 800€-1000€/mês

Localização: Lisboa

Rececionista de hotel (m/f)

Perfil

- Boa capacidade de comunicação
- Bons conhecimentos de inglês
- Disponível para trabalhar por turnos
- Boa apresentação

Salário: 600€/mês

Localização: Lisboa

A30 **F.** O Georgios escolheu um dos anúncios apresentados acima e foi à entrevista. Ouça a entrevista de emprego. Qual foi o anúncio que o Georgios escolheu? 3

A30 **G. Ouça mais uma vez a entrevista. As frases abaixo são verdadeiras (V) ou falsas (F)? Assinale.**

	V	F
1. O Georgios terminou o curso em Coimbra.	V	F
2. O Georgios não gostou de Coimbra.	V	F
3. O Georgios não está arrependido da sua decisão.	V	F
4. O entrevistador quer ver os trabalhos do Georgios agora.	V	F
5. O entrevistador ainda vai falar com o Georgios.	V	F

IMPORTANTE!
estar à procura de algo

A30 **H. Agora leia e ouça a entrevista novamente e complete as frases com as palavras que faltam.**

Entrevistador: Bom dia, Georgios. É assim que se diz o seu nome?

Georgios: Bom dia. Está a dizer o meu nome muito bem. Tem boa pronúncia em grego.

Entrevistador: Obrigado. Georgios, conte-me a sua história. Está em Lisboa há quanto tempo?

Georgios: Bem, vim a Portugal pela primeira vez em 2011 com uma bolsa de Erasmus. Fiz dois semestres na Universidade de Coimbra. Gostei muito de Portugal, mas tinha de voltar para Chipre, onde terminei o meu curso. Há três meses, decidi voltar a Portugal, desta vez para Lisboa, e tentar a minha sorte por aqui.

Entrevistador: E como __________[1] a sua vida nesta cidade?

Georgios: Muito boa. Acho que tomei a decisão certa. __________[2] bastante, já fui ao Algarve e também aos Açores. Só que preciso de encontrar emprego. Até agora __________[3] com o dinheiro que trouxe comigo, mas já está a acabar. __________[4] alguns pequenos trabalhos, mas isso não chega. Preciso de algo a sério.

Entrevistador: No seu currículo, escreveu que já colaborou com várias empresas. Como é que podemos ver os seus trabalhos?

Georgios: __________[5] os meus trabalhos mais importantes na minha página na Internet.

Entrevistador: Muito bem. Vamos vê-los depois. Precisamos de uma pessoa criativa, com ideias próprias. Georgios, como é que se dá com *marketing* e publicidade?

Georgios: Confesso que __________[6] pouco nessa área, mas interessa-me bastante.

Entrevistador: Muito bem, Georgios. Acho que é tudo, por agora. A minha colega vai entrar em contacto consigo em breve por *e-mail* ou por telefone.

Georgios: Fico à espera, então. Muito obrigado e um bom dia para si.

Entrevistador: Para si também.

I. Leia os pares de frases abaixo. Qual é a diferença no significado?

1a. Tenho viajado bastante.
1b. Viajei bastante.

2a. Tenho feito alguns trabalhos.
2b. Fiz alguns trabalhos.

J. Leia os advérbios/locuções adverbiais de tempo. Qual o grupo que usa com as frases 1a. e 2a.? Qual o grupo que usa com as frases 1b. e 2b.?

Grupo 1	Grupo 2
ultimamente / nos últimos meses	na semana passada / em 2007
até agora / recentemente	no mês passado / em janeiro
nos últimos tempos / até ao presente	há dois meses / há cinco anos

VÁ À GRAMÁTICA NA PÁGINA 72 E FAÇA O EXERCÍCIO A.

K. Olhe para as imagens. O que é que as pessoas nas imagens têm estado a fazer? Complete as frases abaixo usando os verbos das expressões da caixa no Pretérito Perfeito Composto.

gastar muito dinheiro / ir ao ginásio / apanhar sol / ~~estar doente~~ / estudar muito / não dormir bem

1. A Sara *tem estado doente.*

2. O Gustavo tem ido ao ginásio.

3. A Vânia tem apanhado sol.

4. O Tomás não tem dormido bem.

5. A Vanda tem gasto muito dinheiro.

6. O Telmo tem estudado muito.

L. Faça as perguntas abaixo ao seu colega.

1. Tens praticado português fora da sala de aula?
2. Tens lido alguns livros em português?
3. Tens feito muitas viagens?
4. Tens trabalhado/estudado muito?
5. Tens visto muitos filmes ultimamente?
6. Tens ido à praia?

VÁ ÀS **ATIVIDADES DE COMUNICAÇÃO** NA PÁGINA 171 (A) OU 179 (B) E FAÇA O EXERCÍCIO 7.

M. Escreva o seu *curriculum vitae* tendo como modelo o exercício D.

PRONÚNCIA

A31 **A.** Ouça e repita as palavras acentuadas na antepenúltima sílaba. Estas palavras têm sempre acento gráfico.

intérprete crítica monótono grávida clínica pássaro máquina fábrica

A31 **B.** Ouça e repita as palavras.

pronúncia farmácia empresária família

A31 **C.** Ouça e repita as palavras.

biologia cotovia padaria fatia

A31 **D.** Ouça as palavras. Coloque os acentos gráficos que faltam.

policia bateria historia galeria noticia maioria

VAMOS PARA A ESTRADA!

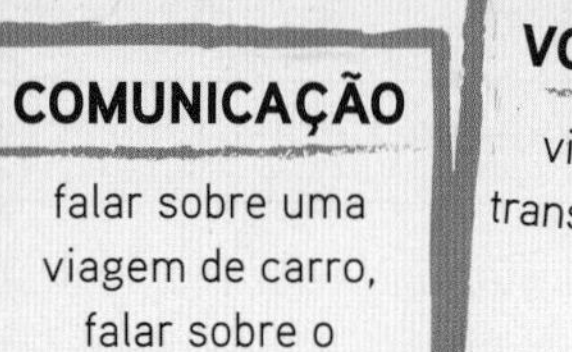

COMUNICAÇÃO	VOCABULÁRIO	FORMAÇÃO DE PALAVRAS	GRAMÁTICA
falar sobre uma viagem de carro, falar sobre o transporte rodoviário	viagem de carro, transporte rodoviário, veículos	nomes terminados em **-a**/**-o**	**dar** e **ficar** com preposições, diminutivo

A VIAGEM DO RICARDO

A. Tem carta de condução? Gosta de conduzir? Acha que é um bom condutor? Faça estas perguntas ao seu colega.

B. Faça a correspondência entre as palavras/expressões e as fotografias.

☐ a portagem ☐ a autoestrada ☐ o camião ☐ o engarrafamento ☐ os peões
☐ o limite de velocidade ☐ a passadeira ☐ a curva ☐ os sinais de trânsito

C. Leia o texto. Consegue descobrir, pelo contexto, o significado das palavras destacadas? Consulte o glossário ou pergunte ao seu colega, se necessário.

QUANTOS PAÍSES É POSSÍVEL VISITAR EM APENAS UM DIA?

Já alguma vez pensou em quantos países é possível estar em apenas um dia? Ricardo Monteiro, um engenheiro de 32 anos, quis saber a resposta a esta pergunta. Depois de fazer uma pesquisa na Internet e **consultar** os mapas, o Ricardo **chegou à conclusão** de que o melhor meio de transporte para passar pelo maior número de países em apenas um dia é o carro. E a parte do mundo onde é possível fazê-lo é o centro da Europa, onde os países são pequenos, as estradas são boas e as fronteiras estão abertas. O Ricardo fez um **percurso**, que começava na cidade holandesa de Maastricht, passava pela Bélgica, Luxemburgo, Alemanha, França, Suíça, Áustria, Liechtenstein e terminava na pequena **vila** de Madesimo, nos Alpes italianos. Eram, **no total**, 9 países. Toda a viagem tinha cerca de 820 km e ia demorar cerca de 10 horas, sem **incluir** as paragens.

Na primavera de 2014, o Ricardo decidiu ver se era mesmo possível fazer esta viagem. Para o plano resultar, precisava de bom tempo, estradas sem muito trânsito e um **companheiro de viagem** com carta de condução, porque não podia conduzir o dia inteiro sozinho. No dia anterior à viagem, o Ricardo e o amigo dele, o Jorge, chegaram de avião a Maastricht e alugaram um carro. Estavam prontos para começar a aventura.

A32 **D.** Ouça o relato da viagem do Ricardo. Ordene as imagens abaixo de acordo com os acontecimentos.

A32 **E. Leia e ouça o relato da viagem do Ricardo mais uma vez. Complete com as palavras que faltam.**

1. Partimos de Maastricht às 8 da manhã. A fronteira fica apenas a 26 km do centro da cidade, por isso, entrámos na Bélgica meia hora depois. Passámos pela cidade de Liège e continuámos pela _____[1] em direção ao Luxemburgo. A previsão do tempo para as primeiras horas da nossa viagem era boa. O céu estava limpo e a estrada não tinha muito trânsito. Era um dia bonito e quente de fim de maio.

2. Nem reparámos quando entrámos no Luxemburgo. Eram 10h25. A _____[2] no Luxemburgo é mais barata do que noutros países, por isso, logo depois da fronteira, parámos numa bomba de gasolina. Aproveitámos a paragem para tomar um cafezinho e descansámos uns minutos. Comprámos também umas sandes para comer no caminho.

3. Uma hora depois, entrámos na Alemanha. Era o quilómetro 276. Perto da cidade de Saarbrücken, de repente, o trânsito ficou muito lento e, logo depois, parou. O _____[3] tinha vários quilómetros. Tudo por causa de um acidente. Ficámos nervosos porque a situação parecia grave e não sabíamos quanto tempo íamos ficar lá. Felizmente, 15 minutos depois tudo voltou à normalidade.

4. Ao quilómetro 317, entrámos em França. A paisagem era mais interessante. Gostámos muito de ver os campos cheios de flores. Passámos pela bela cidade de Colmar. Apetecia-nos dar um passeio a pé pelo centro ou almoçar num dos restaurantes típicos, mas por causa do atraso decidimos continuar a viagem sem parar. A única parte da nossa viagem pela França de que não gostámos foi o preço das _____[4], que achámos caras.

5. Entrámos na Suíça perto da cidade de Basileia. Eram 14h23. Na Suíça, o céu estava cinzento. Logo depois, começou a chover. Foi uma chuva muito forte. Não parou de chover até à fronteira com a Áustria. Tivemos de reduzir muito a _____[5]. Por causa da chuva, enganámo-nos duas vezes no caminho. Esta foi a pior parte da nossa viagem.

6. Ao quilómetro 735, entrámos na Áustria. Depois de apenas 40 km na Áustria, entrámos no Liechtenstein. Demorámos apenas 10 minutos a atravessar este pequenino país. A seguir, passámos pelos Alpes suíços, no caminho para Itália. Era uma estrada de montanha, estreita e cheia de _____[6] perigosas. Entrámos em Itália às 20h15. Meia hora depois, chegámos a Madesimo. Conseguimos atravessar nove países num só dia! Ficámos num hotel com vista para as montanhas.

F. Relate a viagem do Ricardo ao seu colega olhando apenas para as imagens na página anterior.

G. Complete as frases com *cheio de* e as palavras da caixa.

dores ~~flores~~ fome pressa curvas sol

1. Os campos estão cheios de flores.
2. Fomos à praia num dia _____.
3. O doente queixou-se de que estava _____.
4. Esse cão deve estar _____!
5. O condutor estava _____.
6. Essa estrada é perigosa. Está _____.

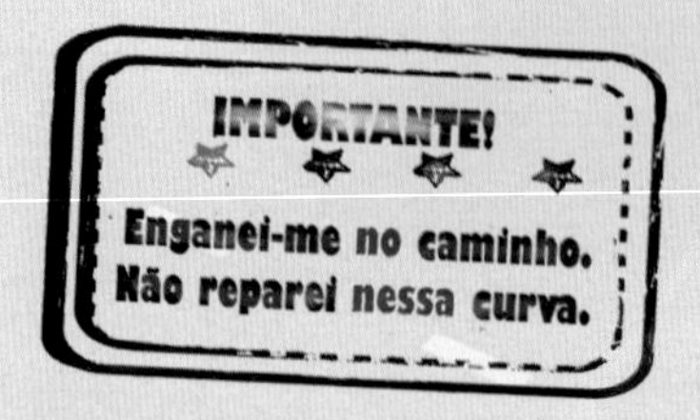

A33 **H.** Ouça os diálogos entre o Ricardo e o Jorge. A que parágrafos do relato da página anterior se referem? Escreva o número.

Diálogo A ______ Diálogo B ______ Diálogo C ______ Diálogo D ______

I. Substitua as palavras destacadas nas frases à esquerda pelas expressões da caixa. Faça as alterações necessárias.

~~reparar em~~ / ter de esperar por / encontrar / ser possível / ter vista para / levar

1. Nem **dei pela** fronteira.	Nem *reparei na* fronteira.
2. Este quarto **dá para** as montanhas.	Este quarto ______ as montanhas.
3. Não **dá para** parar aqui.	Não ______ parar aqui.
4. **Fica para** a próxima vez.	______ próxima vez.
5. Eu **fico com** a sandes de queijo!	Eu ______ a sandes de queijo!
6. **Demos com** esta vila por acaso.	______ esta vila por acaso.

J. As palavras abaixo são diminutivos que apareceram nos textos dos exercícios E e H. Escreva as formas neutras correspondentes.

1. cafezinho *café* 2. pequenino ______ 3. cidadezinha ______ 4. bocadinho ______

VÁ À GRAMÁTICA NA PÁGINA 72 E FAÇA OS EXERCÍCIOS B E C.

K. Faça estas perguntas ao seu colega.

1. Os condutores no teu país são bem educados?
2. Respeitam o limite de velocidade? Param no sinal vermelho?
3. Os peões atravessam as ruas fora das passadeiras?
4. As estradas no teu país são seguras e de boa qualidade?
5. As autoestradas são pagas? Há portagens?
6. Os condutores usam sempre cinto de segurança?

FORMAÇÃO DE PALAVRAS

A. Muitos nomes formados a partir de verbos terminam em *-o* ou *-a*. Escreva as palavras em falta abaixo.

1. respeitar	*respeito*
2. ______	consulta
3. pronunciar	______
4. ______	escolha
5. procurar	______
6. ______	apoio

B. Complete as frases com algumas das palavras do exercício A na forma correta.

1. Tu não me dás *apoio* nenhum!
2. Não sei que curso vou ______ na universidade.
3. Vou ______ o dicionário para ver o que significa *peão*.
4. Falar assim comigo é uma falta de ______!
5. Tens boa ______ em português!
6. Andamos à ______ de uma casa nova.

UNIDADE 11

UMA VIAGEM SEM PLANO

COMUNICAÇÃO	VOCABULÁRIO	PRONÚNCIA	GRAMÁTICA
falar sobre a estadia na praia, descrever a estadia num hotel	praia, atividades turísticas, hotéis	letra **x**, letra **e** em posição inicial	pretérito mais-que-perfeito composto do indicativo

O SOL ESTÁ MUITO FORTE HOJE!

A. Faça a correspondência entre as palavras e as fotografias.

☐ protetor solar ☐ areia ☐ chapéu de sol ☐ óculos de sol
☐ toalha de praia ☐ nadador-salvador ☐ chinelos

A34 B. Leia as frases a-c e ouça o diálogo. Assinale com ✓ a frase correta.

Os amigos...

a. ... ainda não estão na praia. ☐ b. ... já estão na praia. ☐ c. ... já estiveram na praia. ☐

A34 C. Ouça o diálogo mais uma vez. Quantas palavras do exercício A ouve neste diálogo? Sublinhe-as.

D. Faça as perguntas abaixo ao seu colega.

Gostas de apanhar sol?

Dás-te bem com a praia?

Há praias bonitas no teu país? Há muitas praias de areia?

Tens alguma praia preferida? Onde fica?

O que é que levas contigo quando vais à praia? Normalmente, vais sozinho ou com alguém?

Quando é que foste à praia pela última vez?

É UMA PESSOA CONTROLADORA?

A35 E. Ouça o diálogo em que o Jonas fala com a filha. Que tipo de pessoa é o Jonas?

F. Faça o questionário para descobrir se você é parecido com o Jonas.

1. Na sexta à noite, um amigo convida-o para um passeio fora da cidade no dia seguinte. O que é que diz?

a. Amanhã? Nem pensar. Não há tempo para preparar as coisas.
b. É um bocado em cima da hora, não achas?
c. A que horas me vens buscar?

2. Está a ver televisão em casa. De repente, ouve alguém na cozinha a pôr os pratos sujos na máquina. Você...

a. ... corre para ver se está tudo no seu lugar.
b. ... grita: "Vê se desta vez pões tudo como deve ser."
c. ... não faz nada.

3. Um amigo pede-lhe um livro emprestado. Você...

a. ... diz que não empresta livros.
b. ... assina o livro e pergunta ao amigo quando o vai devolver.
c. ... empresta o livro sem problema nenhum.

4. O que é que faz quando está no carro com outra pessoa a conduzir?

a. Digo-lhe como deve conduzir, onde deve virar, onde estacionar, etc.
b. Depende de quem está a conduzir.
c. Deixo-a conduzir sem dizer nada.

5. Quando cozinha, gosta de ter ajuda?

a. Não. Faço melhor e mais rápido sozinho.
b. Às vezes. Depende do prato.
c. Toda a ajuda é pouca!

6. Quando está a ver televisão acompanhado, quem é que tem o comando?

a. Eu, claro! Sempre.
b. Quando estou a ver algo que me interessa, sou eu.
c. Não sei. Nunca penso nisso.

G. Vá à página 184 para ver o resultado do seu questionário.

H. Leia o texto abaixo para saber mais sobre o Jonas.

O Jonas é alemão. Mora com a família na cidade de Colónia. A mulher e os filhos queixam-se de que ele é muito controlador. O Jonas foi ao psicólogo para tentar encontrar uma solução para o problema. O psicólogo disse que o Jonas podia tentar tratar do problema que tinha com uma viagem. Mas tinha de ser uma viagem diferente, em que o Jonas não podia fazer planos e não podia saber com antecedência o que ia fazer. Sempre que era preciso tomar uma decisão durante a viagem, o Jonas ia lançar um dado para aprender que na vida não é necessário controlar e planear tudo.

A36 **I. Leia como correu a viagem do Jonas e ponha os parágrafos por ordem. Ouça para confirmar.**

[2] Aterrámos em Faro às 2 da tarde. Estava muito calor. Lancei o dado para saber onde ia ficar. Saiu-me o Sol Algarve, um pequeno hotel que ficava a poucos metros da **rodoviária**. Não era uma localização de sonho, mas **deu jeito** porque fui do aeroporto para a cidade de autocarro. O hotel não era nenhum luxo, mas gostei do atendimento e das instalações.

[4] No dia seguinte, também foi o dado que decidiu como ia passar o dia. Havia muitas coisas interessantes que se podiam fazer nesta parte de Portugal: a **pesca** em alto-mar, um passeio pelas dunas numa ilha que fica perto de Faro ou uma excursão à bela cidade de Tavira. Mas saiu-me uma coisa diferente: um passeio de jipe pela serra. No início, não gostei desta escolha porque não tinha trazido comigo roupa apropriada para andar de jipe e também porque era a única atividade que **não tinha nada a ver com** o mar. Mas **acabei por** gostar deste passeio. Diverti-me imenso e até fiz amigos.

[1] Adoro viajar. Mas, para a viagem correr bem, é preciso planeá-la com antecedência. E lá estava eu, sozinho, numa manhã cheia de chuva, no aeroporto de Colónia, sem saber em que país ia estar três ou quatro horas depois. Não me sentia nada bem. Estava muito nervoso. Fui ao balcão da **companhia aérea** Ryanair para perguntar para onde havia voos naquele dia. Escolhi seis cidades: 1 - Varsóvia, 2 - Valência, 3 - Riga, 4 - Salónica, 5 - Faro e 6 - Copenhaga. Lancei o dado. Saiu o 5. "Ufa", pensei. "Pelo menos, não vou apanhar chuva." Já tinha estado em Portugal, mas como tinha sido quando era criança, não me lembrava de nada. Comprei o bilhete e esperei até à partida do avião.

[5] Não podia voltar para casa sem passar um dia na praia. O dado escolheu a Praia da Falésia, que fica 30 km a oeste de Faro. Ao longo da praia, há falésias de areia vermelha que lhe dão uma beleza especial. Passei lá o dia inteiro. Como tinha deixado o protetor solar no hotel, apanhei um **escaldão**. Mas, **mesmo assim**, gostei muito desse dia. Quando estive naquela praia, comecei a pensar sobre mim e sobre a minha vida. Reparei que já não estava nada nervoso. Percebi que a vida continua e até pode ser bela sem tentarmos controlar tudo à nossa volta. Foi um belo fim para a minha viagem e uma boa lição para o resto da minha vida.

[3] Apesar de me sentir cansado depois da viagem, fui passear na **marina** e no centro histórico da cidade. Gostei do que vi. À noite, tinha de decidir onde jantar. Normalmente, antes de uma viagem, costumo fazer uma pesquisa na Internet para encontrar os restaurantes onde vou comer. Desta vez, foi o dado que fez a escolha. Saiu Aqui d'El Rei, um restaurante que ficava ao lado da muralha da Cidade Velha. Servia comida portuguesa e angolana. Quis comer um prato angolano porque nunca tinha provado a comida daquele país. Mas o dado escolheu bacalhau, um prato bem português. O serviço no restaurante estava um bocado lento, mas o bacalhau estava ótimo. Deixei uma boa **gorjeta**, o que não é muito normal para mim.

J. Consegue descobrir, pelo contexto, o significado das palavras e expressões destacadas no texto? Consulte o glossário ou pergunte ao seu colega, se necessário.

K. Leia o texto mais uma vez e responda às perguntas abaixo.

1. Como é que estava o tempo em Colónia?
2. O que é que o Jonas achou do hotel?
3. Como é que o Jonas passou a primeira tarde em Faro?
4. O que é que o Jonas quis comer no restaurante?
5. Porque é que o Jonas não gostou da ideia do passeio de jipe?
6. O que é que aconteceu na praia?

L. Leia duas frases retiradas da história da viagem do Jonas. Que ação aconteceu primeiro: a. ou b.? A seguir, encontre e sublinhe no texto da viagem do Jonas todos os exemplos do tempo linguístico usado na frase b.

a. Apanhei um escaldão. **b.** Tinha deixado o protetor solar no hotel. ✗

M. Faça a correspondência entre as colunas.

1. Adormeci porque
2. Corri para a estação, mas
3. Vivi na casa em que
4. Quando chegámos ao cinema,
5. A mãe ficou zangada porque

a. o filho não tinha arrumado o quarto.
b. o filme já tinha começado.
c. não tinha posto o despertador.
d. o comboio já tinha partido.
e. o João tinha vivido há muitos anos.

VÁ À GRAMÁTICA NA PÁGINA 73 E FAÇA O EXERCÍCIO A.

VÁ ÀS ATIVIDADES DE COMUNICAÇÃO NA PÁGINA 172 (A) OU 180 (B) E FAÇA O EXERCÍCIO 8.

O HOTEL NÃO ERA NENHUM LUXO

N. Leia as opiniões dos hóspedes de vários hotéis. Assinale os comentários positivos com P e os negativos com N.

1. O pequeno-almoço não era nada de especial.
2. O serviço de quartos deixa muito a desejar.
3. Gostei muito do atendimento.
4. O hotel fica num prédio antigo que precisa de obras.
5. O hotel ficava numa rua pequena e foi difícil encontrá-lo.
6. A cama era muito desconfortável.
7. O quarto cheirava a cigarros.
8. O quarto era de luxo.
9. O hotel é longe do centro.
10. No quarto ouvia-se o barulho do elevador.
11. Os funcionários eram muito simpáticos.
12. Gostei muito da decoração dos quartos.
13. O hotel é moderno e tem boas instalações.

O. Lembra-se da sua última estadia num hotel? De que é que gostou mais? De que é que não gostou? Fale dessa experiência com o seu colega. Tente usar o vocabulário das frases do exercício N.

PRONÚNCIA

A37 **A.** Como é que pronuncia a letra *x* nas palavras abaixo? Escreva-as na coluna correta. Ouça para confirmar.

luxo excursão fixo flexível
exatamente anexo auxiliar extra
exame próxima trouxe exercício

[ʃ]	[ks]	[z]	[s]
baixo	táxi	exigente	máximo

A37 **B.** Leia as palavras abaixo e sublinhe aquela em que se pronuncia o *e* inicial. Ouça para confirmar.

excursão escaldão estrada escolha extra
estúdio estágio exceção escovar

A37 **C.** Ouça e repita as palavras em que o *e* inicial se pronuncia como [i].

energia exame exercício exatamente

UNIDADE 12

CHEIRA BEM, CHEIRA A LISBOA

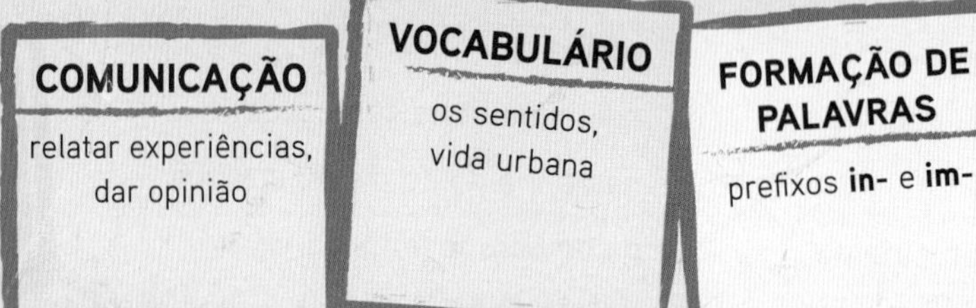

OS CINCO SENTIDOS

A. Faça a correspondência entre os nomes e os verbos.

1. o cheiro
2. o som
3. o sabor
4. o toque
5. a vista

a. tocar
b. ver
c. cheirar
d. soar
e. saber

B. Complete as frases com os verbos do exercício A na forma correta.

1. O teu cão cheira mal. Precisa de tomar banho!
2. Faça o favor de não tocar na fruta!
3. Esta sopa não sabe a nada. Puseste sal?
4. Esta música soa a fado.
5. Vocês já viram o novo filme de Woody Allen?

O PASSEIO PELOS CHEIROS DE LISBOA

C. Leia o anúncio abaixo. O que pensa sobre esta forma de fazer turismo? Gostava de fazer um passeio deste tipo? Conhece os cheiros típicos de Lisboa apresentados nas fotografias? São cheiros agradáveis ou desagradáveis? Fale sobre isto com o seu colega.

D. Leia o texto. Consegue compreender, pelo contexto, as palavras destacadas? Em caso de dúvida, consulte o glossário ou pergunte ao seu colega.

Jorge Ramos é um jovem lisboeta que trabalha como guia de turismo. Quando o Jorge começou a trabalhar nesta área, organizava passeios pelas ruas de Lisboa iguais a todos os outros. Como o negócio estava a correr mal, uns meses depois, o Jorge resolveu fazer algo de diferente. Foi assim que nasceu a ideia do passeio pelos cheiros de Lisboa.

"Lisboa é uma cidade cheia de cheiros, muitos deles únicos, que não se encontram em mais lado nenhum.", explica Jorge Ramos. "Este passeio dá aos turistas a oportunidade de conhecerem a minha cidade de forma diferente."

Durante o percurso, o Jorge leva os turistas para a Rua do Arsenal, onde se encontram lojas tradicionais que vendem bacalhau seco. "O cheiro do bacalhau seco é muito forte. Sente-se não apenas dentro das lojas, mas em toda a rua. Muitas pessoas acham-no desagradável, mas eu não. Se calhar é por ser português!", diz o Jorge a rir.

Nem todos gostam de bacalhau, mas o percurso inclui também cheiros que agradam a toda a gente, como é o cheiro do café ou dos pastéis de Belém acabados de sair do forno. Uma surpresa para muitos turistas é a visita à Praça do Martim Moniz, onde o cheiro de especiarias indianas está sempre no ar. Naquela zona há muitas lojas e restaurantes indianos.

Como alguns cheiros existem apenas em algumas épocas do ano, o percurso do passeio muda ao longo do ano. "Na primavera, levo os turistas às ruas onde há laranjeiras em flor. E é também na primavera que o vento traz com frequência para a cidade o cheiro do mar. Em maio e junho, podemos sentir o doce cheiro das flores dos jacarandás que, para mim, são as árvores mais bonitas e estão em vários bairros da cidade. Junho é também o mês do cheiro mais típico de Lisboa – o das sardinhas assadas. No outono, os vendedores de castanhas assadas enchem as ruas e praças de Lisboa de fumo branco e de cheiro inesquecível. E no inverno, que é a época das chuvas, as ruas e os prédios de Lisboa começam a cheirar a humidade."

Os passeios pelos cheiros de Lisboa têm sido um sucesso. O Jorge tem cada vez mais clientes. "Quando fazia percursos normais, os meus clientes eram só estrangeiros. Agora, quase metade deles são portugueses, que também querem conhecer Lisboa desta forma.", explica o Jorge. No fim do passeio, os turistas podem comprar um livro com os cheiros de Lisboa, em que cada página tem um cheiro diferente. É uma belíssima recordação que os turistas podem levar para casa.

E. Leia o texto mais uma vez e responda às perguntas.

1. Como nasceu a ideia do passeio pelos cheiros de Lisboa?
2. Qual é o cheiro que não agrada a algumas pessoas?
3. Porque é que o passeio não pode ser sempre igual?
4. Quais são os cheiros típicos de verão?
5. Quem são os clientes do Jorge?

F. Como seria um passeio pelos cheiros da sua cidade? Que cheiros típicos incluía no percurso? Fale sobre isto com o seu colega.

A38 **G. Ouça as entrevistas com os turistas que acabaram de fazer o passeio pelos cheiros. Quem é que teve problemas durante o passeio?**

H. Leia as opiniões dos clientes do Jorge. Complete-as com os títulos abaixo.

MAU TEMPO | UMA SURPRESA AGRADÁVEL | MÁ IDEIA PARA OS DOENTES | A OFERTA | O FIM DA VIAGEM

1. ____________________

Jieling, da China: Chegámos a Lisboa há uma semana e hoje é o nosso último dia aqui. Temo-nos divertido muito nesta cidade e o passeio com o Jorge não foi exceção. Foi muito engraçado andar pelas ruas e tentar cheirar tudo à nossa volta. Rimo-nos muito.

2. ____________________

Marta, da Polónia: O passeio foi assim-assim. O Jorge é, sem dúvida nenhuma, um bom guia. Mas, devido a uma constipação, não pude aproveitar este passeio como queria. Uma vez que não senti nenhum dos cheiros, não posso dizer-lhe se gostei ou não.

3. ____________________

Pavel, da Rússia: Já que estou nesta cidade, quero conhecê-la o melhor possível. Pensei que o passeio pelos cheiros de Lisboa era uma boa ideia. Não me tinha lembrado de trazer o chapéu de chuva porque o tempo estava bom. Afinal, durante o passeio, começou a chover. Andar nesta cidade à chuva não tem piada nenhuma.

4. ____________________

Ioannis, da Grécia: Normalmente, não gosto de usar os serviços dos guias de turismo. Foi a minha mulher que quis conhecer os cheiros de Lisboa e fiquei curioso para ver como é. Eu não esperava grande coisa, mas confesso que gostei deste passeio. Vou recomendá-lo a um amigo meu que vai visitar Lisboa daqui a dois meses.

5. ____________________

Gonçalo, de Portugal: Sou lisboeta e fiz este passeio porque os meus colegas me tinham oferecido o bilhete como prenda de anos. Gostei muito porque o Jorge é um excelente guia e a ideia de conhecer a cidade através dos cheiros é muito interessante.

I. Observe a colocação do pronome nas estruturas verbais destacadas nos textos acima. Consegue descobrir a regra?

VÁ À GRAMÁTICA NA PÁGINA 73 E FAÇA O EXERCÍCIO B.

A39 J. Além dos passeios pelos cheiros, o Jorge organiza também passeios pelos sons de Lisboa. Ouça os sons típicos de Lisboa e escreva os números de acordo com a ordem de audição.

o cacilheiro ☐ | sinos ☐ | o elétrico ☐ | o amolador ☐ | cigarras ☐

K. Leia algumas das frases dos textos das páginas anteriores. Qual é a função das palavras/expressões destacadas? O que é que elas introduzem? Sublinhe a opção correta.

a. comparação **b.** causa **c.** condição

Como o negócio estava a correr mal, uns meses depois, o Jorge resolveu fazer algo de diferente.

Devido a uma constipação, não pude aproveitar este passeio como queria.

Uma vez que não senti nenhum dos cheiros, não posso dizer-lhe se gostei ou não.

Já que estou nesta cidade, quero conhecê-la o melhor possível.

L. Conhece outras conjunções que introduzem causa? Quais?

VÁ À GRAMÁTICA NA PÁGINA 73 E FAÇA O EXERCÍCIO C.

O FILME QUE VI ONTEM É ESPETACULAR!

M. Leia as frases abaixo. Assinale as opiniões muito positivas com ++, as positivas com +, as neutras com +/-, as negativas com - e as muito negativas com --.

☐ Foi/É engraçado! ☐ Foi/É espetacular! ☐ Não foi/é nada de especial. ☐ Foi/É incrível!

☐ Foi/É assim-assim. ☐ Não teve/tem piada nenhuma! ☐ Foi/É bastante chato. ☐ Foi/É fantástico!

☐ Foi/É mais ou menos. ☐ Foi/É interessante. ☐ Foi/É horrível! ☐ Foi/É excelente!

N. Preencha a tabela abaixo com os títulos ou nomes.

o livro que li recentemente:	
o filme que vi recentemente:	
o restaurante onde fui recentemente:	
o concerto a que assisti recentemente:	
a cidade que visitei recentemente:	
a festa em que estive recentemente:	

O. Troque a sua tabela do exercício N com a do seu colega e faça perguntas como no esquema.

1 Como foi...?/O que é que achaste de...?

2 Foi/É espetacular!

3 Porquê?

4 Porque...

FORMAÇÃO DE PALAVRAS

A. Os prefixos *in-* e *im-* servem para formar adjetivos com o significado oposto. Escreva as palavras em falta abaixo.

1. útil — inútil
2. possível — ____
3. ____ — impaciente
4. feliz — ____
5. ____ — inseguro

B. Complete as frases com algumas das palavras do exercício A na forma correta.

1. O Rui não sabe esperar. É muito impaciente.
2. À noite, esta rua pode ser ____.
3. A Ana casou-se ontem. Estou tão ____ por ela!
4. É muito ____ falar várias línguas.
5. É ____ pagar com cartão nesta loja?

Pretérito Perfeito Composto do Indicativo

- Usamos o Pretérito Perfeito Composto do Indicativo quando nos referimos a uma ação que começou no passado e continua até agora.

  Tenho estudado muito ultimamente.

eu	tenho	Particípio Passado
tu	tens	
você / ele / ela	tem	
nós	temos	
vocês / eles / elas	têm	

- O Particípio Passado usado neste tempo linguístico é invariável:

  A Ana tem trabalhado muito.

  O Miguel tem escrito muitos e-mails.

- Os advérbios/locuções adverbiais de tempo usados com este tempo linguístico são: *ultimamente*, *nos últimos tempos/dias/meses*, *até agora*, *até ao presente* e *recentemente*.

Dar e *ficar* com preposições

Os verbos *dar* e *ficar* são verbos muito usados e mudam de significado conforme a preposição que os acompanha (*dar para*, *dar com*, *dar por*, *ficar com*, *ficar para*).

O diminutivo

- Os nomes e os adjetivos podem ter diminutivo (*casinha*, *Miguelito*, *bonitinho*). Na maioria dos casos, o diminutivo tem um valor afetivo.

- O diminutivo forma-se, na maior parte dos casos, com o sufixo *-(z)inho*. Outros sufixos com a mesma função são *-ino*, *-ito* e *-ote:*

  livro – livrinho

  pequeno – pequenino/pequenito

  rapaz – rapazinho/rapazote

- O diminutivo é usado com muita frequência para designar alimentos e pratos (*sopinha*, *peixinho*, *cervejinha*, *batatinhas*, etc.)

A. Complete com o verbo na forma correta do Pretérito Perfeito Composto.

1. Tenho ido muito à praia. *(eu/ir)*
2. ______________ muito mal. *(nós/dormir)*
3. Vocês ______________ a Ana? *(ver)*
4. Não ______________ tempo para fazer desporto. *(eu/ter)*
5. Ultimamente, ______________ pouco. *(chover)*
6. Nos últimos meses, os preços das casas ______________. *(subir)*
7. A Ana ______________ às aulas. *(faltar)*
8. ______________ fado todos os dias. *(eu/ouvir)*
9. ______________ muita roupa ultimamente. *(tu/comprar)*

B. Complete com *ficar com*, *ficar para*, *dar com*, *dar para* ou *dar por* na forma correta.

1. O meu quarto dá para um jardim.
2. O Jorge foi de férias e eu ______________ todo o trabalho dele. Não é justo!
3. A: A meio da noite alguém bateu à nossa porta.
   B: A sério? Eu não ______________ nada. Estava a dormir.
4. Hoje já não faço mais nada. O resto ______________ amanhã.
5. A: Rita, tu já não usas estas calças, pois não?
   B: Não. Deixei de gostar delas.
   A: Mas eu gosto! Posso ______________ elas?
6. Este restaurante é pequeno. Não ______________ organizar um jantar para 30 pessoas aqui.
7. Ontem, à saída do escritório, ______________ o teu namorado. Ficou surpreendido quando me viu.

C. Complete as frases com o diminutivo.

1. Aquele rapazinho é filho da D. Rosa? *(rapaz)*
2. Alguém quer um ______________? *(gato)*
3. Passei por uma ______________ muito bonita. *(aldeia)*
4. És ______________ ao teu pai! *(igual)*
5. A Inês manda-te muitos ______________! *(beijos)*
6. Quem quer tomar um ______________? *(chá)*
7. Tenho uma ______________ para ti. *(prenda)*
8. Vamos para a ______________! *(cama)*

Pretérito Mais-que-Perfeito Composto do Indicativo

Usamos o Pretérito Mais-que-Perfeito Composto para descrever uma ação passada que aconteceu antes de outra ação ou estado passado, expressa com o P.P.S. ou com o Pretérito Imperfeito:

Quando cheguei à estação, o comboio já tinha partido.

Estava cansado porque tinha dormido mal.

eu	tinha	Particípio Passado invariável
tu	tinhas	
você / ele / ela	tinha	
nós	tínhamos	
vocês / eles / elas	tinham	

Colocação do pronome com tempos compostos

- O pronome coloca-se depois do verbo auxiliar:
  Tenho-me sentido muito mal.

- O pronome antecede o verbo auxiliar depois de *que, não, nunca, ninguém, também, já*, pronomes interrogativos e nas frases subordinadas:
  Nunca me tinha sentido tão mal.

Expressão de causa

- Depois de *porque, como, já que* e *uma vez que* usamos o verbo no Indicativo:
  Vesti o casaco, porque estava com frio.
  Como não almoçaste, fiz uma sandes para ti.
  Já que estás aqui, podes ajudar-me.
  Uma vez que não falam inglês, precisam de um intérprete.

- Depois de *por, por causa de* e *devido a* usamos o Infinitivo (Impessoal ou Pessoal) ou um nome/ /pronome:
  O Paulo não veio à escola por estar doente.
  Ficámos em casa por causa da chuva.
  O Sr. Costa chegou atrasado devido ao trânsito.

A. Complete as frases com os verbos na forma correta do Pretérito Mais-que-Perfeito Composto, P.P.S. ou Imperfeito.

1. Não estava com fome porque já tinha jantado *(eu/estar, jantar)*
2. O Rui ____ com medo porque nunca ____ a cavalo. *(estar, andar)*
3. ____ este museu! Já o ____ antes. *(nós/adorar, visitar)*
4. Quando ____ na sala, a aula já ____ *(tu/entrar, começar)*
5. Quando os polícias ____ à porta, os ladrões já ____. *(bater, fugir)*
6. Tu já ____ o pequeno-almoço quando eu ____. *(tomar, acordar)*

B. Coloque o pronome na posição correta.

1. O avô não se tem ____ sentido bem.
2. A Ana nunca ____ tinha ____ queixado de ti.
3. Eles não ____ têm ____ importado de trabalhar à noite.
4. Eu ainda não ____ tinha ____ lembrado disso.
5. Tu ____ tens ____ preocupado muito comigo.
6. O Rui ____ tem ____ dado bem com o chefe dele.
7. Eles já ____ tinham ____ deitado quando cheguei.
8. O João ____ tem ____ divertido muito.

C. Reformule as frases usando a conjunção dada.

1. A tradução era fácil, por isso terminei-a rapidamente. *(porque)*
   Terminei a tradução rapidamente porque era fácil.
2. A rua está em obras, por isso o trânsito está lento. *(uma vez que)*
   ____
3. Vais às compras, então podes comprar leite. *(como)*
   ____
4. Tens dinheiro, por isso paga-me o almoço. *(já que)*
   ____
5. O tempo estava mau e o avião chegou atrasado. *(devido a)*
   ____
6. Ela põe o despertador porque tem de acordar cedo amanhã. *(por)*
   ____

PORTUGUÊS EM AÇÃO 3

NO TÁXI

A. Faça a correspondência entre as palavras da caixa e as fotografias.

☐ o largo	☐ o quartel de bombeiros
☐ a pensão	☐ a catedral
☐ a estátua	☐ a praça de táxis

1

2

3

4

5

6

A40 **B.** Leia as frases abaixo e ouça o diálogo. As frases são verdadeiras ou falsas? Assinale.

1. A Raquel não quer apanhar o táxi na rua. V F
2. O taxista não sabe onde é a Rua das Flores. V F
3. A Raquel diz ao taxista por onde deve ir. V F
4. A Raquel sai do táxi ao lado do quartel dos bombeiros. V F

D. Observe as palavras/expressões na caixa abaixo. Tape o diálogo à direita com uma folha de papel e pratique, com o seu colega, um diálogo parecido usando as palavras e expressões listadas abaixo.

praça de táxis / pensão / ficar / centro
sentido único / percurso / pé / estátua / fatura

A40 **C.** Leia o diálogo e complete-o com as palavras que faltam. A seguir, ouça para confirmar.

Raquel: Desculpe, há aqui perto alguma praça de táxis? É que os que ______[1] na rua estão todos ocupados.
Transeunte: Há. Está a ver aquelas ______[2]? É a catedral. Há uma praça de táxis mesmo em frente.
Raquel: Muito obrigada.

Taxista: Boa tarde. Para onde é que vai ser?
Raquel: Boa tarde. Pensão Estrela, na Rua das Flores.
Taxista: Rua das Flores? Não estou a ver onde é. Sabe dizer-me onde fica, mais ou menos?
Raquel: Por acaso, sei. É no centro da cidade, no Chiado. É paralela à Rua do Alecrim. ______[3] a Rua do Alecrim e vira na segunda à esquerda, no Largo do Barão Quintela.
Taxista: Ah, já sei. É perpendicular à Rua de S. Paulo. É uma rua de sentido ______[4]. Tem alguma preferência de percurso?
Raquel: Não, não. Obrigada.

Taxista: Estamos a chegar. Onde é que quer ficar?
Raquel: Pode ser ao pé do quartel dos bombeiros. Não, deixe-me antes ao pé da estátua. Acho que a pensão é mesmo na ______[5].
Taxista: Pronto. Chegámos.
Raquel: Obrigada. Quanto é?
Taxista: Ora bem, são 6,40 mais 1,60 da mala. 8€.
Raquel: Passa-me uma fatura?
Taxista: Claro que sim.

E. Usa os serviços de táxis com frequência? Porquê? Os taxistas na sua cidade são simpáticos? Sabem sempre o caminho? Lembra-se de alguma viagem de táxi fora do comum? Faça estas perguntas ao seu colega.

UMA CARTA FORMAL: CARTA DE APRESENTAÇÃO

A. **Olhe para o anúncio de emprego que está ao lado. O Georgios decidiu candidatar-se a este emprego. Para isso, escreveu o CV (que pode ver na página 57) e a carta de apresentação abaixo. Complete a carta com as palavras da caixa.**

área	pessoa	resposta	atenção	equipa
entrevista	trabalho	informações	vaga	espera

Designer gráfico **(m/f)**

Perfil

- Boa capacidade de comunicação
- Pessoa criativa e organizada
- Conhecimentos de *marketing* e publicidade são bem-vindos

Salário: 800€-1000€/mês

Localização: Lisboa

Ex.mos Senhores

1. Escrevo-lhes em _______[1] ao anúncio de uma _______[2] de *designer* gráfico que apareceu no dia 3 de outubro na vossa página da Internet. Decidi responder a este anúncio porque acredito ser a _______[3] certa para esta posição.

2. Apesar de ser muito jovem, já tenho alguma experiência na _______[4] de *design* gráfico. Fiz trabalhos para várias empresas nacionais e internacionais. Sei trabalhar com vários programas de *design*, como, por exemplo, *Illustrator*, *InDesign* e *Photoshop*.

3. Sou uma pessoa organizada, responsável e muito criativa. Sei manter um bom ambiente de _______[5] e um bom contacto com os clientes e os colegas. Gosto muito de trabalhar em _______[6]. Aguento bem o stresse e sou rápido a aprender coisas novas e a resolver problemas.

4. Sou formado em *Design* Gráfico pela Universidade de Nicósia, em Chipre. Falo inglês, português, italiano e grego, que é a minha língua nativa.

5. Junto envio o meu currículo, que contém _______[7] sobre a minha experiência profissional e formação académica. Fico à _______[8] do vosso contacto para podermos marcar uma _______[9].

Agradecendo a _______[10] dispensada, apresento os meus melhores cumprimentos.

Georgios Apostolakis

B. **Leia a carta mais uma vez e faça a correspondência entre a frase e o parágrafo.**

a. No caso de quererem saber mais... [ ]

b. Dou-me bem com toda a gente. [ ]

c. Este trabalho é para mim! [ ]

d. Não sou português. [ ]

e. Já tenho experiência profissional. [ ]

Expressões e frases usadas nos *e-mails* formais:

No início do *e-mail*/carta:

Caro(a) + *Título* + *Nome*/Ex.mo(s) Sr(s).
Venho por este meio + *verbo*...
Escrevo-lhe em resposta a...

No fim:

Agradeço a atenção dispensada.
Agradecendo a atenção dispensada, apresento os meus melhores cumprimentos.
Atentamente/Atenciosamente/Com os melhores cumprimentos

C. **Escreva uma carta de apresentação para o seu emprego de sonho. Use as frases da caixa acima no início e no fim do *e-mail*.**

REVISÃO UNIDADE 9 a UNIDADE 12

A. Escolha a opção correta.

1. Nunca antes tinha *provado* este prato.
   a. tentado b. provado c. alimentado
2. O tempo ____ melhorado nos últimos dias.
   a. tinha b. tenho c. tem
3. Temos ____ muitas cartas.
   a. escritas b. escrito c. escritos
4. Tens ____ muitos filmes?
   a. vindo b. vendo c. visto
5. Quando cheguei, tu já ____ saído.
   a. tinhas b. tens c. tiveste
6. ____ estás aqui, podes limpar os pratos.
   a. Como que b. Já que c. Mesmo que
7. O serviço neste bar ____ muito a desejar.
   a. tem b. fica c. deixa
8. A viagem ____ duas horas e meia.
   a. toma b. tem c. demora
9. A estrada está fechada ____ neve.
   a. devido b. pela c. por causa da
10. Não ____ a nenhuma conclusão.
    a. viemos b. chegámos c. fomos
11. ____ um escaldão ontem na praia.
    a. Apanhei b. Levei c. Tive

B. Corrija as frases como nos exemplos.

1. O meu trabalho é ~~mau~~ pago. — *mal*
2. O jantar não foi nada/ especial. — *de*
3. Enganei-me ao caminho. ____
4. A cozinha está cheia com fumo. ____
5. Sintra fica 30 km de Lisboa. ____
6. Tenho levantado-me cedo. ____
7. A tua roupa cheira de cigarros. ____
8. Não tenho nada a haver com isso. ____
9. A chave não está a lado nenhum. ____
10. Ando em procura de trabalho. ____

C. Escreva a palavra que falta.

1. O negócio está a *correr* muito mal.
2. Já alguma vez viste laranjeiras ____ flor?
3. Não reparei ____ ti.
4. Ficámos num hotel ____ luxo.
5. Queres ficar ____ este casaco?
6. Vamos ____ em contacto consigo.
7. Gosto de trabalhar ____ equipa.
8. A tua resposta não agradou ____ pai.
9. Estás a ver aquela fila ____ carros?
10. Preciso de subir ____ carreira.

D. Complete as letras que faltam nas palavras.

1. Na praia, devemos usar p*rotetor* solar.
2. Este prédio é velho. Precisa de o____.
3. Qual é a p____ do tempo para hoje?
4. Dei dois euros de g____ ao empregado.
5. A Ana quer saber tudo. É muito c____.
6. Parei o carro no s____ vermelho.
7. Terminei o curso com m____ de 16 valores.
8. O meu carro avariou. Está na o____.
9. Esta é uma rua de s____ único.
10. Esta sopa não s____ nada bem.
11. Não sei como r____ este problema.
12. Podes e____ o copo com água?

E. Reformule as frases usando a palavra dada.

1. Acho que deves conduzir mais devagar. *(velocidade)*
   Acho que deves reduzir a velocidade.
2. Já não temos tempo para tomar um café. *(dar)*
   ____
3. O Miguel chegou no último momento. *(cima)*
   ____
4. Para mim, hoje, não é um bom dia para jantar fora. *(jeito)*
   ____
5. Comprámos o bilhete um mês antes do voo. *(antecedência)*
   ____
6. Não gosto deste filme. *(piada)*
   ____
7. Não tenho dinheiro suficiente para pagar a casa. *(chegar)*
   ____
8. No início, pensava que a Cátia era uma chata, mas agora gosto dela. *(acabar)*
   ____

F. Faça a correspondência entre as colunas.

1. cinto	a. de bombeiros
2. praça	b. de trânsito
3. toalha	c. de segurança
4. sinal	d. de viagem
5. limite	e. de praia
6. companheiro	f. de táxis
7. quartel	g. de velocidade

G. Assinale a palavra que não pertence ao grupo.

1. percurso	vendedor	mecânico	operário
2. autoestrada	portagem	toalha	camião
3. sabor	curva	som	vista
4. areia	sol	duna	vaga
5. caixinha	ratinho	vizinha	chazinho
6. incrível	fantástico	horrível	excelente

H. Complete as frases com a palavra relacionada com a palavra destacada.

1. Na semana passada, tive uma **consulta** médica.
   Na semana passada, consultei um médico.
2. O Luís tem uma **bolsa** do Instituto Confúcio.
   O Luís é ________ do Instituto Confúcio.
3. Qual é a **pronúncia** desta palavra?
   Como se ________ esta palavra?
4. A visita da Marta **surpreendeu**-me.
   A visita da Marta foi uma ________ para mim.
5. O pai do Nuno não tem **emprego**.
   O pai do Nuno está ________.
6. É preciso ter **respeito** pelos idosos.
   É preciso ________ os idosos.

A41 **I. Ouça os textos e escolha a opção correta.**

1. A amiga não faz um elogio
   a. à roupa do Mário.
   b. ao carácter do Mário.
   c. à aparência física do Mário.

2. O Mário
   a. quer ensinar numa universidade.
   b. não está nada calmo.
   c. está com dúvidas sobre se este trabalho é bom para ele.

3. A Inês
   a. não está muito interessada no que aconteceu na estrada.
   b. diz que o Jorge nunca segue os conselhos dela.
   c. não se importa de esperar um bocado.

4. O Jorge
   a. está a viajar sozinho.
   b. está parado na autoestrada.
   c. está a caminho de um jantar.

J. Leia o texto e verifique o significado das palavras desconhecidas no glossário. A seguir, responda às perguntas.

PASSEIO PELA LISBOA ÁRABE

Durante 400 anos da sua história, Lisboa era uma cidade árabe. Venha fazer connosco um passeio para conhecer o que resta de *al-Lixbûnâ*, a Lisboa árabe medieval. Juntos vamos descobrir os segredos dos bairros da Mouraria e de Alfama (que tem a mesma origem que a palavra árabe *hammam*, que significa *banhos*). Vamos entrar na Catedral de Lisboa, que, na época árabe, era uma das mais importantes mesquitas da cidade. Durante o nosso passeio vai aprender também sobre a influência do árabe na língua portuguesa. Dezenas de palavras portuguesas, como *azeite*, *armazém*, *azar*, *azul*, *bairro*, *garrafa* e *louco*, são de origem árabe. Vai também conhecer os nomes de alguns dos poetas árabes que nasceram em Lisboa e escreveram belos poemas sobre esta cidade. O passeio vai acabar na Mesquita Central, que serve a comunidade muçulmana que vive na Lisboa de hoje.

1. Em que época Lisboa era uma cidade árabe?
2. Em que partes de Lisboa pode conhecer o seu passado árabe?
3. Que edifícios vai visitar durante o passeio?
4. O que é que vai aprender durante o passeio?

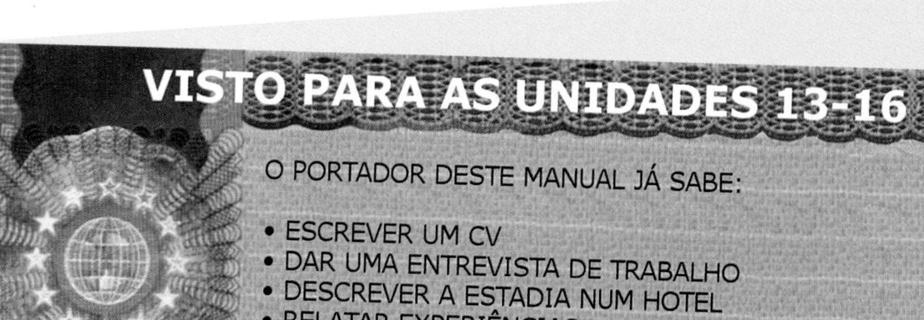

UNIDADE 13

COMO SERÁ LISBOA NO FUTURO?

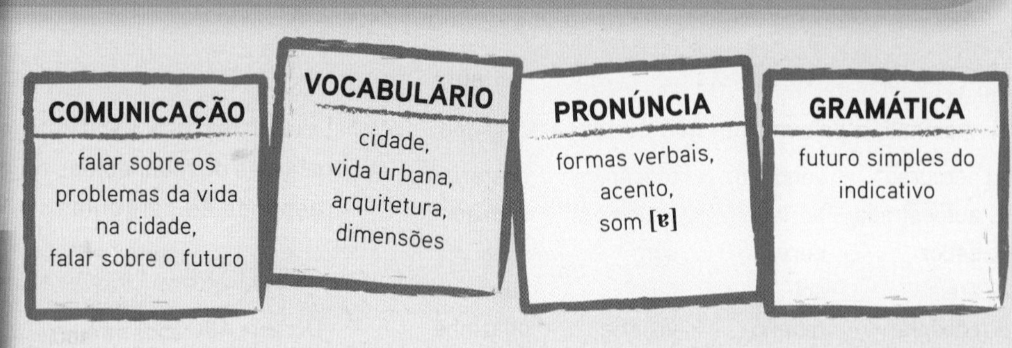

OS PROBLEMAS DAS CIDADES

A42 **A.** Leia os problemas mais frequentes que as grandes cidades têm hoje em dia. A seguir, ouça o diálogo e sublinhe os problemas mencionados no diálogo.

engarrafamentos | falta de espaços verdes | criminalidade | ruído | desemprego

pobreza | poluição do ar | altos custos da habitação | estacionamento ilegal

A42 **B.** Ouça novamente o diálogo e complete-o com as palavras em falta.

A: Não acredito, outra vez!

B: O que é que foi?

A: Alguém estacionou o carro em segunda ________[1]. Agora não conseguimos sair daqui.

B: Tens de apitar. O dono deve estar perto.

A: Não vem ninguém. Isto é uma ________[2] de respeito. Não há paciência. Já é a segunda vez esta semana!

B: Há muitos carros na cidade. E os lugares de estacionamento são poucos.

A: Pois, esta cidade está cheia de carros. Hoje, demorei duas horas para cá chegar. As filas de ________[3] eram enormes. E a Câmara não faz nada.

B: Não é bem assim. A Câmara faz o que pode, mas não é nada fácil resolver este problema.

A: Faz? O que é que faz? Eu não vejo nada. Por causa dos carros, a ________[4] do ar nesta cidade é das mais elevadas na Europa. Há carros por todo o lado. Precisamos de parques e jardins, não de carros.

B: As coisas estão mal por causa de pessoas como tu, que moram fora da cidade, mas trazem o carro para o trabalho. Devem usar os transportes ________[5]. Porque é que não vens de autocarro?

A: De autocarro? Os transportes públicos não prestam! E olha, vivo fora porque não tenho dinheiro ________[6] para comprar uma casa na cidade! Não sou rico como tu!

B: Bem, já vi que estás chateado e precisas de desabafar, mas a culpa não é minha. Olha, não vamos passar aqui o resto do dia a discutir. Vais ter de chamar a polícia.

C. Quais dos problemas listados no exercício A existem na sua cidade? Na sua opinião, quais são os mais graves e mais difíceis de resolver? Fale sobre isto com o seu colega.

PROJETO *LXAMANHÃ*

A43 **D.** Leia a entrevista com Luís Filipe, autor do projeto *LXAMANHÃ*. Complete a entrevista com as perguntas a-f. A seguir, ouça para confirmar.

1. ____________________?

LF: *LXAMANHÃ* é um *website* que dá às pessoas a oportunidade de poderem falar sobre os problemas de Lisboa, partilhar ideias e apresentar propostas para melhorar o futuro desta cidade.

2. ____________________?

LF: Não. O nosso espaço é aberto a todos os que têm alguma coisa para dizer sobre os assuntos que têm a ver com a vida da nossa cidade.

3. ____________________?

LF: As propostas estão disponíveis no *website* para os utilizadores do *LXAMANHÃ* poderem falar sobre elas e votarem nas de que gostam mais. Todos os meses anunciamos a proposta que recebeu mais votos.

4. ____________________?

LF: A maioria das propostas que aparecem no nosso espaço tem a ver com os transportes. Outro tema muito popular são os espaços verdes.

5. ____________________?

LF: A proposta que recebeu mais votos foi tirar os carros da Rua Garrett. É uma rua que fica no coração de Lisboa e onde os lisboetas gostam de passear.

6. ____________________?

LF: Acho que será mais difícil andar de carro no centro da cidade. A vida será mais fácil para os peões e para os utilizadores de bicicletas. Haverá muito mais jovens a viver na parte histórica de Lisboa. Haverá também ainda mais turistas e mais hotéis. Mas, apesar de todas estas mudanças, a cidade não será muito diferente. E de certeza que não perderá o seu carácter.

Entrevistador: Muito obrigado pela entrevista.

a. Que temas aparecem com mais frequência no *LXAMANHÃ*?

b. Que proposta ganhou mais apoio até agora?

c. O que é que acontece com as propostas que estão no *website*?

d. Que tipo de projeto é o *LXAMANHÃ*?

e. Na sua opinião, como é que será Lisboa no futuro, daqui a uns 15 anos?

f. Quem pode apresentar essas propostas? Só os habitantes de Lisboa?

E. Leia a entrevista mais uma vez e corrija as frases abaixo.

1. *LXAMANHÃ* é um projeto sobre as cidades de Portugal.
2. Os utilizadores escolhem, diariamente, as propostas mais populares.
3. Os temas mais populares são a habitação e os espaços verdes.
4. Os lisboetas querem mais carros na Rua Garrett.
5. No futuro, será mais difícil andar a pé em Lisboa.

F. Encontre, no texto da entrevista, o tempo verbal usado nas frases que se referem ao futuro. Que estrutura pode substituir este tempo?

VÁ À GRAMÁTICA NA PÁGINA 94 E FAÇA O EXERCÍCIO A.

G. Pense na sua cidade. Consegue imaginar como será no futuro, daqui a uns 15 anos? Escreva quatro frases.

1. No futuro, a minha cidade ______________________________.
2. No futuro, na minha cidade, ______________________________.
3. No futuro, ______________________________.
4. No futuro, ______________________________.

IMPORTANTE!
Isso é típico de ti!

OS PROJETOS DO FUTURO

H. Leia a informação sobre quatro projetos arquitetónicos do futuro. Complete os textos com os verbos da caixa na forma correta do Futuro Simples do Indicativo.

ser	ter	terminar	ligar	custar	receber	haver	estar

A. **A Ponte-Jardim**, em Londres, será uma ponte acessível só aos peões. Terá 367 metros de comprimento e 30 metros de largura. ligará as duas margens do Rio Tamisa. Ao longo da ponte haverá vários tipos de árvores típicas de Inglaterra. Será, provavelmente, a única ponte-jardim do mundo. Receberá os primeiros visitantes em 2018.

B. **A Torre Jeddah**, na Arábia Saudita, será o edifício mais alto do mundo. terá 1 km de altura. A torre precisará de aguentar os ventos fortes, muito comuns no deserto. Dentro da torre caberão apartamentos de luxo, escritórios, um hotel e um centro comercial. A torre terá 60 elevadores e 200 andares. A sua construção terminará em 2020.

C. As moradias **The Floating Seahorse** estão em construção a poucos quilómetros da costa do Dubai. Tecnicamente, estas moradias serão um barco que não se mexe. Terão três andares. Os quartos estarão debaixo de água, a três metros de profundidade. Uma casa destas custará 1,5 milhões de euros. As primeiras estarão prontas em 2018.

D. A Casa da Montanha **Kezmarska** será um hotel no meio das montanhas, no norte da Eslováquia. O hotel ficará a 1700 metros de altitude e terá uma forma moderna, parecida com um cubo de gelo gigante. Na parte de dentro, o hotel terá um estilo tradicional, típico das montanhas. Ainda não se sabe quando é que o Kezmarska receberá os primeiros hóspedes.

I. Leia os textos do exercício anterior mais uma vez. De acordo com os textos, qual das estruturas...

1. ... será maior do que as outras do mesmo tipo? ______
2. ... juntará dois estilos muito diferentes? ______
3. ... terá muitas plantas? ______
4. ... será acessível de barco? ______

J. Qual dos projetos apresentados no exercício H lhe parece mais interessante? Porquê? Fale sobre isto com o seu colega.

VÁ ÀS ATIVIDADES DE COMUNICAÇÃO NA PÁGINA 172 (A) OU 180 (B) E FAÇA O EXERCÍCIO 9.

K. Procure na Internet informação sobre um projeto arquitetónico do seu país. Escreva sobre ele uma nota parecida com as do exercício H.

QUAIS SÃO AS MEDIDAS DESSA MESA?

L. Encontre nos textos do exercício H os nomes que correspondem aos adjetivos abaixo.

1. profundo *profundidade*
2. largo ______
3. comprido ______
4. alto ______ e ______

M. Quais são as medidas dos objetos abaixo? Escreva.

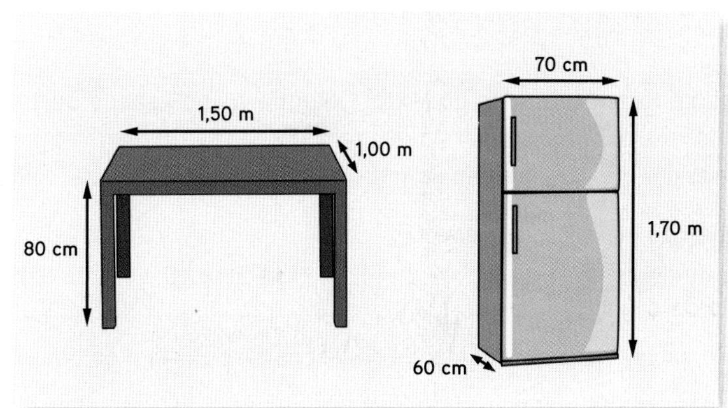

Esta mesa tem ______

Este frigorífico ______

PRONÚNCIA

A44 A. Ouça e repita as formas verbais. Preste atenção à acentuação e à pronúncia da vogal final como [a].

será terá verá dará fará dirá irá

A44 B. Ouça e repita as formas verbais que terminam com o ditongo [ɐ̃w]. Sublinhe a sílaba acentuada.

leram lerão vieram verão viram virão
ouviram ouvirão perderam perderão

A44 C. Ouça e repita as palavras. Sublinhe as letras a vermelho pronunciadas como [ɐ].

jogaram jogarão ligaram ligarão

A44 D. Ouça e repita as palavras. Sublinhe as letras a vermelho pronunciadas como [ɐ].

cama fala chama cara Ana banha

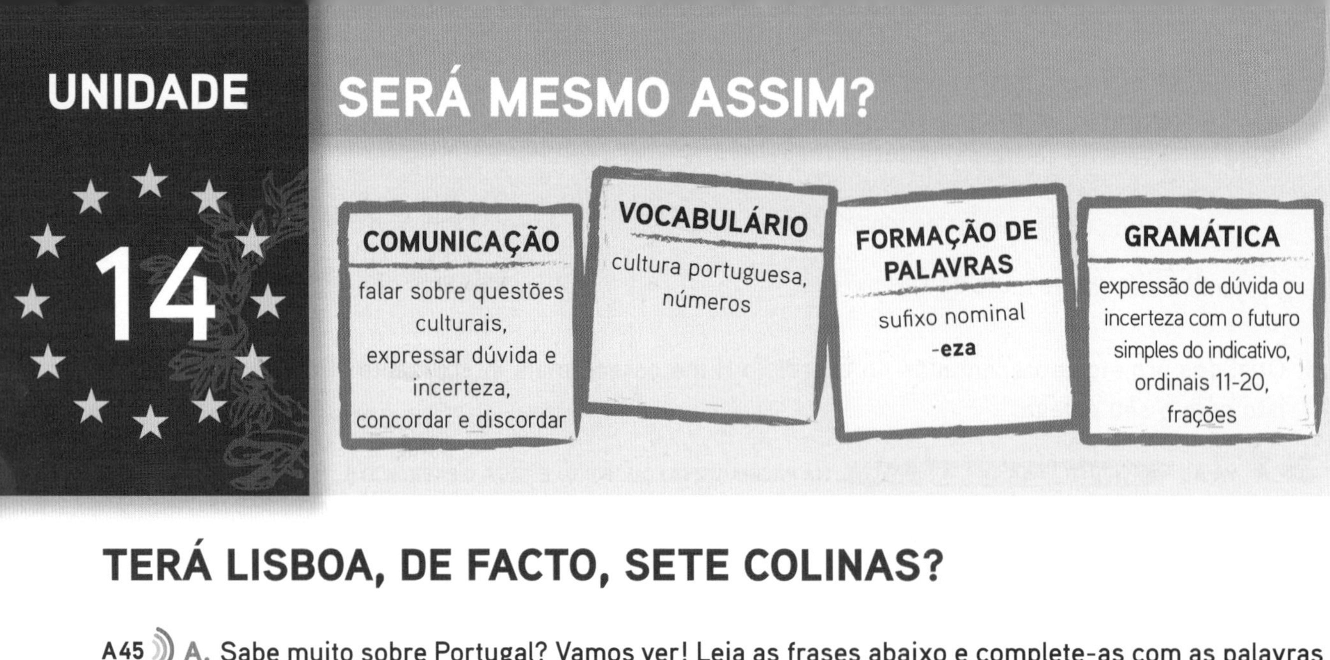

UNIDADE 14 SERÁ MESMO ASSIM?

COMUNICAÇÃO	VOCABULÁRIO	FORMAÇÃO DE PALAVRAS	GRAMÁTICA
falar sobre questões culturais, expressar dúvida e incerteza, concordar e discordar	cultura portuguesa, números	sufixo nominal **-eza**	expressão de dúvida ou incerteza com o futuro simples do indicativo, ordinais 11-20, frações

TERÁ LISBOA, DE FACTO, SETE COLINAS?

A45 **A. Sabe muito sobre Portugal? Vamos ver! Leia as frases abaixo e complete-as com as palavras em falta. A seguir, ouça para confirmar.**

1. Lisboa tem uma ____________ muito especial.
2. É impossível traduzir a palavra ____________ para outras línguas.
3. Lisboa é uma cidade com sete ____________.
4. Os portugueses têm 365 receitas de ____________.
5. O ____________ é um tipo de música muito triste.

B. Leia o artigo de uma revista. As frases abaixo foram retiradas do texto. Coloque-as no espaço certo.

a. Sabem que Lisboa tem sete colinas.
b. Onde serão as sete colinas da cidade?
c. Portugal não é exceção à regra.

Todos os países têm algo que pode ser motivo de orgulho. ________________________[1]. Podemos estar orgulhosos do vinho, do fado, do azulejo, das belas cidades de Lisboa e do Porto e de outras coisas. Milhares de turistas vêm ao nosso país para ver as maravilhas de Portugal de perto. Vão às casas de fado, provam as nossas sardinhas e passeiam pelas ruas das nossas cidades. Todos eles, à saída de Portugal, sabem sobre o nosso país muito mais do que no momento em que cá chegaram. ________________________[2]. Sabem que há 365 receitas de bacalhau. Sabem que a palavra *saudade* é muito especial. Mas será que tudo o que lhes contamos é verdade? Terá Lisboa realmente aquela luz extraordinária? ________________________[3]. Será mesmo impossível traduzir a palavra *saudade*? Pedimos a especialistas em várias áreas para falarem sobre estas e outras questões e confirmarem se, de facto, são verdade.

A46 **C. Ouça os especialistas a falarem sobre as frases do exercício A. Sublinhe as frases que, na opinião dos especialistas, são verdadeiras.**

D. Agora leia os textos. Sabe o que significam as palavras destacadas? Escreva-as ao lado da definição ou do sinónimo correto.

Pedro Teixeira, cientista: Sem dúvida nenhuma, a luz de Lisboa é diferente da das outras cidades graças à sua localização e ao clima. Lisboa tem três mil horas de sol por ano, o que é superior a outras cidades do sul da Europa. Os ventos do norte, que costumam chegar a Lisboa ao fim da tarde, tiram a poluição do ar. Depois, temos o Tejo, esse enorme espelho de água que reflete o sol e ilumina tudo à sua volta. E, finalmente, o que também reflete a luz do sol de forma muito especial são as colinas e as casas de cores claras, tão típicas de Lisboa.

Luísa Abreu, tradutora: É impossível traduzir *saudade* para outras línguas? Não é bem assim. *Saudade* é um sentimento de falta de algo ou alguém, comum a todas as pessoas em todo o mundo, portanto, palavras com este significado existem noutras línguas, como o finlandês (*kaiho*) ou o romeno (*dor*). O que é realmente único não é o significado, mas o valor cultural da palavra. Em português, esta palavra é uma chave para compreender o povo e a cultura. Noutras línguas, é um sentimento e nada mais do que isso.

Ana Mata, guia de turismo: As sete colinas de Lisboa são uma lenda. Foi Frei Nicolau de Oliveira, autor desta lenda, que as referiu pela primeira vez no século XVII. Naquela altura, era importante as cidades serem como Roma Antiga. Por isso, hoje em dia, há muitas cidades no mundo que dizem ser "cidades das sete colinas". Dizem, mas não são. Lisboa é uma delas. Na verdade, o centro de Lisboa tem oito colinas. Frei Nicolau omitiu a colina da Graça.

Luís Vaz, cozinheiro: Bem, confesso que eu próprio conheço apenas umas três dúzias de receitas de bacalhau. Mas já vi livros de receitas em que podemos encontrar 365 modos diferentes de preparar este peixe. Há pessoas que dizem que há 1001 receitas de bacalhau, mas este número já me parece um bocado exagerado.

Filipa Freitas, fadista: A maioria dos estrangeiros, e até muitos portugueses, pensa que o fado é sempre triste. Eu não concordo com esta ideia. No fado, há todos os sentimentos. Há tristeza, sem dúvida, mas também há saudade, há amor e há alegria. Até há fados que nos fazem rir. A própria Amália Rodrigues, a grande senhora do fado, costumava dizer "O fado não é triste. É sério".

1. modos → maneiras
2. exagerado → grande demais
3. lenda → história não verdadeira
4. concordo → tenho a mesma opinião
5. graças à → devido à
6. sentimento → amor, saudade, etc.
7. portanto → por isso
8. omitiu → não incluiu
9. superior → maior
10. ilumina → enche de luz

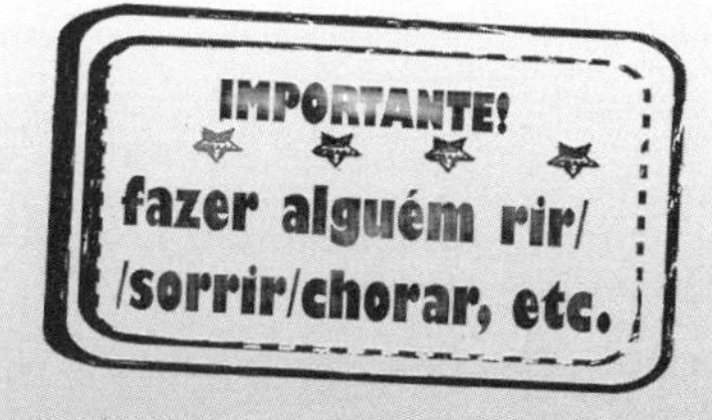

E. Leia os textos do exercício D mais uma vez e responda às perguntas abaixo.

1. O que é que o clima de Lisboa tem de único?
2. O que falta à palavra *saudade* noutras línguas?
3. Porque é que se diz que Lisboa tem sete colinas?
4. Quantos modos de fazer bacalhau conhece Luís Vaz?
5. Que sentimentos há no fado?
6. O que costumava dizer Amália Rodrigues?

F. Leia as frases retiradas do texto do exercício B. Observe os verbos destacados. Lembra-se do nome deste tempo linguístico? Estas frases referem-se ao futuro ou ao presente?

1. Onde **serão** as sete colinas da cidade?
2. **Será** que tudo o que lhes contamos é verdade?
3. **Terá** Lisboa realmente aquela luz extraordinária?
4. **Será** mesmo impossível traduzir a palavra *saudade?*

VÁ À GRAMÁTICA NA PÁGINA 94 E FAÇA O EXERCÍCIO B.

A47 **G. As frases abaixo referem-se a vários países. Três delas referem-se a Portugal. Sabe quais são? Sublinhe-as. A seguir, ouça para confirmar.**

1. Nenhum país na Europa tem mais lagos do que este.
2. O nome deste país vem do nome de uma árvore.
3. Este país produz quase metade da cortiça do mundo.
4. Este país tem a bandeira mais antiga do mundo.
5. Este país produz quase metade do azeite do mundo.
6. Na capital deste país, fica a livraria mais antiga do mundo.
7. Este país tem as fronteiras mais antigas da Europa.
8. Neste país, fica o primeiro parque nacional do mundo.

A48 **H. Sabe a que países se referem as restantes frases? Tente adivinhar. Ouça para confirmar.**

I. Leia as frases abaixo. Assinale com + as que usamos para concordar e com - as que usamos para discordar.

☐ Isso mesmo! ☐ Não concordo. ☐ Não me parece! ☐ Não é bem assim. ☐ Pelo contrário!
☐ Sem dúvida nenhuma. ☐ Nada disso! ☐ Pois é! ☐ Exatamente! ☐ Sou da mesma opinião.

J. Trabalhe em pares. Diga ao seu colega se concorda com as afirmações abaixo usando as frases do exercício I. Justifique a sua opinião.

1. O inglês é a língua mais fácil.
2. A pronúncia do português é difícil.
3. Quem sabe português, percebe espanhol.
4. O português é uma língua bonita.
5. São precisos muitos anos para aprender bem uma língua.
6. É mais útil aprender mandarim do que francês.
7. Os portugueses são bons em línguas estrangeiras.
8. Quem não tem jeito para línguas nunca vai aprendê-las.

PORTUGAL EM NÚMEROS

K. Faça a correspondência entre as colunas.

1.	½	a.	um quarto
2.	⅓	b.	dois terços
3.	¼	c.	metade
4.	⅔	d.	três quartos
5.	¾	e.	um terço

L. Faça a correspondência entre as colunas.

1.	11.º	a.	décimo terceiro
2.	20.º	b.	décimo oitavo
3.	15.º	c.	décimo quinto
4.	13.º	d.	vigésimo
5.	18.º	e.	décimo primeiro

A49 **M. Leia o texto sobre Portugal. Complete-o com os números da caixa. A seguir, ouça para confirmar.**

vigésimo / 1973 / 260 milhões / 92 391 / 10 milhões / dois terços / 25 / 450 mil / décimo segundo

Portugal é um país com uma área de ______[1] km² e com cerca de ______[2] de habitantes. Em Portugal, vivem ______[3] estrangeiros. ______[4] % dos estrangeiros que vivem em Portugal são brasileiros. ______[5] dos portugueses vivem a menos de 30 km do mar. A costa de Portugal tem ______[6] km. Portugal é o ______[7] país do mundo com mais turistas estrangeiros por ano e o ______[8] país da Europa com mais autoestradas. A língua portuguesa tem cerca de ______[9] de falantes nativos.

VÁ ÀS ATIVIDADES DE COMUNICAÇÃO NA PÁGINA 173 (A) OU 181 (B) E FAÇA O EXERCÍCIO 10.

FORMAÇÃO DE PALAVRAS

A. O sufixo *-eza* serve para formar nomes a partir de alguns adjetivos. Escreva as palavras em falta abaixo.

1. triste — *tristeza*
2. limpo — ______
3. ______ — beleza
4. certo — ______
5. ______ — riqueza
6. pobre — ______

B. Complete as frases com algumas das palavras do exercício A na forma correta.

1. O fado nem sempre é *triste*.
2. Tenho a ______ absoluta que fechei a porta à chave.
3. O Rui não trabalha porque a mulher dele é ______.
4. A Ana trabalha num salão de ______.
5. O Nuno é ______ porque ganha muito pouco.
6. Esta casa precisa de uma ______.

UNIDADE 15

ESTE HOTEL VAI SER DEMOLIDO

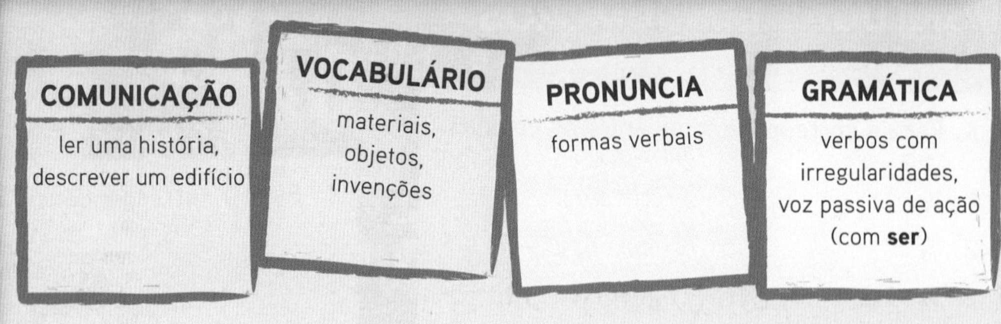

OS EXPLORADORES URBANOS

A50 **A. Já ouviu falar de exploradores urbanos? Sabe quem são e o que fazem? Escolha uma das definições abaixo. A seguir, ouça o texto para confirmar.**

Os exploradores urbanos são...

1. ... pessoas que não usam transportes públicos e gostam de explorar a cidade a pé.
2. ... pessoas que recuperam edifícios antigos.
3. ... pessoas que gostam de visitar edifícios abandonados ou destruídos.
4. ... pessoas que gostam de visitar novos espaços abertos na cidade, como bares ou restaurantes.

B. Agora, leia o texto sobre os exploradores urbanos. Complete-o com as palavras da caixa.

acessíveis beleza edifício metro medo

Já nos aconteceu, pelo menos uma vez na vida, dar com um prédio ou um ________ [1] abandonado e destruído que, no passado, tinha sido bonito e cheio de vida. Normalmente, nestas situações, começamos a imaginar como era o lugar em que estamos. Sentimos pena e também algum ________ [2] e, por isso, queremos rapidamente sair desse sítio.

Mas há pessoas que conseguem encontrar muita ________ [3] nos edifícios abandonados. Essas pessoas visitam esses lugares com o objetivo de os conhecer melhor e de tirar fotografias. Chamam-se exploradores urbanos.

Os lugares que os exploradores urbanos visitam são de vários tipos. Entre eles há prédios, moradias, palácios, castelos, igrejas, fábricas, escolas, hospitais e até estações e túneis de ________ [4].

Ser explorador urbano não é fácil. Os espaços para explorar são, com frequência, pouco ________ [5] e estão fechados aos visitantes por serem perigosos. Para ser um bom explorador urbano é preciso ser corajoso e gostar de aventuras.

C. Já alguma vez esteve num edifício abandonado ou destruído? Como foi? Na sua cidade há edifícios deste tipo? Esses edifícios podiam ser interessantes para os exploradores urbanos? Fale sobre isto com o seu colega.

A HISTÓRIA DO MONTE PALACE

D. Leia a história do hotel Monte Palace, localizado nos Açores. Ordene os parágrafos.

1. ___B___ 2. ___C___ 3. ___E___ 4. ___A___ 5. ___D___

A. Depois do encerramento, o Monte Palace ficou vazio. Até 2010, o hotel foi vigiado por um segurança. Depois da saída do segurança, o hotel ficou completamente abandonado. Toda a mobília que ainda estava dentro do hotel foi roubada.

B. A história do Monte Palace começou em 1977, ano em que um empresário francês decidiu construir um hotel de cinco estrelas na ilha de São Miguel, nos Açores. O local escolhido para a construção era uma colina com uma vista maravilhosa para o interior da ilha.

C. A construção do hotel teve vários problemas. Foi interrompida por dificuldades financeiras e a data da abertura foi adiada muitas vezes. Finalmente, no início de 1988, a construção terminou. O Monte Palace foi aberto umas semanas depois.

D. O hotel tem muito sucesso entre os exploradores urbanos. Também já foi usado no treino de polícias. Recentemente, foi comprado por um banco. Como será o seu futuro? O hotel vai ser demolido? Ou, em vez disso, vai ser recuperado? De momento, ninguém sabe responder a estas perguntas. O tempo dirá.

E. Era um hotel de luxo. Tinha restaurantes, bares, um banco e até um cabeleireiro. Logo depois da abertura, o Monte Palace recebeu o prémio de melhor hotel português. Apesar disso, os hóspedes eram poucos. Os problemas financeiros continuaram. A decisão de fechar o hotel foi tomada um ano e meio depois da abertura.

E. Volte a ler o texto sobre o hotel e complete as frases abaixo com as palavras que faltam.

1. O *autor* da ideia da construção do hotel era um empresário francês.
2. O Monte Palace foi construído em ___cima___ de uma colina.
3. A construção do hotel ___passou___ por muitas dificuldades.
4. O Monte Palace não tinha muito ___sucesso___ entre hóspedes.
5. O hotel ___fechou___ um ano e meio depois da abertura.
6. Já não há nenhuma mobília ___dentro___ do hotel.
7. Ninguém sabe o que vai ________ ao Monte Palace.

F. Encontre as frases à direita no texto sobre o Monte Palace e complete-as. A seguir, observe os pares de frases a. e b. Têm o mesmo significado? Sabe qual é a diferença gramatical entre elas?

1a. Adiaram a data da abertura.	1b. A data da abertura *foi adiada*.
2a. Abriram o Monte Palace umas semanas depois.	2b. O Monte Palace ____________ umas semanas depois.
3a. Um segurança vigiou o hotel.	3b. O hotel ____________ por um segurança.
4a. Um banco comprou o hotel.	4b. O hotel ____________ por um banco.
5a. Vão demolir o hotel?	5b. O hotel ____________?

G. Encontre e sublinhe outros exemplos do uso da Voz Passiva no texto sobre o Monte Palace.

VÁ À GRAMÁTICA NA PÁGINA 95 E FAÇA O EXERCÍCIO A.

QUANDO É QUE FOI INVENTADA A RODA?

H. Faça o *quiz*. Complete as frases com os verbos entre parêntesis na Voz Passiva. A seguir, sublinhe a resposta correta.

1.	A Torre de Belém *foi construída* *(construir)* no...	a. século XV	b. século XVI	c. século XVII
2.	O Brasil ____________ *(descobrir)* por...	a. Cabral	b. Magalhães	c. Colombo
3.	O filme *Manhattan* ____________ *(realizar)* por...	a. Spielberg	b. Allen	c. Scorsese
4.	O filme *Mamma Mia* ____________ *(rodar)* na...	a. Alemanha	b. Grécia	c. Turquia
5.	*O Grito* ____________ *(pintar)* por...	a. Munch	b. Klimt	c. Picasso
6.	O Bacalhau à Brás ____________ *(fazer)* com...	a. tomate	b. natas	c. ovo
7.	A *Odisseia* ____________ *(escrever)* por...	a. Sófocles	b. Homero	c. Sócrates

A51 **I.** Ouça as respostas do *quiz*. Quantas respostas acertou?

J. Faça a correspondência entre as palavras/expressões da caixa e as fotografias.

- ☐ o pneu
- ☐ as lentes de contacto
- ☐ a lâmpada
- ☐ a vela
- ☐ o papel higiénico
- ☐ a pastilha elástica
- ☐ a roda
- ☐ o balão

A52 **K.** Sabe quando e por quem foram inventados os objetos do exercício J? Faça frases usando a informação da caixa abaixo. Ouça para confirmar.

1. O papel higiénico *foi inventado no século VI, na China.*
2. A lâmpada ______.
3. As lentes de contacto ______.
4. O pneu ______.
5. A roda ______.
6. A vela ______.
7. A pastilha elástica ______.
8. O balão ______.

1860 Thomas Adams (EUA)
1888 John Dunlop (Escócia)
1879 Thomas Edison (EUA)
1709 Bartolomeu de Gusmão (Portugal)
4000 AC (Médio Oriente)
~~século VI (China)~~
1887 Adolf Fick (Alemanha)
500 AC (Roma Antiga)

VÁ ÀS ATIVIDADES DE COMUNICAÇÃO NA PÁGINA 173 (A) OU 181 (B) E FAÇA O EXERCÍCIO 11.

ISTO É FEITO DE QUÊ?

L. De que são feitos os objetos das fotografias abaixo? Faça a correspondência entre o material e o objeto.

☐ madeira	☐ vidro	☐ plástico	☐ lã	☐ porcelana	☐ metal	☐ pele	☐ papel	☐ tecido

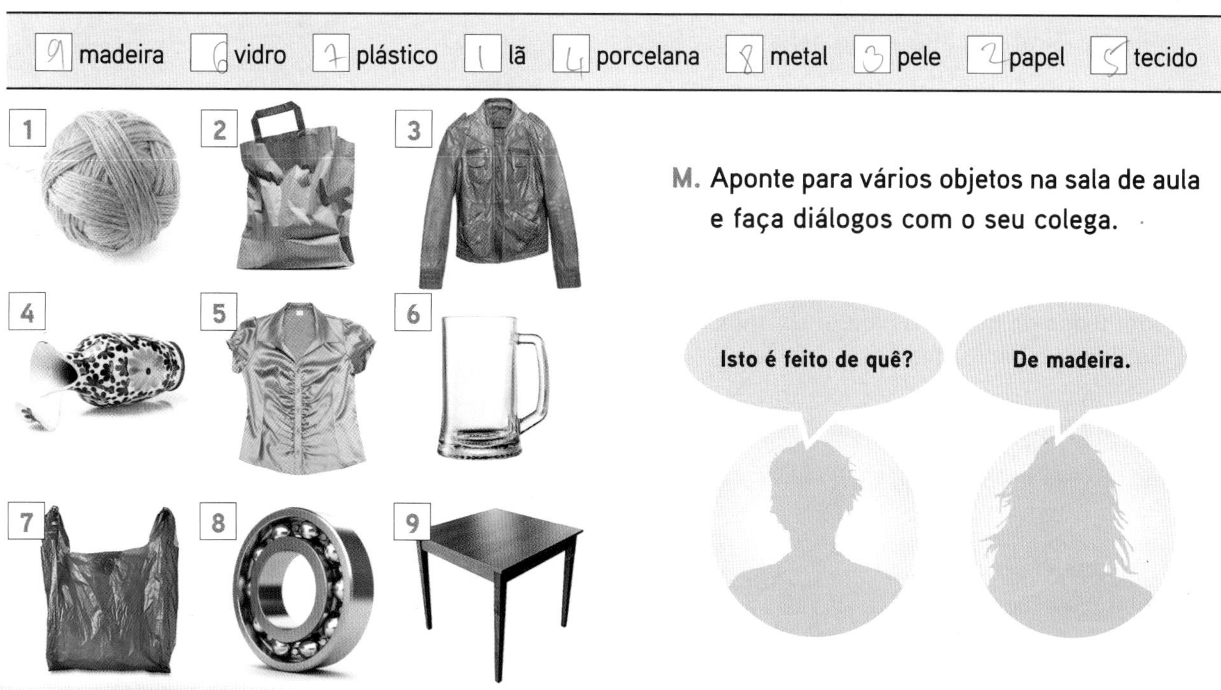

M. Aponte para vários objetos na sala de aula e faça diálogos com o seu colega.

PRONÚNCIA

A53 **A.** Ouça e repita as formas verbais terminadas em *-iei.*

vig**iei** cr**iei** od**iei** env**iei** conf**iei** ad**iei**

A53 **B.** Ouça e repita as formas verbais terminadas em *-eei.*

pent**eei** plan**eei** pass**eei** chat**eei** estr**eei**

A53 **C.** Leia e sublinhe a sílaba acentuada. Ouça para confirmar.

construo destróis constrói destroem construí

A53 **D.** Sublinhe a palavra em que as letras destacadas têm pronúncia diferente. Ouça para confirmar.

constr**uiu** destr**uiu** conseg**uiu** incl**uiu** pol**uiu**

UNIDADE 16

VOCÊ ESTÁ PRESO!

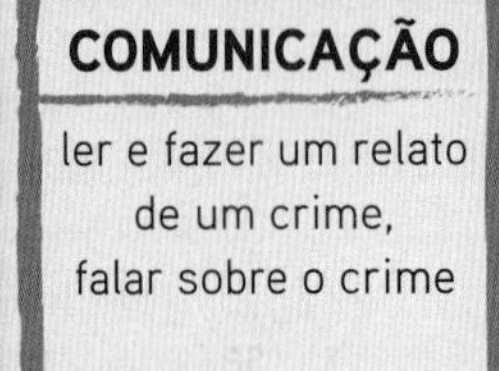

FORMAÇÃO DE PALAVRAS
sufixo nominal **-ista**

GRAMÁTICA
voz passiva de estado (com **estar**), particípio passado irregular, **enquanto**

MORTE EM SINTRA

A. Gosta de histórias de crime? Costuma ler livros ou ver filmes que contam histórias de crime? Faça estas perguntas ao seu colega.

A54 **B.** Ouça o início da história sobre a misteriosa morte numa quinta em Sintra. O que é que acha que a Rosa viu no quarto?

C. Leia o texto e responda às perguntas.

Às 8h32 da manhã, a 12 de novembro de 2014, Leonor Sampaio e Melo, 82 anos, uma mulher muito rica, foi encontrada morta no quarto, na sua quinta, em Sintra. A polícia descobriu que Leonor tinha sido morta entre as 10 e as 11 horas da noite anterior. Quem a matou e porquê? Na tarde de 12 de novembro, a Inspetora Maria das Dores Mata apareceu na quinta para falar com todos os que lá viviam: o Dr. Inocêncio, médico da D. Leonor, a empregada Rosa, a filha Salomé e o genro Duarte.

1. Quem era Leonor Sampaio e Melo?
2. Onde morava Leonor Sampaio e Melo?
3. Quando morreu Leonor Sampaio e Melo?
4. Quem morava com Leonor Sampaio e Melo?

Salomé

Dr. Inocêncio

Duarte

Rosa

A55 **D. Leia e ouça o interrogatório da Salomé. Complete-o com as palavras em falta.**

I: Salomé, diga-me o que é que estava a fazer ontem entre as 10 e as 11 da noite?

S: Nada de especial. Estive sempre na sala. ______[1] no sofá a ver televisão.

I: A ver televisão? O que é que estava a dar?

S: Não me lembro. Não estava a prestar muita atenção porque também fiz um telefonema para uma amiga.

I: Deixe-me ver se estou a perceber bem. Está a dizer que falava ao telemóvel enquanto via televisão, certo?

S: Certo.

I: E não reparou em nada fora do comum? Não ouviu nada? As luzes ______[2]?

S: Estavam. Mas, já que pergunta isso, lembrei-me de uma coisa estranha.

I: O quê?

S: Quando estava a falar ao telemóvel, a luz no quarto da minha mãe, que fica ao fundo do corredor, acendeu-se. Achei estranho porque ela devia estar a dormir a essa hora.

I: Achou estranho mas, mesmo assim, não se levantou e não foi ver por que razão é que a luz ______[3]?

S: Não, não fui. Não achei que era importante. Estava a falar com a minha amiga. Senhora Inspetora! Eu sei quem matou a minha mãe!

I: Sabe? Quem?

S: Foi a Rosa! Ela é uma falsa! Uma mentirosa! A minha mãe ______[4] e ela deve estar a rir-se. Não acredite em nada do que ela diz! Ela só pensa no dinheiro da minha mãe!

I: A Rosa vai receber o dinheiro da D. Leonor?

S: Vai. Vai ficar com um terço. Outro terço vai para o Dr. Inocêncio. E outro para nós, para mim e para o Duarte. Só um terço para nós, que somos a única família que ela tem... Ai, desculpe! Que ela tinha! Ai, que horror! Estou tão aflita com tudo isto!

E. Leia o interrogatório da Salomé mais uma vez. A seguir, leia as frases abaixo. São verdadeiras (V) ou falsas (F)? Assinale.

1. A Salomé estava deitada na cama. V F
2. Uma amiga telefonou para a Salomé. V F
3. A Salomé viu algo estranho, mas não fez nada. V F
4. A Salomé está satisfeita com o dinheiro que vai receber. V F

F. Observe os particípios passados que aparecem no texto do exercício D. São acompanhados por que verbo?

VÁ À GRAMÁTICA NA PÁGINA 95 E FAÇA OS EXERCÍCIOS B E C.

G. Leia as frases retiradas do texto do interrogatório da Salomé. As ações sublinhadas nas frases ocorreram em simultâneo ou em sequência?

1. A Salomé falava ao telemóvel enquanto via televisão.
2. Quando a Salomé estava a falar ao telefone, a luz acendeu-se.

H. Faça frases sobre as imagens usando *enquanto* ou *quando*.

1. O Jorge ____________________.

2. O Miguel ____________________.

3. O Tomás ____________________.

4. A Ana ____________________.

A56 **I.** **Ouça a continuação da história da morte em Sintra. Agora, a Inspetora interroga o Duarte, o Dr. Inocêncio e a Rosa. Responda às perguntas abaixo assinalando a pessoa certa.**

1.	Quem estava a viajar entre as 10 e as 11 horas?	DUARTE	DR. INOCÊNCIO	ROSA
2.	Quem detestava a D. Leonor?	DUARTE	DR. INOCÊNCIO	ROSA
3.	Quem estava com um pequeno problema de saúde?	DUARTE	DR. INOCÊNCIO	ROSA
4.	Quem viu a D. Leonor pouco antes do crime?	DUARTE	DR. INOCÊNCIO	ROSA
5.	Quem é que, de repente, ficou muito nervoso?	DUARTE	DR. INOCÊNCIO	ROSA

J. Já sabe quem é que matou a D. Leonor? Fale sobre isto com o seu colega.

A57 **K.** Ouça o final da história. Foi como esperava?

VÁ ÀS ATIVIDADES DE COMUNICAÇÃO NA PÁGINA 174 (A) OU 182 (B) E FAÇA O EXERCÍCIO 12.

CUIDADO COM OS CARTEIRISTAS!

L. Faça a correspondência entre as palavras da caixa e as imagens.

M. Complete as manchetes das notícias com as palavras do exercício anterior.

1. Estudante estrangeira ajuda a apanhar ladrão.
2. __________ a casa com fim inesperado.
3. __________ muito perigoso foge da __________.
4. Agentes da __________ reformam-se mais cedo.
5. __________ a roubar no elétrico perde os documentos.

A58 **N.** Ouça uma notícia de um crime. A que manchete se refere?

A58 **O. Agora leia a notícia e complete-a com as terminações dos verbos. Ouça para confirmar.**

A 3 de abril, um homem de 59 anos foi det_____ pela PSP de Lisboa, à hora do almoço, a roub_____ azulejos de um prédio na Rua da Junqueira, em Belém. Os agentes foram chamados por uma cidadã alemã que estuda na Universidade de Lisboa e é moradora no prédio. Quando os agentes chegar_____ ao prédio, o ladrão est_____ no seu interior. Tinha uma caixa cheia de azulejos na mão. Foi imediatamente lev_____ para a esquadra.

Muitos prédios em Portugal estão destru_____ devido ao roubo de azulejos. Este crime é frequente sobretudo em Lisboa, onde os azulejos são procur_____ por estrangeiros que gostam de os lev_____ para casa como lembrança. Os turistas não sab_____ que os azulejos que compram foram roub_____ de prédios da capital.

A59 **P. Ordene as partes do relato de um crime. Ouça para confirmar.**

1. _____ 2. _____ 3. _____ 4. _____ 5. _____ 6. _____

A. Disseram-nos que não eram responsáveis pelas coisas que tínhamos deixado no quarto e que a culpa era nossa!

B. Os ladrões levaram tudo o que tinha valor – a máquina fotográfica, os portáteis e até os carregadores dos telemóveis.

C. No segundo dia, o nosso quarto foi assaltado. Os ladrões entraram pela janela, à tarde, quando não estávamos no quarto.

D. À noite, quando voltámos para o hotel e entrámos no quarto, ficámos sem palavras. Estava tudo no chão!

E. Aconteceu há três anos. Fomos ao estrangeiro e ficámos num hotel que nos parecia muito bom.

F. O pior foi que o hotel, além de chamar a polícia, que também não ajudou muito, não fez mais nada.

Q. Faça as perguntas abaixo ao seu colega. Se a resposta for afirmativa, faça perguntas adicionais.

1. Já alguma vez foste assaltado ou roubado?
2. O teu carro já alguma vez foi assaltado?
3. A tua casa já alguma vez foi assaltada?
4. Já alguma vez viste alguém a ser assaltado na rua?
5. Há muitos crimes no teu país? De que tipo?
6. Como te proteges contra o crime?

FORMAÇÃO DE PALAVRAS

A. Os nomes que designam o que as pessoas fazem podem ser formados acrescentando o sufixo *-ista* ao nome: *táxi* – *taxista*. Escreva as palavras em falta abaixo.

1. táxi	taxista
2. carteira	_____
3. _____	jornalista
4. ciência	_____
5. _____	fadista
6. camião	_____
7. _____	rececionista

B. Complete as frases com algumas das palavras do exercício A na forma correta.

1. Temos de apanhar um táxi.
2. O tio da Ana trabalha num _____.
3. Um _____ tem de saber cantar.
4. É favor deixar a chave na _____.
5. Acho que perdi a _____.
6. Na autoestrada há muitos _____.
7. A Ana estuda _____ Políticas.

Futuro Simples do Indicativo

- Usamos o Futuro Simples do Indicativo quando nos referimos às ações ou aos estados futuros. Este tempo verbal é uma alternativa mais formal à estrutura *ir* + Infinitivo:

  O comboio partirá às 17h30. (mais formal)

  O comboio vai partir às 17h30. (menos formal)

Futuro Simples do Indicativo regular

eu	Infinitivo + **ei**	(fala**rei**)
tu	Infinitivo + **ás**	(falar**ás**)
você / ele / ela	Infinitivo + **á**	(falar**á**)
nós	Infinitivo + **emos**	(falar**emos**)
vocês / eles / elas	Infinitivo + **ão**	(falar**ão**)

Futuro Simples do Indicativo irregular

	dizer	*fazer*	*trazer*
eu	dir**ei**	far**ei**	trar**ei**
tu	dir**ás**	far**ás**	trar**ás**
você / ele / ela	dir**á**	far**á**	trar**á**
nós	dir**emos**	far**emos**	trar**emos**
vocês / eles / elas	dir**ão**	far**ão**	trar**ão**

- O Futuro Simples do Indicativo é também usado para exprimir dúvida ou incerteza em frases interrogativas. Neste contexto, pode referir-se ao futuro ou ao presente:

  O avião chegará atrasado?

  Alguém está a bater à porta. Quem será?

- Podemos também exprimir dúvida ou incerteza começando a frase com *Será que...* O verbo principal da frase usa-se no tempo verbal referente ao momento da ação:

  Será que o João já acordou?

  Será que a Maria está em casa agora?

  Será que vou gostar deste filme?

Ordinais (11-20)

11 – décimo primeiro
12 – décimo segundo
13 – décimo terceiro
14 – décimo quarto
15 – décimo quinto
16 – décimo sexto
17 – décimo sétimo
18 – décimo oitavo
19 – décimo nono
20 – vigésimo

A. Reescreva as frases substituindo *ir* + Infinitivo pelo Futuro Simples do Indicativo.

1. O comboio vai chegar atrasado.
   O comboio chegará atrasado.
2. Nunca vamos resolver este problema.
   resolveremos
3. Os hotéis vão reduzir os custos.
   reduzirão
4. Não vou permitir isso.
   permitirei
5. Nunca vais saber o que fiz.
   saberás
6. Em 2025, vou ter 40 anos.
   terei
7. Esta ideia não vai agradar a ninguém.
   agradará
8. Vou falar sobre a sua proposta mais tarde.
   falarei
9. Vamos dar apoio a quem precisa.
   daremos
10. Quem vai dizer isto à Dra. Lúcia?
    dirá
11. O avião vai aterrar em breve.
    aterrará
12. Os preços vão subir.
    subirão

B. Complete as frases com o verbo na forma correta do Futuro Simples do Indicativo.

1. Haverá muito vento hoje? *(haver)*
2. Os teus pais virão à festa? *(vir)*
3. Eles dirão a verdade? *(dizer)*
4. Será que vai chover amanhã? *(ser)*
5. A Ana fará o jantar para nós? *(fazer)*
6. Quando é que tu casarás? *(casar)*
7. O que é que eles estarão a fazer? *(estar)*
8. Gostarás daquele emprego? *(tu/gostar)*
9. O Jorge estará em casa agora? *(estar)*
10. Que idade terá aquela mulher? *(ter)*
11. Alguém trará sobremesa? *(trazer)*
12. A Ana estará grávida? *(estar)*

Verbos com irregularidades

Os verbos *construir* e *destruir* têm as seguintes terminações no Presente do Indicativo: *-uo, -óis, -ói, -uímos, -oem.*

Voz Passiva de ação (com *ser*)

- A Voz Passiva de ação forma-se com *ser* e o verbo principal no Particípio Passado. É usada para referir o que acontece ao sujeito da ação ou quando o agente da ação não é conhecido ou importante.

Voz Ativa	Voz Passiva
Ele faz a sopa.	*A sopa é feita por ele.*
Ele fez a sopa.	*A sopa foi feita por ele.*
Ele fazia a sopa.	*A sopa era feita por ele.*
Ele está a fazer a sopa.	*A sopa está a ser feita por ele.*
Ele vai fazer a sopa.	*A sopa vai ser feita por ele.*

- O Particípio Passado da Voz Passiva é variável:

  O e-mail foi escrito pela Ana, mas a carta foi escrita pela Marta.

Voz Passiva de estado (com *estar*)

A Voz Passiva de estado forma-se com *estar* e o verbo principal no Particípio Passado. É usada para dizer qual é o resultado da ação:

A Ana fechou a porta. → *A porta está fechada.*

Particípio Passado irregular

Infinitivo	*Particípio Passado*	*Infinitivo*	*Particípio Passado*
aceitar	aceite	matar	morto
acender	aceso	prender	preso
entregar	entregue	salvar	salvo

Uso de *enquanto*

Usamos *enquanto* para juntar frases que descrevem ações simultâneas:

Enquanto tu lias o jornal, eu fazia o almoço.

Estar (no Imperfeito) *a* + Infinitivo

Para descrever ações a decorrer no passado, usamos *estar* (no Imperfeito) *a* + Infinitivo:

Alguém bateu à porta quando estava a dormir.

A. Reescreva as frases na Voz Passiva.

1. A empregada arruma o quarto.
   O quarto é arrumado pela empregada.
2. O Dr. Santos adiou a reunião.
   ______
3. Construíram este prédio em 1980.
   ______
4. O Nuno vai apresentar o projeto.
   ______
5. Cancelámos a reserva do hotel.
   ______
6. Estou a usar este computador.
   ______
7. A D. Ana fazia o nosso jantar.
   ______
8. O mecânico vai arranjar o carro.
   ______
9. Os turistas visitaram os museus.
   ______

B. Escreva o resultado da ação usando a Voz Passiva com *estar*.

1. A Ana leu o livro. → O livro está lido.
2. O Rui viu o filme. → ______
3. Ela lavou os copos. → ______
4. Traduzi as cartas. → ______
5. Acendemos a luz. → ______
6. Ele matou a vizinha. → ______
7. Prenderam o ladrão. → ______
8. Entreguei a chave. → ______
9. Ela pagou o café. → ______

C. Complete as frases com *ser* ou *estar* na forma correta + Particípio Passado.

1. Lisboa é visitada por muitos turistas. *(visitar)*
2. Esta sopa deve ______ com azeite. *(fazer)*
3. O chão ______ ontem pela Rosa. *(limpar)*
4. Estes prédios ______ no ano passado. *(construir)*
5. Agora, a rua ______. *(renovar)*
6. O assassino ______ pela polícia ontem. *(prender)*
7. A mesa ______! Venham comer! *(pôr)*
8. Ontem de manhã, esta janela já ______. *(partir)*

PORTUGUÊS EM AÇÃO 4

NO ALUGUER DE AUTOMÓVEIS

A60 **A.** A Raquel vai a uma companhia de aluguer de automóveis. Leia as perguntas abaixo e ouça o diálogo. A seguir, responda às perguntas.

1. Porque é que a Raquel quer alugar um carro?
2. Que tipo de carro quer a Raquel?
3. Que documentos pede o funcionário?
4. Quando é que o carro deve ser devolvido?

A60 **B.** Leia o diálogo e complete-o com as palavras que faltam. A seguir, ouça para confirmar.

Raquel: Boa tarde. Queria alugar um carro por três dias.

Funcionário: Com certeza. A senhora fez a reserva?

Raquel: Não, não fiz. Isto é uma urgência. O meu carro avariou e é por isso que preciso de alugar um.

Funcionário: Que tipo de carro pretende?

Raquel: O mais pequeno e o mais barato possível.

Funcionário: Temos um Volkswagen Up com duas ________[1] e ar condicionado. Custa 45 euros por três dias. É muito em ________[2] em comparação com outros carros disponíveis de momento.

Raquel: Ótimo. Vou levar esse.

Funcionário: Muito bem. Dê-me o seu cartão de cidadão e a carta de condução, se faz favor. E também o cartão de crédito. Quantos ________[3] vai haver? Só um?

Raquel: Só um, sim. Como é que é com o seguro?

Funcionário: O seguro obrigatório está ________[4] no preço. Mas não cobre tudo. Pelo seguro contra todos os riscos cobramos mais 11 euros por dia. Vai querer?

Raquel: Acho que sim. Fico mais tranquila.

Funcionário: Muito bem. Assine aqui, se faz favor. Estes são os seus ________[5]. E esta é a chave do carro. Deve ser devolvido com o depósito ________[6] na quinta-feira, dia 15, até às duas da tarde. Boa viagem!

Raquel: Muito obrigada.

C. Observe as palavras/expressões na caixa abaixo. Tape o diálogo à direita com uma folha de papel e pratique, com o seu colega, um diálogo parecido usando as palavras e expressões listadas abaixo.

alugar / pretender / em conta / seguro disponível / cartão de cidadão / devolver

D. Já alguma vez alugou um carro? Se sim, foi em Portugal ou noutro país? Como foi? Ficou satisfeito com o serviço? Fale sobre isto com o seu colega.

ESCRITA 4

UM RELATO: A PIOR VIAGEM DA MINHA VIDA

A. Viaja muito? Já alguma vez teve problemas numa viagem? Faça uma lista das coisas que podem correr mal numa viagem. Compare a sua lista com a do seu colega.

Problemas típicos nas viagens:

- perder o avião
- __________
- __________
- __________
- __________
- __________
- __________

B. A Teresa, que vive no Porto, escreveu um relato sobre a pior viagem da vida dela. Leia o texto. Quais das coisas que constam na lista que fez no exercício A aconteceram à Teresa e ao Jorge?

C. Volte a ler o texto e complete-o com as palavras da caixa abaixo.

como / devido / e (2x) / já que / mas / por causa / porque

No verão de 2008, eu e o meu namorado Jorge resolvemos visitar a Exposição Internacional 2008, em Saragoça. Como não queríamos gastar muito, decidimos primeiro apanhar um voo barato do Porto para Madrid para depois alugar um carro ______[1] seguir para Saragoça.

Depois de aterrar em Madrid, fomos ao balcão da companhia de aluguer de automóveis em que tínhamos feito a reserva do carro. Quando nos pediram os documentos, o Jorge viu que se tinha esquecido da carta de condução. Eu também não tinha a minha. ______[2] à falta de documentos necessários para o aluguer, a companhia não nos deu o carro e também não nos devolveu o dinheiro da reserva.

Resolvemos ir a Saragoça de comboio. Quando lá chegámos, estava a chover. A exposição não nos pareceu nada interessante. Ficámos todos molhados ______[3] da chuva e desiludidos com a exposição. Depois da visita, fomos para a estação para apanhar o comboio de regresso a Madrid, ______[4], infelizmente, perdemo-lo. Tivemos de esperar duas horas pelo comboio seguinte ______[5] de comprar novos bilhetes, ______[6] os que tínhamos só eram válidos para o comboio que perdemos.

Depois de chegar a Madrid, fomos à pensão em que queríamos ficar. Eu tinha feito a reserva pela Internet. Quando chegámos lá, soubemos que não tinham um quarto para nós ______[7] nos tínhamos enganado nas datas! Tivemos de ficar noutro hotel bastante mais caro.

Voltámos para o Porto desesperados e furiosos porque gastámos muito dinheiro. ______[8] discutimos muito durante essa viagem, alguns dias depois decidimos terminar a nossa relação. Dizem que "o barato sai caro". Lamento dizer, mas é verdade!

D. Como foi a pior viagem da sua vida? Escreva um relato parecido com o da Teresa. Certifique-se de que usa bem as conjunções e as locuções conjuncionais (*e, mas, por causa de, como, porque, já que, devido a, uma vez que*, etc.).

REVISÃO UNIDADE 13 a UNIDADE 16

A. Escolha a opção correta.

1. Onde iremos no próximo sábado?
   a. vamos ir b. iremos c. estamos a ir
2. Quem ________ a telefonar?
   a. estarei b. estarás c. estará
3. ________ que estou a ficar doente?
   a. Terá b. Será c. Estará
4. O nosso projeto foi ________.
   a. aceitado b. aceite c. aceito
5. O que foi ________ não está certo.
   a. digo b. disso c. dito
6. Vou ________ a polícia!
   a. ligar b. chamar c. telefonar
7. Tenho de ________ um telefonema.
   a. dar b. fazer c. levar
8. Não tenho nada a ________ sobre isto.
   a. falar b. dizer c. contar
9. Ele está a ________ muito. Nunca mais chega!
   a. durar b. atrasar c. demorar
10. Não estás a ________ atenção ao que digo.
    a. ter b. pagar c. prestar

B. Corrija as frases como nos exemplos.

1. Isto ~~está~~ feito de metal. é
2. Esta cor é muito fora/comum. do
3. Não acredito isto! ________
4. Já gastei terço do meu salário. ________
5. A Ana faz-me sempre a rir. ________
6. Qual é a tema da tua tese? ________
7. Já não há a paciência para isto! ________
8. Sou orgulhoso de ti! ________
9. O Pedro está a enganar na Ana. ________
10. Mandei-te para fazer o almoço. ________

C. Escreva a palavra que falta.

1. Comprei um casaco de pele.
2. Não concordo ________ isto!
3. Este prato é típico ________ Lisboa.
4. Este bar é muito popular ________ os turistas.
5. Aqui, os preços são muito ________ conta.
6. Estou desiludida ________ o Mário.
7. Tens emprego graças ________ pai.
8. O carro tem seguro ________ todos os riscos.
9. Sou ________ mesma opinião.
10. Esta casa tem três metros ________ altura.

D. Complete as letras que faltam nas palavras.

1. Pode dar-me o seu cartão de cidadão?
2. A Teresa usa l_ _ _ _ _ de contacto.
3. Esta igreja foi c_ _ _ _ _ _ _ _ _ _ no século XVI.
4. Queres uma p_ _ _ _ _ _ _ _ elástica?
5. Esta mesa tem um metro de l_ _ _ _ _ _ _.
6. Já não há papel h_ _ _ _ _ _ _ _ _ _ na casa de banho.
7. Esta cidade tem 40 mil h_ _ _ _ _ _ _ _ _ _.
8. Qual é a sua o_ _ _ _ _ _ _ sobre o filme?
9. Sabe dizer-me quais são as m_ _ _ _ _ _ _ deste tapete?
10. A p_ _ _ _ _ _ _ _ do ar nas cidades é um grande problema.
11. A nossa casa foi a_ _ _ _ _ _ _ _ _ _ ontem à noite. Os l_ _ _ _ _ _ _ entraram pela janela.

E. Reformule as frases usando a palavra dada.

1. Escrevi a morada errada. *(enganar-se)*
   Enganei-me na morada.
2. Este carro não é nada bom. *(prestar)*
   ____
3. A esta aldeia não se pode chegar de carro. *(acessível)*
   ____
4. Dentro deste prédio não há ninguém. *(interior)*
   ____
5. Vamos fazer a reunião mais tarde. *(adiar)*
   ____
6. Não tenho a mesma opinião que o João. *(concordar)*
   ____
7. Onde é que fica este hotel? *(localização)*
   ____
8. Lisboa é mais barata do que Madrid. *(comparação)*
   ____

F. Escreva a palavra com o significado oposto.

1. aparecer desaparecer
2. continuar ________
3. construir ________
4. encerramento ________
5. pobreza ________
6. alegria ________
7. estar vivo ________

G. Assinale a palavra que não pertence ao grupo.

1. assassino	carteirista	agente	ladrão
2. tecido	metal	pneu	vidro
3. problema	tema	data	clima
4. cumprimento	profundidade	altura	largura
5. trará	sofá	fará	dirá
6. assalto	ruído	roubo	crime

H. Complete as frases com a palavra relacionada com a palavra destacada.

1. Quanto **custa** este serviço?
   Qual é o custo deste serviço?
2. No ano passado, este museu foi **visitado** por dois milhões de pessoas.
   No ano passado, este museu recebeu dois milhões de ______________.
3. As pessoas que **moram** neste prédio são simpáticas.
   Os ______________ deste prédio são simpáticos.
4. Esta livraria foi **encerrada** há dois anos.
   O ______________ desta livraria foi há dois anos.
5. Tu **mentes** o tempo todo.
   Tu és um grande ______________.
6. A nossa viagem foi **maravilhosa**!
   A nossa viagem foi uma ______________!

A61 **I. Ouça os textos e escolha a opção correta.**

1. A Joana
   a. não acredita no que o Luís diz.
   b. avisou o Luís para não deixar nada no carro.
   c. não estaciona o carro na Rua da Glória.

2. O Luís
   a. perdeu a roupa que comprou.
   b. deixou no carro uma garrafa de água.
   c. não teve tempo para informar a polícia.

3. O Gonçalo diz que
   a. o prédio em que mora está em obras.
   b. está na rua.
   c. está a falar com o arquiteto.

4. A Mafalda diz que
   a. passa muito tempo em casa.
   b. o Gonçalo não tem trabalho.
   c. a casa deles vai perder valor.

J. Leia o texto e verifique o significado das palavras desconhecidas no glossário. A seguir, responda às perguntas.

A Casa da Música, localizada no Porto, é uma das mais importantes salas de concertos em Portugal. Foi projetada pelo arquiteto holandês Rem Koolhaas. A sua construção começou em 2001 e terminou em 2005. A arquitetura do edifício foi muito elogiada no estrangeiro e foi comparada aos melhores edifícios deste tipo no mundo, como o Museu Guggenheim, em Bilbau, ou o Walt Disney Concert Hall, em Los Angeles. A Casa da Música tem dois auditórios – o Grande, que tem 1.300 lugares e o Pequeno, com 300 lugares sentados e 600 em pé. O Grande Auditório é a única sala de espetáculos no mundo com duas paredes feitas completamente de vidro.

A Casa da Música organiza visitas guiadas em português e em inglês, que permitem conhecer melhor as características do edifício. Os visitantes podem escolher entre as visitas regulares, organizadas diariamente, ou especiais para grupos. O preço é de sete euros por pessoa.

1. Quando é que foi construída a Casa da Música?
2. Quantas pessoas cabem no Pequeno Auditório?
3. Que características únicas tem a Casa da Música?
4. Que programa oferece a Casa da Música aos turistas?

VISTO PARA AS UNIDADES 17-20

O PORTADOR DESTE MANUAL JÁ SABE:

- EXPRESSAR DÚVIDA E INCERTEZA
- CONCORDAR E DISCORDAR
- DESCREVER UM EDIFÍCIO
- LER E FAZER UM RELATO DE UM CRIME
- INTERAGIR NO ALUGUER DE AUTOMÓVEIS
- ESCREVER UM RELATO DE UMA VIAGEM

E TEM DIREITO A PROSSEGUIR PARA AS UNIDADES 17-20

PASSAPORTE PARA PORTUGUÊS<<<<<<<<<<<<<<<<<
NÍVEL B1<<<<<<<<<<<<<<<<<<<<<<<<<<<<<<<<<<<

UNIDADE 17 NINGUÉM FICOU FERIDO

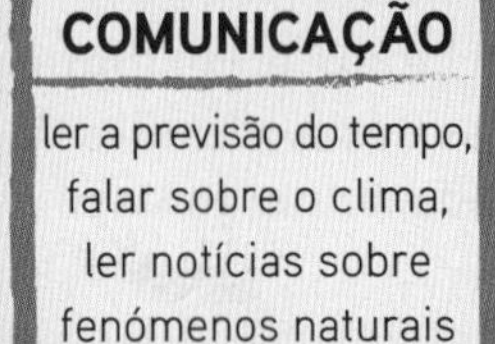

COMUNICAÇÃO	VOCABULÁRIO	PRONÚNCIA	GRAMÁTICA
ler a previsão do tempo, falar sobre o clima, ler notícias sobre fenómenos naturais	previsão do tempo, clima, fenómenos naturais	ligações vocálicas	conjunções temporais, voz passiva dos tempos compostos, particípio passado duplo

AMANHÃ O CÉU ESTARÁ POUCO NUBLADO

A. Leia as previsões do tempo. A seguir, faça a correspondência com as fotografias. Sabe o que significam as palavras destacadas? Consulte o glossário ou pergunte ao seu colega.

A 

Céu pouco **nublado**.
Temperatura máxima: 4°C.
Vento **moderado** de este.

B 

Céu limpo. Dia sem **precipitação**.
Temperatura máxima: 34°C.
Vento fraco de sul.

C 

Céu muito nublado. **Aguaceiros** fortes.
Temperatura máxima: 16°C.
Vento forte de oeste.

1 

2 

3 

B. Faça as perguntas abaixo ao seu colega.

1. De que tipo de clima gostas mais?
2. Aguentas bem os dias com muito calor?
3. Onde e quando é que apanhaste mais frio na tua vida?
4. O clima do teu país é parecido com o de Portugal?

O FAROL DE LA JUMENT

B1 **C.** Jean Guichard é um fotógrafo francês que gosta de tirar fotografias aos faróis. Ouça a história em que ele conta como tirou a fotografia cuja cópia pode ver na página seguinte. Qual é o melhor título para esta história? Assinale com ✓.

1. Uma tempestade no mar
2. O erro que podia custar a vida
3. Um trabalho muito perigoso
4. Amigos para sempre

D. Agora leia o texto. A seguir, leia as frases abaixo. São verdadeiras (V) ou falsas (F)? Assinale.

Este lindíssimo farol fica no mar, a 300 metros da costa francesa e chama-se La Jument. Cheguei lá a 21 de dezembro de 1989. Havia uma forte tempestade no mar e as ondas eram enormes. Nunca tinha visto nada assim. Logo que a tempestade começou, aluguei um helicóptero e tentei tirar fotografias do ar ao farol e às ondas. Pedi ao piloto para nos aproximarmos do farol. Foi naquele momento que a porta do farol se abriu e apareceu um homem. Ouviu o ruído do helicóptero e quis saber o que se passava cá fora. Eu não fazia ideia de que no interior do farol estava alguém. Assim que vi o homem, percebi que era o momento certo para tirar a fotografia perfeita: o homem e a natureza. O homem rapidamente se apercebeu do seu erro. Escondeu-se dentro do farol no último momento. Mal fechou a porta, as ondas caíram sobre o farol. Tinha-se salvado. Não lhe aconteceu nada. Mas foi por pouco.

A minha fotografia de La Jument ganhou vários prémios. Graças a ela, tornei-me um fotógrafo famoso. O homem que vivia e trabalhava no La Jument chamava-se Theophile Malgorn. Uns meses depois, encontrei-me com ele. Ficámos amigos. Ele deixou de trabalhar no farol em 1997. Atualmente, ninguém vive no La Jument.

1. Jean pediu ao piloto para chegar mais perto do farol.
2. Theophile saiu do farol, porque precisava de ajuda.
3. Jean sabia que no farol estava alguém.
4. Não faltou muito para Theophile morrer.
5. Theophile gostou de conhecer o fotógrafo.

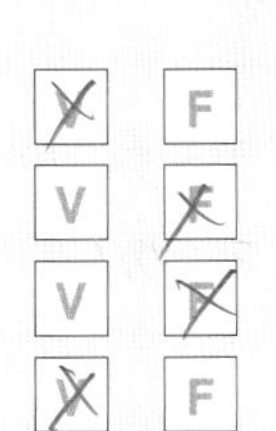

E. Leia as frases retiradas do texto sobre La Jument. O significado das palavras/expressões destacadas é igual ou diferente?

1. **Logo que** a tempestade começou, aluguei um helicóptero.
2. **Assim que** vi o homem, percebi que era o momento certo para tirar a fotografia perfeita.
3. **Mal** fechou a porta, as ondas caíram sobre o farol.

F. Complete as frases usando a conjunção e as expressões dadas.

1. Mal abriu os olhos, a Teresa ligou o computador.
   (abrir os olhos / ligar o computador / mal)
2. ____________________, o Pedro ____________________
   (entrar no mar / ser levado por uma onda / logo que)
3. ____________________, a Rita ____________________
   (terminar a universidade / começar a procurar emprego / assim que)
4. ____________________, o Mário ____________________.
   (comer uma fatia de piza / sentir-se mal / mal)

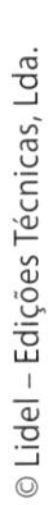

OS FENÓMENOS NATURAIS

G. Leia as notícias abaixo e complete-as com as palavras da caixa. A seguir, faça a correspondência com as fotografias.

cheias	incêndio	terramoto	furacão	seca

A. O número de vítimas do terremoto[1] que atingiu a ilha de Mindoro, nas Filipinas, já se aproxima dos dois mil. Vários milhares de pessoas ficaram feridas e centenas de outras podem estar debaixo dos prédios que caíram em San José, a maior cidade da ilha. Algumas áreas da cidade estão completamente destruídas.

B. Um bombeiro foi morto e três ficaram feridos a lutar contra um incêndio[2] que começou ontem perto da Guarda. O fogo destruiu quatro casas. Arderam também vários quilómetros de floresta. O bombeiro que morreu ontem foi a primeira vítima este ano. Já no ano passado, quatro bombeiros tinham morrido a lutar contra as chamas.

C. Ontem, na Califórnia, foram apresentadas medidas que deverão ajudar na luta contra a maior seca[3] dos últimos 100 anos. Os habitantes de Los Angeles têm aceitado bem a proposta de não regar os jardins. Já a ideia de não lavar os carros não tem sido aceite sem problemas.

D. A passagem do furação[4] Sandy pelas Caraíbas causou, pelo menos, 33 mortes. Muitas pessoas morreram devido à queda de árvores sobre carros e casas. Os habitantes da costa do México queixaram-se de que não tinham sido avisados da chegada do mau tempo. Centenas de pessoas perderam as suas casas.

E. Na Alemanha, centenas de pessoas tiveram de deixar as suas casas devido às cheias[5]. Ontem, os passageiros de um autocarro levado pelas águas foram salvos pelos bombeiros. No dia anterior, os bombeiros tinham salvado os alunos de uma escola. Mas houve pessoas com menos sorte. Para já, há três mortos e 15 pessoas estão desaparecidas.

H. Leia as notícias mais uma vez e responda às perguntas abaixo.

1. Quantas vítimas houve nas Filipinas?
2. Quantos bombeiros morreram desde o ano passado?
3. Que medidas poderão ser tomadas para lutar contra a seca?
4. Como morreram as vítimas do furacão?
5. Quem é que os bombeiros salvaram na Alemanha?

I. Olhe para os verbos assinalados nas frases abaixo. Lembra-se de como se chamam estes tempos verbais? O que é que estas duas frases têm em comum?

1. A ideia de não lavar os carros não tem sido aceite sem problemas.
2. Os habitantes da costa do México queixaram-se de que não tinham sido avisados da chegada do mau tempo.

VÁ À GRAMÁTICA NA PÁGINA 116 E FAÇA OS EXERCÍCIOS A E B.

J. Olhe para os particípios passados destacados a amarelo na página anterior. Encontre três verbos com particípios passados diferentes: regular e irregular. Escreva os infinitivos desses verbos abaixo.

1. 2. 3.

K. Leia as frases com outros verbos com dois particípios passados. Consegue descobrir a regra?

1a. O ladrão foi preso.
1b. Os polícias tinham prendido o ladrão.
2a. As luzes estão acesas.
2b. Tínhamos acendido as luzes.
3a. As cartas têm sido entregues.
3b. Tenho entregado muitas cartas.

VÁ À GRAMÁTICA NA PÁGINA 116 E FAÇA O EXERCÍCIO C.

L. No seu país costuma haver terramotos, secas, cheias, incêndios ou furacões? A sua terra natal tem sofrido por causa destes fenómenos? Já alguma vez viveu um terramoto, uma seca, uma cheia, etc.? Fale sobre isto com o seu colega.

PRONÚNCIA

B2 **A. Ouça e repita as frases. Preste atenção à pronúncia das letras destacadas como [a].**

1. Compra açúcar!
2. Vem para aqui!
3. Ela fala alemão.
4. Olha as horas!

B2 **B. Ouça e repita as frases. Preste atenção à pronúncia das letras destacadas como [ɔ].**

1. Lava os dentes!
2. Quem paga o jantar?
3. Leva-o ao médico!
4. Aspira os tapetes!

UNIDADE 18

ESTE PRATO FAZ-SE NUM INSTANTE!

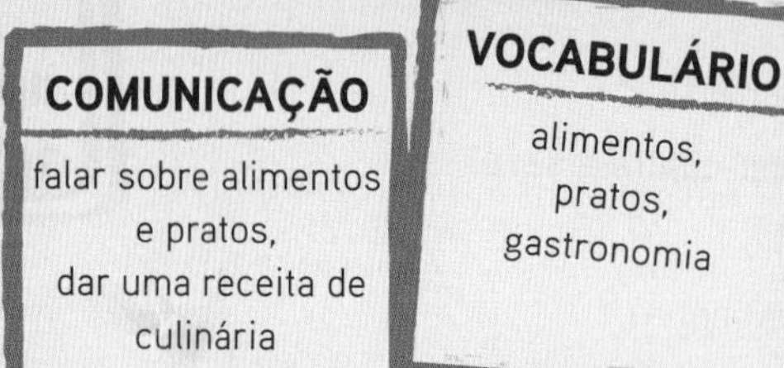

COMUNICAÇÃO	VOCABULÁRIO	FORMAÇÃO DE PALAVRAS	GRAMÁTICA
falar sobre alimentos e pratos, dar uma receita de culinária	alimentos, pratos, gastronomia	sufixo nominal **-ura**	partícula apassivante **se**, **ao** + infinitivo, superlativo + **possível**

DIETAS PARA TODOS OS GOSTOS

A. Ponha os alimentos da caixa nos quadros abaixo.

alface laranja atum borrego camarões cebola couve chouriço
maçã pepino leitão limão polvo salmão uva vaca

FRUTA:	LEGUMES:	CARNE:	PEIXE/MARISCO:
1. ______	1. ______	1. ______	1. ______
2. ______	2. ______	2. ______	2. ______
3. ______	3. ______	3. ______	3. ______
4. ______	4. ______	4. ______	4. ______

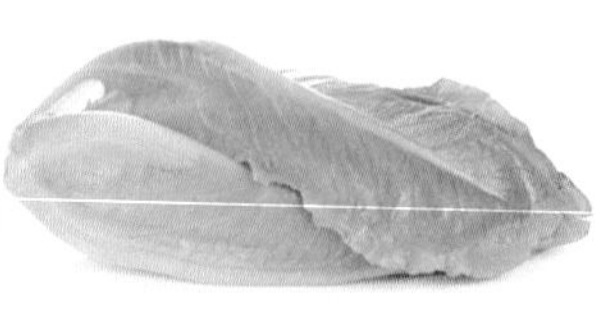
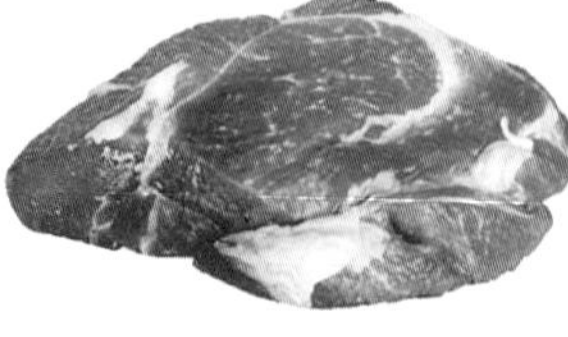

B. Qual é a sua fruta preferida? Há, entre os alimentos do exercício A, algum(ns) que não come porque não gosta? Há algum(ns) que não come porque não pode? Faça estas perguntas ao seu colega.

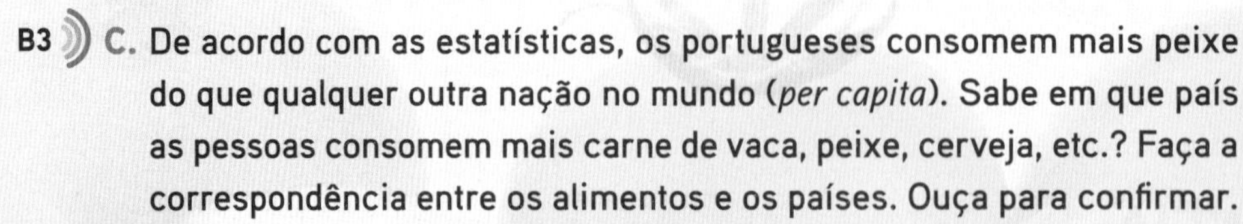

B3 **C.** De acordo com as estatísticas, os portugueses consomem mais peixe do que qualquer outra nação no mundo (*per capita*). Sabe em que país as pessoas consomem mais carne de vaca, peixe, cerveja, etc.? Faça a correspondência entre os alimentos e os países. Ouça para confirmar.

1. chocolate	a. Finlândia
2. cerveja	b. Argentina
3. leite	c. Itália
4. peixe → g	d. Índia
5. carne de vaca	e. Grécia
6. massa	f. República Checa
7. chá	g. Portugal
8. azeite	h. Suíça

D. Leia as entrevistas a três pessoas que falam sobre a dieta típica dos seus países. Sabe de onde são? Escolha três países do exercício C e escreva-os no lugar disponibilizado.

PAÍS 1: ____________

Entrevistador: Como é a dieta típica do seu país?

Pessoa 1: No meu país, come-se muito pão e batata. Como temos mar e muitos lagos, o peixe também está bem presente nas nossas mesas. Uma parte importante da nossa dieta são os cogumelos e os frutos que se apanham na floresta. A bebida mais importante é o leite. Algumas pessoas bebem-no a todas as refeições. Pode até acompanhar carne ou peixe.

Entrevistador: Pode dar-nos uma receita de algum prato fácil de fazer?

Pessoa 1: Posso. A sopa de salmão é boa e faz-se num instante. Frita-se a cebola picada em manteiga, depois acrescentam-se natas, água e umas batatinhas. Leva-se a cozer tudo durante uns 20 minutos. Quando as batatas estão cozidas, junta-se o salmão cortado em cubos. Ao tirar a sopa do lume, tempera-se com sal. E já está!

PAÍS 2: ____________

Entrevistador: Como é a dieta típica do seu país?

Pessoa 2: No meu país, come-se muito arroz. Usam-se também muitas especiarias. Nenhum prato existe sem elas. Quanto às bebidas, passamos os dias a beber chá, que é servido com muitas especiarias. Um terço dos habitantes do meu país não come carne. Comer carne de vaca é, frequentemente, proibido.

Entrevistador: Pode dar-nos uma receita de algum prato fácil de fazer?

Pessoa 2: Que tal uma salada de pepino? Cortam-se dois pepinos em rodelas bem finas, junta-se o iogurte e, para acabar, tempera-se com sal e outras especiarias. Ao fazer esta salada, algumas pessoas acrescentam também tomate, cebola ou cenoura ralada. Esta salada acompanha, normalmente, pratos muito picantes.

PAÍS 3: ____________

Entrevistador: Como é a dieta típica do seu país?

Pessoa 3: A dieta do meu país é saudável, o que me agrada muito porque, para mim, é importante comer da forma mais saudável possível. Comem-se muitos legumes e fruta. Ao cozinharmos, usamos sobretudo azeite. Outras gorduras, como o óleo e a manteiga, são menos usadas. A carne que se come mais é borrego e vaca. O nosso queijo, apesar de ser muito salgado, é conhecido em todo o mundo. O nosso iogurte e azeitonas também.

Entrevistador: Pode dar-nos uma receita de algum prato fácil de fazer?

Pessoa 3: Que tal o polvo cozido? É muito simples. Primeiro, limpa-se o polvo. Depois, põe-se o polvo em água a ferver e coze-se durante 45 minutos. Quando o polvo está cozido, tira-se a pele e corta-se em pedaços bem grossos. Serve-se regado com azeite.

E. Consegue, pelo contexto, descobrir o significado das palavras destacadas nos textos acima? No caso de ter dúvidas, consulte o glossário ou pergunte ao seu colega.

F. Leia os textos do exercício D mais uma vez. As frases abaixo são verdadeiras (V) ou falsas (F)? Assinale.

		V	F
1.	Na Finlândia, comem chouriço e acompanham com leite.	V	F
2.	A sopa de salmão não leva legumes.	V	F
3.	Cerca de 30% dos indianos são vegetarianos.	V	F
4.	A salada de pepino pode levar mais ingredientes.	V	F
5.	A Grécia é famosa pelo seu queijo e iogurte.	V	F
6.	Para cozer o polvo, é preciso pô-lo em água fria.	V	F

IMPORTANTE!
Quanto às gorduras, usamos sempre azeite.

G. Observe a forma verbal usada nas frases abaixo. Conhece-a? Quando é que é usada? Sublinhe outros exemplos desta forma verbal nos textos do exercício D.

1. Come-se muito pão.
2. Acrescentam-se natas.
3. Cortam-se dois pepinos.
4. Tempera-se com sal.
5. Tira-se a pele.

VÁ À GRAMÁTICA NA PÁGINA 117 E FAÇA O EXERCÍCIO A.

H. Observe a estrutura verbal destacada nas frases abaixo. Reformule estas frases usando orações temporais.

1. Ao tirar a sopa do lume, tempera-se com sal.
2. Ao fazer esta salada, algumas pessoas acrescentam tomate.

VÁ À GRAMÁTICA NA PÁGINA 117 E FAÇA O EXERCÍCIO B.

I. Como é a dieta do seu país? Conhece algum prato fácil de fazer? Fale sobre isto com o seu colega. Usem a partícula *se* e a construção *ao* + Infinitivo.

AS SETE MARAVILHAS DA GASTRONOMIA PORTUGUESA

1.

2.
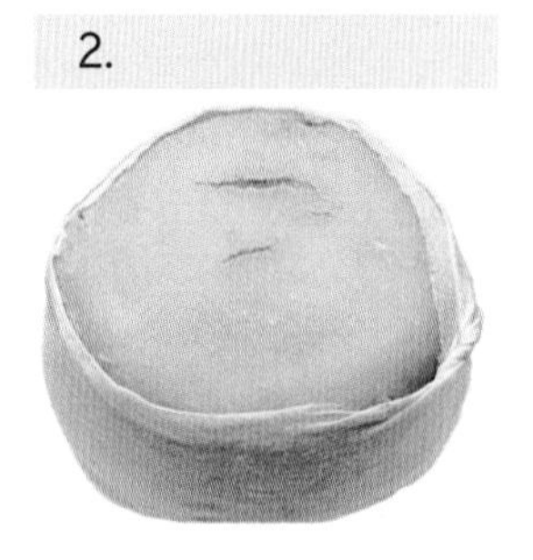

3.

4.

5.

6.
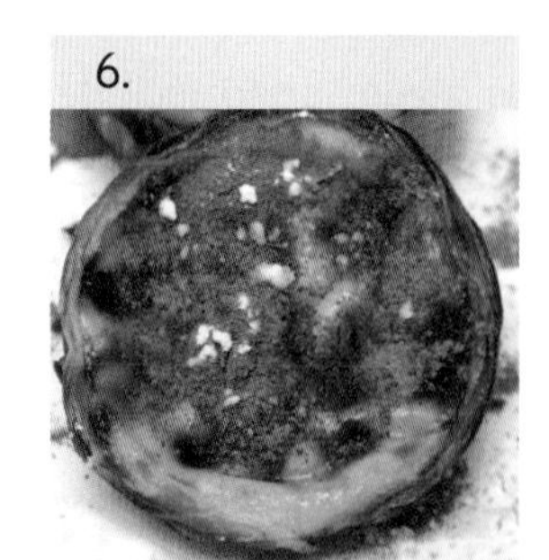

7.
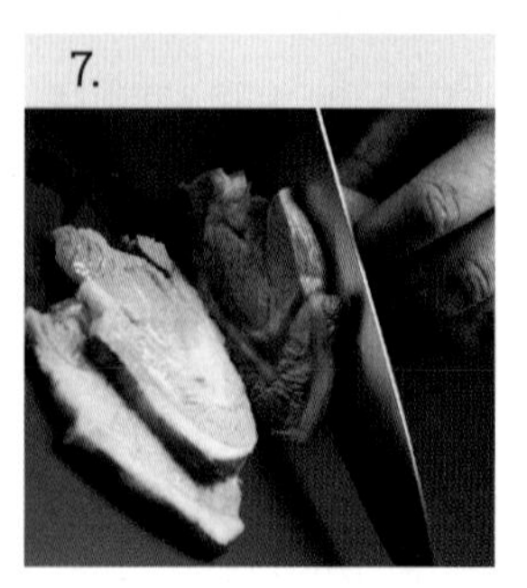

J. **Leia o texto abaixo. A seguir, escreva os nomes dos pratos nas fotografias da página anterior. Conhece estes pratos? Já alguma vez provou algum deles?**

Em 2011, a televisão portuguesa organizou um concurso para os portugueses escolherem os pratos mais importantes da cozinha portuguesa. Chamaram-lhes As Sete Maravilhas da Gastronomia Portuguesa. Os pratos escolhidos foram: **Alheira de Mirandela** e **Queijo Serra da Estrela** (na categoria de entradas), **Caldo-verde** (na categoria de sopas), **Leitão da Bairrada** (na categoria de carne), **Arroz de Marisco** (na categoria de marisco), **Sardinhas Assadas** (na categoria de peixe) e **Pastel de Belém** (na categoria de doces).

K. **Faça uma lista das sete maravilhas da gastronomia do seu país. A seguir, explique ao seu colega que pratos são.**

L. **Complete as frases com as palavras da caixa.**

delícia	crua	sabe	queimada	aspeto	rija	madura	estragado	bem	demais	passada

Este prato está com muito bom ________[1]! Quero provar!	A sopa não ________[2] a nada. Falta-lhe sal.	A massa não tem piada nenhuma. Cozeu ________[3].
A carne está muito ________[4]. Não consigo cortá-la.	Gosto de carne mal ________[5], mas esta está, praticamente, ________[6].	A sopa sabe muito bem. Está uma ________[7]!
Este peixe cheira mal. Deve estar ________[8]. Deita-o fora!	Gosto de carne ________[9] passada, mas esta está quase ________[10]!	Esta fruta está muito ________[11]. É preciso comê-la hoje.

B4 **M.** **O Jorge foi a um restaurante. Ouça o relato que fez depois da refeição. De que é que o Jorge gostou? De que é que não gostou?**

N. **Lembra-se da última vez em que foi a um restaurante? O que é que comeu? De que é que gostou? De que é que não gostou? Fale sobre isto com o seu colega. Use as palavras/expressões dos exercícios L e M.**

FORMAÇÃO DE PALAVRAS

A. **Alguns nomes são formados a partir de adjetivos/particípios passados com o uso da terminação *-ura*. Escreva as palavras em falta abaixo.**

1. alto — *altura*
2. gordo — ________
3. ________ — largura
4. aberto — ________
5. ________ — fechadura
6. louco — ________

B. **Complete as frases com algumas das palavras do exercício A na forma correta.**

1. O Jorge é de *altura* média.
2. A ________ da porta está estragada.
3. Sou completamente ________ por ti!
4. A ________ da nossa loja foi um sucesso!
5. Estas calças são muito ________.
6. Este queijo é muito ________.

UNIDADE 19 TAL DONO, TAL CÃO!

COMUNICAÇÃO	VOCABULÁRIO	PRONÚNCIA	GRAMÁTICA
falar sobre animais de estimação, descrever o carácter, falar sobre espaços de lazer	animais domésticos e de estimação, adjetivos de personalidade, gostos e hábitos	hiatos e ditongos	gerúndio, uso de **tanto**, uso de **tal**

OS CAFÉS DOS GATOS

A. Prefere cães ou gatos? Porquê? Fale sobre isto com o seu colega.

B. Leia o artigo sobre os cafés dos gatos. As primeiras frases de cada parágrafo foram retiradas do texto. Coloque-as no espaço certo.

A moda japonesa dos cafés dos gatos está a espalhar-se por outros países da Ásia e pelos Estados Unidos.

Quando pensamos sobre a ida a um café, pensamos num bolo, num chazinho quente ou numas gargalhadas com os amigos.

Não é por acaso que os cafés dos gatos são tão populares no Japão.

B ____ 1.

Não nos vem à cabeça que um café pode ser também um espaço de convívio com os animais. Mas é o que acontece no Japão, onde há dezenas dos chamados cafés dos gatos, onde os clientes podem relaxar brincando, fazendo festas ou apenas olhando e sorrindo para os gatos que lá vivem.

C ____ 2.

Vivendo num ambiente urbano, as pessoas têm muita necessidade de ter um animal de estimação. E, no Japão, é, muitas vezes, proibido ter animais em casa. As pessoas vão para um café dos gatos porque é a única oportunidade de terem contacto com animais.

A ____ 3.

Na Europa, também já há cafés deste tipo em Inglaterra, Itália e Alemanha. Vendo os cafés dos gatos a abrir portas por todo o lado, Portugal, ou melhor, Lisboa, não ficou à espera. Também já abriu um, no bairro da Estrela.

C. Leia o artigo outra vez e encontre as palavras que correspondem aos sinónimos ou às definições abaixo.

1. gargalhadas → ato de rir muito *(parágrafo 1)*
2. convívio → contacto, relação *(parágrafo 1)*
3. relaxar → descansar *(parágrafo 1)*
4. urbano → de cidade *(parágrafo 2)*
5. oportunidade → ocasião *(parágrafo 2)*
6. espalhar-se → tornar-se comum *(parágrafo 3)*

D. Olhe para as formas verbais destacadas no artigo. Escreva-as abaixo ao lado do infinitivo correspondente. Sabe como se chamam estas formas? Consegue descobrir a regra da sua formação?

1. brincar brincando
2. olhar olhando
3. fazer fazendo
4. viver vivendo
5. ver vendo
6. sorrir sorrindo

VÁ À GRAMÁTICA NA PÁGINA 118 E FAÇA OS EXERCÍCIOS A E B.

IMPORTANTE!
fazer festas a alguém

HORÓSCOPO CHINÊS

E. É uma pessoa que liga a horóscopos? Para si, é importante saber o signo das pessoas que conhece? Fale sobre estas questões com o seu colega.

F. Faça a correspondência entre os nomes dos animais e as fotografias.

[12] a serpente [9] o dragão [3] o coelho [2] o boi [10] o cão [6] a cabra
[4] o galo [1] o tigre [8] o porco [7] o cavalo [5] o macaco [11] o rato

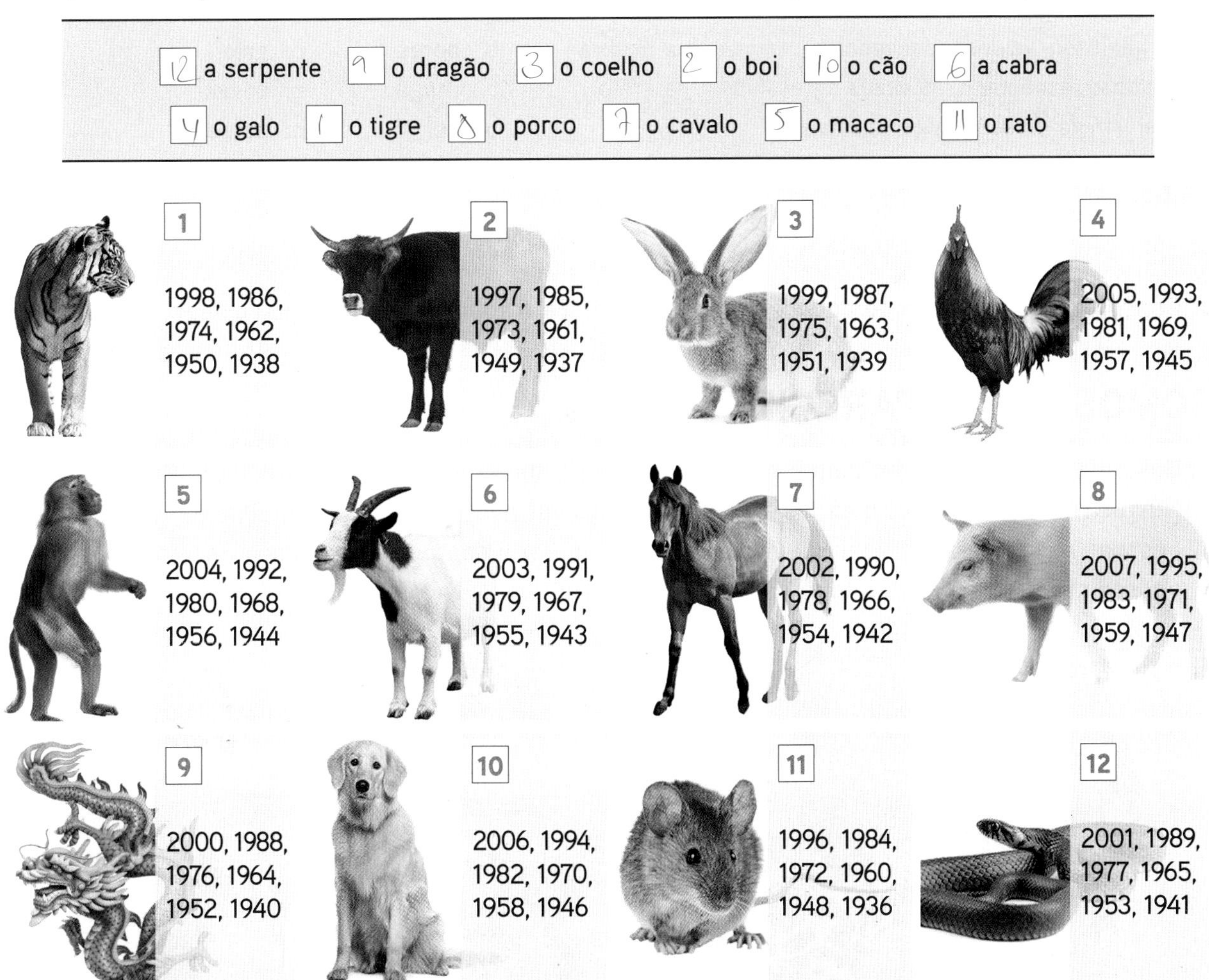

G. Conhece o horóscopo chinês? Sabe qual é o seu signo? Sublinhe o seu ano de nascimento nas datas acima.

H. Descubra o signo chinês do seu colega fazendo-lhe perguntas.

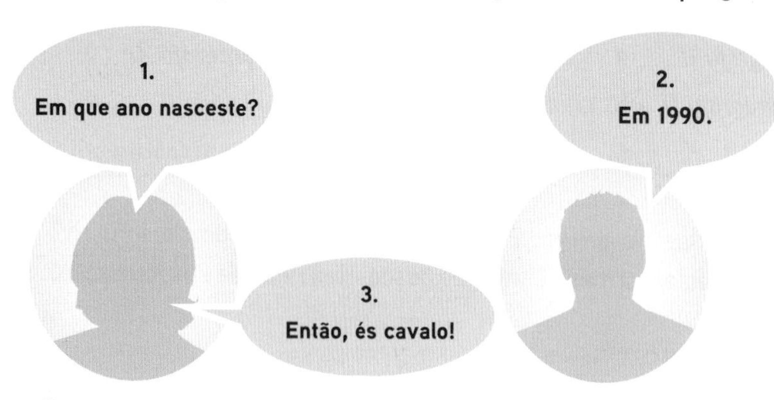

B5 I. Sabe como são as pessoas de acordo com o horóscopo chinês? Leia as descrições de personalidade e sublinhe o signo certo. A seguir, ouça o texto para confirmar.

1.	sensual, inteligente, pode ser falso	a. cão	b. serpente	c. coelho
2.	esperto, muito criativo, sociável	a. macaco	b. boi	c. tigre
3.	inteligente, aberto, sincero	a. galo	b. cabra	c. porco
4.	modesto, sensível, gosta de ajudar	a. cabra	b. dragão	c. galo
5.	calmo, responsável, forte, teimoso	a. rato	b. coelho	c. boi
6.	elegante, ambicioso, bom trabalhador	a. porco	b. cavalo	c. coelho
7.	organizado, vaidoso, convencido	a. cabra	b. porco	c. galo
8.	vaidoso, excêntrico, às vezes agressivo	a. rato	b. dragão	c. cavalo
9.	fiel, amigo do seu amigo, sociável	a. cão	b. boi	c. serpente
10.	elegante, corajoso, independente	a. tigre	b. rato	c. macaco
11.	sincero, meigo, fofo, às vezes tímido	a. porco	b. galo	c. coelho
12.	inteligente, rápido, desconfiado	a. boi	b. rato	c. cabra

J. Concorda com a descrição do seu signo? Porquê? Fale sobre isto com o seu colega.

SOMOS MUITO PARECIDOS!

K. Costuma dizer-se que os donos e os seus animais de estimação são parecidos. Será verdade? Ninguém sabe ao certo, mas, às vezes, é impossível não reparar na semelhança. Olhe para as pessoas nas fotografias abaixo e tente descobrir quem é dono de que animal. Escreva o nome da pessoa certa ao lado das fotografias, na página seguinte.

Mónica

Fátima

Mário

Laura

1 ______ 2 ______ 3 ______ 4 ______

B6 L. Ouça as entrevistas para confirmar as suas respostas ao exercício anterior.

B6 M. Ouça as entrevistas mais uma vez e assinale a pessoa certa.

1. Quem tem um animal que é diferente do que parece?	MÓNICA	FÁTIMA	MÁRIO	LAURA
2. Quem acha que se veste bem?	MÓNICA	FÁTIMA	MÁRIO	LAURA
3. Quem tem um carácter diferente do seu animal?	MÓNICA	FÁTIMA	MÁRIO	LAURA
4. Quem diz algo sobre si próprio que é meio a brincar?	MÓNICA	FÁTIMA	MÁRIO	LAURA

N. Lembra-se dos adjetivos que os donos usaram para se descreverem a si próprios e aos seus animais? Como é a personalidade de cada um deles?

B7 O. Ouça as frases e complete com as palavras em falta.

1. ________ como os nossos pais, vivemos em Lisboa.

2. ________ eu como o meu marido adoramos animais.

3. Nunca comi ________ coisa. O que é que é?

VÁ À GRAMÁTICA NA PÁGINA 118 E FAÇA O EXERCÍCIO C.

P. Tem, ou já teve, algum animal de estimação? Que animal é? Como se chama? Como é? Há algumas semelhanças físicas ou psicológicas entre si e o seu animal? Fale com o seu colega sobre estas questões.

PRONÚNCIA

B8 A. Ouça e repita as palavras com as vogais *oe* e *ue*. Sublinhe as palavras que têm três sílabas.

doente nevoeiro moeda lisboeta
coelho Noruega cuecas sueco

B8 B. Ouça e repita as palavras. Preste atenção à pronúncia das vogais destacadas.

país saúde saída aéreo aeroporto

B8 C. Ouça e repita as palavras com as vogais *oa* e *ua*. Sublinhe as palavras que têm três sílabas.

voamos feijoada assoalhada toalha
pessoal croata carruagem anual situação

B8 D. Ouça e repita as palavras. Preste atenção à pronúncia de *e* final como [i].

série espécie superfície

UNIDADE 20

HAVEMOS DE SALVAR ESTA ESPÉCIE

COMUNICAÇÃO	VOCABULÁRIO	FORMAÇÃO DE PALAVRAS	GRAMÁTICA
falar sobre a proteção da natureza, descrever animais	animais selvagens, proteção da natureza, ambiente	prefixo **des-**	pronome relativo variável **cujo**, pronome relativo variável **o qual**, uso de **cada**

OS ANIMAIS SELVAGENS

A. Faça a correspondência entre os nomes dos animais e as fotografias.

☐ a aranha ☐ a mosca ☐ o lobo ☐ a borboleta ☐ o pinguim ☐ o leão
☐ o pombo ☐ o golfinho ☐ a baleia ☐ a gaivota ☐ o elefante

1 2 3 4 5 6 7 8 9 10 11

B9 **B.** Ouça os sons e escreva os nomes dos animais.

Som 1 ______ Som 2 ______ Som 3 ______ Som 4 ______

B10 **C. Conhece bem os animais? Leia as frases abaixo e decida se são verdadeiras (V) ou falsas (F). Ouça para confirmar. Quantas respostas certas teve?**

1. A baleia não é peixe. V F
2. Em Portugal, vive uma ave que não voa. V F
3. A aranha é um inseto. V F
4. O lobo vive em Portugal. V F
5. Os macacos não vivem na Europa. V F
6. O tigre vive na Rússia. V F
7. O tigre não vive em África. V F
8. A baleia é o maior animal do mundo. V F

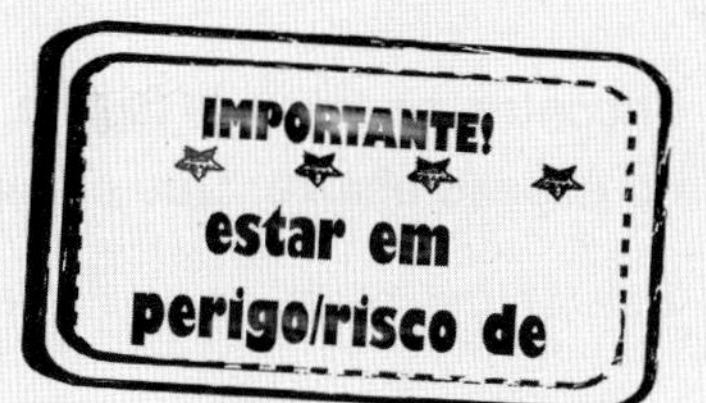

D. Leia o artigo de um jornal português sobre o lince ibérico. Sabe o que significam as palavras destacadas? Consulte o glossário ou pergunte ao seu colega.

O lince ibérico é uma das duas espécies de lince que vivem na Europa. Este animal, cujo pelo é castanho-claro com manchas escuras, passa os dias a caçar coelhos. No passado, o lince vivia em muitas zonas de Portugal e de Espanha. Hoje em dia, em Espanha é um animal cada vez mais raro. Em Portugal, está em risco de desaparecer. Felizmente, há pessoas que querem mudar esta situação. Foram elas que, há alguns anos, criaram um projeto que tenta salvar esta espécie.

O projeto, cujo nome é LIFE+Iberlince, começou no início de 2014. Os responsáveis pelo projeto trouxeram para as margens do Rio Guadiana, no sul de Portugal, um casal de linces nascidos em Espanha. Como naquela zona do país vivem muitos coelhos selvagens, os linces não tinham problemas em encontrar comida.

Um dos maiores problemas do projeto é o perigo de os animais poderem ser atropelados. Por isso, foram colocados sinais de trânsito para evitar acidentes nas estradas que atravessam a área em que vivem os linces.

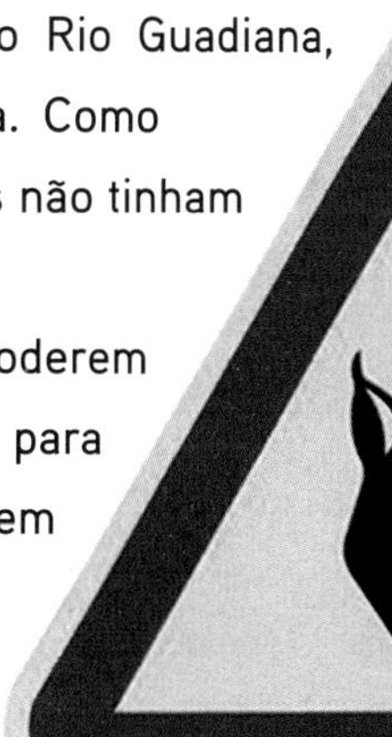

Felizmente, até agora não houve acidentes, com exceção de um não muito grave, em que um animal se magoou na pata. Até junho de 2015, mais 10 animais foram trazidos para Portugal.

Os responsáveis pelo projeto com os quais falámos dizem que os linces estão de boa saúde. Há planos para trazer mais animais de Espanha nos próximos meses. O projeto tem sido, sem dúvida nenhuma, um sucesso.

E. Leia outra vez o texto sobre o lince ibérico e responda às perguntas abaixo.

1. Como é o lince ibérico?
2. O que come o lince ibérico?
3. O que é o LIFE+Iberlince?
4. Porque é que o sul de Portugal é bom para os linces?
5. O que é que de mau pode acontecer aos linces?
6. Quais os planos para o futuro?

F. Encontre, no texto da página anterior, as frases compostas que juntam as frases abaixo. Escreva-as no espaço abaixo. Que palavra junta estas frases?

1. Este animal passa os dias a caçar coelhos. O seu pelo é castanho-claro com manchas escuras.

____

2. O projeto começou no início de 2014. O seu nome é LIFE+Iberlince.

____

G. Leia outras frases deste tipo. Porque é que a palavra sublinhada tem formas diferentes?

1. Évora, cujo centro é muito bonito, é uma cidade no sul de Portugal.
2. O meu vizinho, cuja mulher é cabeleireira, é muito simpático.
3. A professora, cujos alunos estão na sala, não pôde vir trabalhar hoje.
4. O quarto, cujas paredes são cor de laranja, é da minha irmã.

VÁ À GRAMÁTICA NA PÁGINA 119 E FAÇA OS EXERCÍCIOS A E B.

H. Complete a frase abaixo. Confirme a sua resposta procurando esta frase na página anterior. Há outra maneira de completá-la?

Os responsáveis pelo projeto com _______ falámos dizem que os linces estão de boa saúde.

VÁ À GRAMÁTICA NA PÁGINA 119 E FAÇA O EXERCÍCIO C.

VÁ ÀS ATIVIDADES DE COMUNICAÇÃO NA PÁGINA 174 (A) OU 182 (B) E FAÇA O EXERCÍCIO 13.

QUE ANIMAL É?

I. Leia as descrições de três animais. Sabe que animais são? Escreva.

1. Vive na floresta. Tem o pelo cinzento ou castanho. Parece um cão, mas é selvagem e pode ser perigoso. Ainda vive em Portugal, mas está em risco de desaparecer.
Que animal é?

____

2. Vive nos climas frios. É uma ave que nada muito bem e passa muito tempo na água. Come peixe. As patas dela são muito curtas, por isso não anda muito bem.
Que animal é?

____

3. Vive no mar. É muito curioso, inteligente e muito sociável. Normalmente, gosta de estar com pessoas e não é perigoso, apesar de ser um animal selvagem e ser muito grande.
Que animal é?

____

J. Trabalhe em pares. Escolha um animal das páginas 112 ou 109. Descreva-o como no exercício anterior. Não se esqueça de dizer se é um animal selvagem ou doméstico, onde vive, o que come, como é e quais são os seus hábitos. O seu colega vai tentar adivinhar que animal é. Depois, troquem de papéis.

K. Faça as perguntas abaixo ao seu colega.

1. Há muita vida selvagem no teu país?
2. Há espécies que estão em risco de desaparecer?
3. Qual é o animal mais perigoso que vive no teu país?
4. Tens medo ou nojo de algum animal?

B11 L. Leia as frases abaixo e ouça o diálogo na bilheteira do jardim zoológico. As frases são verdadeiras (V) ou falsas (F)? Assinale.

1. O visitante já esteve no jardim algumas vezes. V F
2. O jardim nunca foi tão popular como agora. V F
3. O visitante dá conselhos ao funcionário. V F
4. O visitante não aceita a proposta do funcionário. V F

IMPORTANTE!
cada vez mais bonito

B11 M. Ouça o diálogo mais uma vez e complete-o com as palavras/expressões em falta.

A: Boa tarde, qual é o preço da entrada?

B: São oito euros. Com desconto, são cinco euros.

A: Tanto? ________[1] venho aqui o preço está mais alto.

B: É porque temos ________[2] mais animais e tudo está ________[3] mais caro. E, infelizmente, há ________[4] menos pessoas a visitar-nos.

A: Baixem os preços dos bilhetes e vão ver que vão ter mais visitantes. Bem, quem é que pode ter desconto?

B: Os jovens até aos 15 anos e os idosos a partir dos 65 anos.

A: Então, são cinco bilhetes normais e três com desconto jovem.

B: São oito pessoas? Então, será mais em conta comprarem o bilhete de grupo. Para grupos de seis a dez pessoas, o preço é fixo: 48 euros.

A: Pois é, fica a seis euros ________[5]. Está bem. Então, dê-me um bilhete de grupo. E depois recebo o dinheiro de ________[6] deles.

N. Costuma visitar jardins zoológicos? Qual é a sua opinião sobre eles? Acha que os zoos são necessários ou os animais deviam ser livres? Fale com o seu colega sobre estas questões.

FORMAÇÃO DE PALAVRAS

A. O prefixo *des-* serve para formar palavras com o significado oposto. Escreva as palavras em falta abaixo.

1. arrumar — *desarrumar*
2. aparecer — ________
3. ________ — desconfortável
4. carregar — ________
5. ________ — desempregado
6. conhecer — ________
7. ________ — desconfiar

B. Complete as frases com algumas das palavras do exercício A na forma correta.

1. Chame o elevador *carregando* no botão.
2. Não sei se ainda posso ________ em ti.
3. Podes ________ os talheres na gaveta?
4. Ele trabalha como ________ de balcão.
5. Este sofá é tão ________ que me doem as costas.
6. Eu ________ por completo este cantor. Quem é?
7. A dor que tinha ________ e agora estou bem.

Conjunções temporais

As conjunções temporais *assim que*, *logo que* e *mal* são seguidas pelo verbo no Indicativo e significam *imediatamente depois de:*

Logo que entrei em casa, abri as janelas.

Mal fechei os olhos, adormeci.

Voz Passiva dos tempos compostos

A Voz Passiva dos tempos compostos (Pretérito-Mais--que-Perfeito e Pretérito Perfeito Composto) forma-se com o auxiliar *ter*, os auxiliares *ser/estar* no Particípio Passado invariável e o verbo principal no Particípio Passado variável:

Quando a polícia chegou, os ladrões já tinham sido apanhados pelos moradores.

Este produto tem sido elogiado pelos clientes.

Particípio Passado duplo

O Particípio Passado de alguns verbos é irregular quando é precedido pelo auxiliar *ser* ou *estar*. Quando é precedido pelo auxiliar *ter*, é regular. Compare:

O ladrão está preso.

A polícia tem prendido muitos ladrões.

Particípio Passado duplo		
Infinitivo	*Particípio Passado irregular*	*Particípio Passado regular*
aceitar	aceite	aceitado
acender	aceso	acendido
entregar	entregue	entregado
imprimir	impresso	imprimido
matar	morto	matado
morrer	morto	morrido
prender	preso	prendido
salvar	salvo	salvado

Atenção: As formas do Particípio Passado irregular terminadas em *-o* concordam com o sujeito em género e em número, enquanto que as terminadas em *-e* concordam só em número:

As luzes estavam acesas.

As propostas não foram aceites.

A. Escreva as frases na Voz Passiva.

1. A empregada tem lavado todas as janelas.
   Todas as janelas têm sido lavadas pela empregada.
2. A Câmara Municipal tem feito muitas obras.
   Muitas obras têm sido feitas pela Câmara
3. Milhares de pessoas têm visitado este museu.
   Este museu tem sido visitado por milhares
4. A empresa tem produzido este modelo há anos.
   Este modelo tem sido produzido pela emp.
5. As companhias aéreas têm cancelado alguns voos.
   Alguns voos têm sido cancelados pelas c.
6. As farmácias têm vendido este xarope.
   Este xarope tem sido vendido pelas f.

B. Escreva a parte da frase em falta na Voz Passiva.

1. Ontem, a vizinha telefonou-nos para dizer que tinham assaltado o nosso carro.
   Ontem, a vizinha telefonou-nos para dizer que o nosso carro tinha sido assaltado.
2. Não foi preciso chamar o mecânico porque eu já tinha resolvido o problema!
   Não foi preciso chamar o mecânico porque o pb já tinha sido resolvido.
3. Quando o chefe chegou de férias, a secretária já tinha assinado os documentos.
   Quando o chefe chegou de férias, os documentos já tinham sido assinados pela sec.
4. Quando finalmente decidimos comprar a casa, já a tinham vendido.
   Quando finalmente decidimos comprar a casa, já tinha sido vendida.

C. Complete as frases com a forma correta do Particípio Passado.

1. Os ladrões já tinham sido presos. *(prender)*
2. O Rui já tinha imprimido esta carta. *(imprimir)*
3. Não sabia que tinhas acendido as luzes. *(acender)*
4. O nosso projeto está salvo! *(salvar)*
5. Nas estradas têm morrido muitas pessoas. *(morrer)*
6. Tenho entregado todas as encomendas. *(entregar)*
7. Os documentos já estão impressos. *(imprimir)*
8. Soube que o incêndio tinha matado duas pessoas. *(matar)*
9. Um trabalhador foi morto num acidente. *(morrer)*

Partícula apassivante *se*

- Tal como a Voz Passiva, a partícula *se* é usada quando o agente de ação não é conhecido ou importante. Compare:

  Este peixe é frito em azeite. (Voz Passiva)

  Este peixe frita-se em azeite. (partícula apassivante se)

- O verbo usado com a partícula *se* está na 3.ª pessoa e concorda em número com o nome/pronome a qual se refere:

  Esta sopa faz-se rapidamente.

  Estas sopas fazem-se rapidamente.

Uso de *ao* + Infinitivo

A contração *ao* seguida de Infinitivo:

1) pode substituir a oração temporal exprimindo simultaneidade ou posteridade imediata:

   Ao entrar em casa, tirei os sapatos.

   (= Quando entrei em casa, tirei os sapatos.)

2) pode substituir a oração condicional:

   Ao fazer compras no supermercado, poupo dinheiro.

   (= No caso de fazer compras no supermercado, poupo dinheiro.)

Superlativo + *possível*

O superlativo de adjetivo/advérbio seguido de *possível* é usado para denotar os níveis de possibilidade:

Corre o mais rapidamente possível!

A. Reformule as frases substituindo a Voz Passiva pela partícula apassivante *se*.

1. As bebidas são pagas à parte.
   As bebidas pagam-se à parte.
2. Esta carne é temperada com sal.
   ____
3. Não são aceites mais propostas.
   ____
4. As plantas são regadas de manhã.
   ____
5. Depois da sobremesa, são servidos os cafés.
   ____
6. Esta camisa é lavada em água fria.
   ____
7. Estes sapatos são feitos em Portugal.
   ____
8. Os bilhetes são vendidos a partir das 14h00.
   ____
9. A sangria é bebida, principalmente, no verão.
   ____

B. Reformule as frases usando *ao* + Infinitivo.

1. Quando entrei no elevador ouvi um barulho.
   Ao entrar no elevador, ouvi um barulho.
2. A Joana sorriu quando me viu.
   ____
3. Reduzi a velocidade quando saí da autoestrada.
   ____
4. O Nuno partiu o braço quando jogava à bola.
   ____
5. Quando falei com ele, percebi que era açoriano.
   ____
6. Depois de se sentarem, os passageiros apertam os cintos de segurança.
   ____
7. O avião avariou quando estava a preparar-se para levantar voo.
   ____
8. Quando abri a porta, percebi que a casa tinha sido assaltada.
   ____

Gerúndio

	-ar	-er	-ir
Infinitivo	falar	beber	partir
Gerúndio	falando	bebendo	partindo

O Gerúndio é usado para:

- substitutir uma oração que exprime tempo:

  Saindo do avião, vou beber um café. (= Ao sair do avião, vou beber um café.)

- substituir uma oração que exprime condição:

  Perdendo o comboio, vou de táxi. (= No caso de perder o comboio, vou de táxi.)

- substituir uma oração que exprime modo:

  Saí de casa correndo. (= Saí de casa a correr.)

- substituir uma oração que exprime causa:

  Poupando todos os dias, posso ter umas férias melhores. (= Posso ter umas férias melhores, porque poupo todos os dias.)

Uso de *tanto*

- *Tanto (...) como* usa-se para fazer comparações:

  Não ganho tanto como queria.

  Tanto eu como tu vivemos em Lisboa.

- *Tanto que* usa-se para exprimir consequência:

  Comi tanto que não me consigo mexer.

Uso de *tal*

- *Tal,* usado antes de um nome, serve de determinante demonstrativo:

  Nunca vi tal casa. (= Nunca vi uma casa assim.)

- *Tal como* introduz uma comparação:

  Tal como tu, ganho pouco.

- *...e tal* usado depois de número designa uma quantidade imprecisa:

  A: Qual é a idade do teu avô? B: Setenta e tal.

- *Que tal* serve para fazer perguntas ou propostas:

  Que tal está o teu português?

  Que tal irmos ao cinema?

A. Complete as frases com o gerúndio.

1. Ficando aqui, vou perder o comboio. *(ficar)*
2. ________ a rua, vi o teu carro. *(descer)*
3. ________ teu amigo, tenho de te ajudar. *(ser)*
4. ________ para casa, podes comprar pão. *(vir)*
5. Parti o prato ________ a sopa. *(aquecer)*
6. ________ tanto ao telefone, vais pagar muito ao fim do mês! *(falar)*
7. ________ pela janela, vi que estava a chover. *(olhar)*
8. O Tiago saiu ________ com a porta. *(bater)*

B. Reformule as frases usando o gerúndio.

1. Quando fazes este prato, deves pôr mais sal.
   Fazendo este prato, deves pôr mais sal.
2. Passei todo o dia a pensar em ti.
   ________________.
3. Não podes ter boas notas se não estudas.
   ________________.
4. Depois de sair de casa, fui tomar um copo.
   ________________.
5. Como estava doente, não fui ao ginásio.
   ________________.
6. A Anabela entrou no quarto a sorrir.
   ________________.
7. Quando comecei a reunião, perguntei pela Ana.
   ________________.
8. Ao limpar a cozinha, lave todos os pratos!
   ________________.
9. A Marta gritou quando viu o rato.
   ________________.
10. No caso de beber, vou para casa de táxi.
    ________________.
11. O João caiu ao subir a escada.
    ________________.

C. Complete com *tal*, *tão* ou *tanto*.

1. O Rui fala tanto que dá dores de cabeça.
2. Que ________ arranjares um emprego?
3. ________ tu como eu gostamos de bacalhau.
4. ________ como o Recife, Manaus também fica no Brasil.
5. Ninguém trabalha ________ como nós.
6. Nunca vi ________ carro. Qual é a marca?
7. Não consigo escrever ________ rápido como tu.
8. Acho que a Rita tem trinta e ________ anos.
9. Gastei ________ que fiquei com a conta a zero.

Pronome relativo variável *cujo*

O pronome relativo *cujo* indica posse e precede sempre um nome. Refere-se a pessoas ou objetos. *Cujo* concorda em género e número com o nome que precede:

A casa, cujas janelas dão para o sul, é do Rui.

singular		*plural*	
masculino	*feminino*	*masculino*	*feminino*
cujo	cuja	cujos	cujas

Pronome relativo variável *o qual*

O pronome relativo *o qual* usa-se depois do grupo nominal com o qual concorda em género e número. Este pronome é usado para substituir os pronomes relativos *que* ou *quem* no discurso mais formal:

O jogo ao qual assisti era bom.

(= O jogo a que assisti era bom.)

A senhora com a qual falaste é a minha professora. *(= A senhora com quem falaste é a minha professora.)*

Atenção: O pronome relativo *o qual* é geralmente precedido por uma preposição (*da qual, sobre a qual, com a qual, na qual, ao qual*, etc.), por isso, não pode substituir *que* nas frases sem preposição, tal como:

O livro que li é muito interessante.

singular		*plural*	
masculino	*feminino*	*masculino*	*feminino*
o qual	a qual	os quais	as quais

Uso de *cada*

- *Cada* antecede um nome ou *um(a)*:
  Cada médico tem uma opinião diferente.
  Cada um (de nós) paga a sua parte.
  As maçãs custam 20 cêntimos cada (uma).

- *Cada vez* acompanha um comparativo:
  Este animal é cada vez mais raro.
  Cada vez que te vejo estás mais bonita!

A. Complete com *cujo* na forma correta.

1. O bar, cujo dono conheço, vai fechar.
2. O rapaz, ______ mãe tem uma loja, é meu amigo.
3. Gosto de canções ______ letras falam de amor.
4. O passageiro, ______ malas foram perdidas, fez uma queixa.
5. Este é o senhor ______ bicicleta foi roubada.
6. Estou a ler um livro ______ autor é japonês.

B. Transforme as frases usando *cujo*.

1. O pai do aluno que dá muitos problemas falou com a professora.
   O aluno, cujo pai falou com a professora, dá muitos problemas.
2. Vamos ouvir a canção de um cantor que é brasileiro.
   O cantor ______________________________.
3. As folhas da árvore que vamos cortar caem em cima do terraço.
   Vamos cortar ______________________________
   ______________________________.
4. A luz do candeeiro que está avariado iluminava toda a rua.
   O candeeiro ______________________________
   ______________________________.
5. Os projetos do arquiteto a quem fiz a entrevista ganharam muitos prémios.
   Fiz a entrevista ______________________________
   ______________________________.

C. Complete com *o qual* na forma correta e com a preposição em falta.

1. A senhora para a qual liguei era antipática.
2. O rapaz ______ partilho a casa é contabilista.
3. A cidade ______ nos mudámos é pequena.
4. O cartão ______ quer pagar não está válido.
5. A mulher ______ me apaixonei chama-se Ana.
6. O botão ______ carregou não funciona.
7. A única pessoa ______ confio é a minha mãe.
8. Ontem, vi o homem ______ me divorciei.

PORTUGUÊS EM AÇÃO 5

NO METRO

B12 **A. A Raquel precisa de um passe para os transportes de Lisboa. Leia as frases abaixo e ouça o diálogo. As frases são verdadeiras (V) ou falsas (F)? Assinale.**

1. A Raquel vai esperar sete dias pelo passe. V F
2. O passe custa sete euros por mês. V F
3. A Raquel não anda de autocarro. V F
4. O funcionário dá um talão à Raquel. V F

C. Observe as palavras/expressões na caixa abaixo. Tape o diálogo à direita com uma folha de papel e pratique, com o seu colega, um diálogo parecido usando as palavras e expressões listadas abaixo.

passe / na hora / válido / utilizar / carregar
opção / formulário / talão / levantar

D. Há metro na sua cidade ou na capital do seu país? A rede é muito grande? Quantas linhas há? Fale sobre isto com o seu colega.

B12 **B. Leia o diálogo e complete-o com as palavras que faltam. A seguir, ouça para confirmar.**

Raquel: Boa tarde. Queria saber o que é preciso para fazer o passe.

Funcionário: É preciso entregar uma fotografia e preencher um formulário.

Raquel: É _________ [1] na hora ou vou ter de esperar?

Funcionário: Vai ter de esperar. A emissão do passe _________ [2] sete dias úteis.

Raquel: Ah, ok. E qual é o preço do passe só para o metro?

Funcionário: Não há um passe exclusivo para o metro. O passe que existe é válido para toda a rede de transportes. A emissão deste passe custa sete euros. Depois, para poder utilizá-lo, tem de o _________ [3] mensalmente com 35 euros.

Raquel: Eu utilizo apenas o metro. Não preciso de um passe para todos os _________ [4]. Mas se não há outra opção vou ter de fazer este. Que remédio!

Funcionário: Muito bem. Tem uma fotografia?

Raquel: Tenho, sim.

Funcionário: Preencha este formulário, se faz favor.

Raquel: Já está. Faça favor.

Funcionário: Obrigado. O seu passe estará pronto a partir do dia 8 de janeiro. Venha buscá-lo aqui. Leve consigo este talão e não o perca porque vai precisar dele para _________ [5] o passe.

Raquel: Muito obrigada.

UMA DESCRIÇÃO: A MINHA CIDADE

A. O Josh é americano e vive em Los Angeles. Leia o texto em que ele descreve a sua cidade. Em que parágrafo o Josh...

1. ... fala das alcunhas que a cidade tem? ______
2. ... fala da origem dos habitantes da cidade? ______
3. ... diz o que alguns pensam da cidade dele? ______
4. ... faz comparações com outros países? ______
5. ... fala da história da cidade? ______
6. ... fala do tamanho da cidade? ______
7. ... fala das dificuldades da vida em Los Angeles? ______

B. Volte a ler o texto e complete-o com as palavras da caixa.

acordo bairro clima rede contrastes mundo ponta sul

Nasci e vivi sempre em Los Angeles, uma grande cidade localizada na costa __________ [1] da Califórnia. Em Los Angeles vivem cerca de 13 milhões de pessoas. É a segunda maior cidade dos Estados Unidos, depois de Nova Iorque. **1**

Los Angeles é, às vezes, chamada a Cidade dos Anjos. É um grande centro financeiro, industrial e cultural. Graças ao __________ [2] de Hollywood, onde estão localizados os estúdios de cinema, a minha cidade é também conhecida como a Capital Mundial do Entretenimento. **2**

Os habitantes de Los Angeles chamam-se *angelenos*. De __________ [3] com as estatísticas, 40 por cento dos *angelenos* nasceram fora dos Estados Unidos. Hoje em dia, na minha cidade, a língua espanhola é mais comum do que o inglês. **3**

Los Angeles foi fundada há pouco mais de 200 anos, por isso não tem muitos bairros e monumentos históricos. Apesar disso, tem muitas coisas interessantes para os turistas. **4**

Uma das melhores coisas em Los Angeles é o seu __________ [4], que é muito parecido com o de Portugal e de outros países do sul da Europa. As nossas praias são das melhores do __________ [5]. **5**

Como todas as grandes cidades, Los Angeles tem muitos problemas. O maior é o trânsito, que na hora de __________ [6] é um verdadeiro inferno. Apesar de a cidade ter uma __________ [7] de transportes públicos, viver aqui sem carro é difícil (mas não impossível!). **6**

Esta cidade não deixa ninguém indiferente: ou a amamos ou a odiamos. Quem não gosta dela, diz que é feia, cheia de *smog* e perigosa. Eu, para ser sincero, estou-me nas tintas para o que os outros dizem. Eu amo Los Angeles. Amo-a por ser uma cidade de __________ [8], por ser colorida, excêntrica e, sobretudo, por não ser aborrecida. Tenho muito orgulho em ser um *angeleno* de gema. **7**

C. Descreva a sua cidade tal como fez o Josh. Fale sobre a sua dimensão, a localização, o clima e também sobre o que, para si, ela tem de bom e de mau.

REVISÃO UNIDADE 17 a UNIDADE 20

A. Escolha a opção correta.

1. Logo que me senti mal, parei o carro.
   a. Logo b. Logo que c. Assim
2. Liguei para ti ________ vi a notícia.
   a. mal b. mal que c. que
3. Muitas pessoas têm ________ no terramoto.
   a. morto b. matado c. morrido
4. Muitos voos ________ cancelados.
   a. têm b. têm sido c. tem sido
5. O jantar ________ feito.
   a. está sido b. vai sido c. está a ser
6. Estes bolos ________ sem açúcar.
   a. faz-se b. fazem-se c. se faz
7. ________ o forno, senti um cheiro a queimado.
   a. Ao abrir b. Em abrir c. Abrir
8. Volta para casa ________ depressa possível.
   a. o mais b. mais c. a mais
9. O Nuno saiu do quarto ________.
   a. ao gritar b. gritar c. gritando
10. ________ eu como tu somos pessoas teimosas.
    a. Tal b. Tão c. Tanto
11. O empregado ________ viste é novo aqui.
    a. quem b. qual c. que
12. Esta cidade está ________ vez mais bonita.
    a. a cada b. cada c. com cada

B. Corrija as frases como nos exemplos.

1. Esta carne está ~~mau~~ passada. mal
2. Esta carne está/delícia! uma
3. Põe os ovos em água de ferver! ________
4. Sou lisboeta da gema. ________
5. Cada vez te vejo estás mais nova. ________
6. O rapaz com qual falaste é o Rui. ________
7. O Mário tem trinta e tais anos. ________
8. Tão como tu, não gosto de vinho. ________
9. As luzes estão acendidas. ________
10. Estou-me nas tintas por isso. ________

C. Escreva a palavra que falta.

1. Este prato tempera-se com sal.
2. Nesta rua, há cada vez ________ carros.
3. Apercebi-me ________ perigo que corria.
4. Esta sobremesa está ________ bom aspeto.
5. Quanto ________ preço, esta oferta é boa.
6. És muito parecido ________ o teu pai.
7. A sopa sabe muito ________ cebola.
8. Lisboa é famosa ________ sua beleza.
9. Não ligues ________ que dizem os outros.

D. Complete as letras que faltam nas palavras.

1. Preferes fritar ou grelhar esta carne?
2. Os b_ _ _ _ _ _ _ _ _ apagaram o incêndio.
3. Põe uma r_ _ _ _ _ de limão no meu chá!
4. Acho que já podes tirar a sopa do l_ _ _.
5. A b_ _ _ _ _ é o maior animal na terra.
6. *Sushi* é peixe c_ _ servido com arroz.
7. Este leite deve estar e_ _ _ _ _ _ _ _. Cheira mal.
8. Este cão foi a_ _ _ _ _ _ _ _ _ _ por um carro.
9. O pinguim é uma ave que não v_ _.
10. Esta cidade foi f_ _ _ _ _ _ _ na Idade Média.
11. Este país sofre por causa de uma s_ _ _. Não chove há anos aqui!

E. Reformule as frases usando a(s) palavra(s) dada(s).

1. Podes chegar mais perto de mim? *(aproximar-se)*
   Podes aproximar-te de mim?
2. Este sumo já não está bom. É melhor pô-lo no lixo. *(fora)*
   ____
3. Neste jornal, dizem que os preços vão subir. *(de acordo)*
   ____
4. Este projeto nasceu há cerca de três anos. *(criar)*
   ____
5. Tu e o teu irmão não são nada parecidos. *(semelhança)*
   ____
6. A polícia não sabe porque é que o acidente aconteceu. *(causar)*
   ____
7. Este bolo faz-se muito rapidamente. *(instante)*
   ____
8. Esta rua agora é barulhenta à noite porque há meio ano abriu aqui um bar. *(tornar-se)*
   ____

F. Faça a correspondência entre as palavras com o significado oposto.

1. mal passado → d.
2. meigo
3. frequente
4. verde
5. modesto
6. esperto
7. fofo

a. parvo
b. maduro
c. rijo
d. bem passado
e. agressivo
f. vaidoso
g. raro

G. Assinale a palavra que não pertence ao grupo.

1. cão	cavalo	tigre	vaca
2. furacão	terramoto	leitão	incêndio
3. gaivota	pinguim	lobo	pombo
4. couve	maçã	uva	laranja
5. salmão	borrego	polvo	atum
6. fatia	pata	rodela	cubo

H. Complete as frases com a palavra relacionada com a palavra destacada.

1. Tens muita **inveja** dos outros.
   És uma pessoa muito invejosa.
2. Uma árvore que **caiu** parou o trânsito.
   A ________ de uma árvore parou o trânsito.
3. Hoje, o céu está com muitas **nuvens**.
   Hoje, o céu está muito ________.
4. O gato da Ana **desapareceu**.
   O gato da Ana está ________.
5. Esta carne é muito **gorda**.
   Esta carne tem muita ________.
6. Eu **desconfio** de toda a gente.
   Eu sou uma pessoa muito ________.
7. É proibido **passar** por aquela rua.
   A ________ por aquela rua está proibida.
8. Este prédio é habitado por pessoas com muita **idade**.
   Os moradores deste prédio são ________.

B13 I. Ouça os textos e escolha a opção correta.

1. O Marco
   a. tentou fazer massa com tomate uma vez.
   b. usou tomate maduro.
   c. está a tirar apontamentos.

2. A Sara diz que
   a. não se pode usar tomate fresco.
   b. não se deve ter medo de pôr muito tomate.
   c. o Marco se esqueceu de pôr açúcar.

3. O Paulo
   a. já teve um gato.
   b. ofereceu um gato à irmã.
   c. não se dava bem com o gato da irmã.

4. A Anabela
   a. tem muitos gatos.
   b. diz que nem todos os gatos são falsos.
   c. apercebe-se de que a ideia que tinha era má.

J. Leia o texto e verifique o significado das palavras desconhecidas no glossário. A seguir, responda às perguntas.

Nem todos sabem que apenas a 50 km a sul de Lisboa, no estuário do Rio Sado, habita uma população de 27 golfinhos. Esta é uma de apenas três colónias de golfinhos que vivem nos estuários dos rios na Europa. Os golfinhos parecem dar-se bem nas águas do Rio Sado, apesar dos muitos barcos de pesca e de passageiros que atravessam aquelas águas em todas as direções. Os que querem conhecer melhor os golfinhos podem fazer um passeio de barco a partir da cidade de Setúbal, durante o qual, com alguma sorte, podem ver estes simpáticos animais. Os golfinhos não têm medo dos barcos de turismo e até parecem gostar quando eles se aproximam. As empresas que organizam estes passeios sabem que não se pode incomodar demasiado os golfinhos, por isso, o número de passeios por dia para os turistas "visitarem" os golfinhos é reduzido.

1. Quantos golfinhos vivem no Rio Sado?
2. Que tipo de barcos atravessam o Rio Sado?
3. Como se pode ver os golfinhos?
4. Como é que os golfinhos se dão com os turistas?

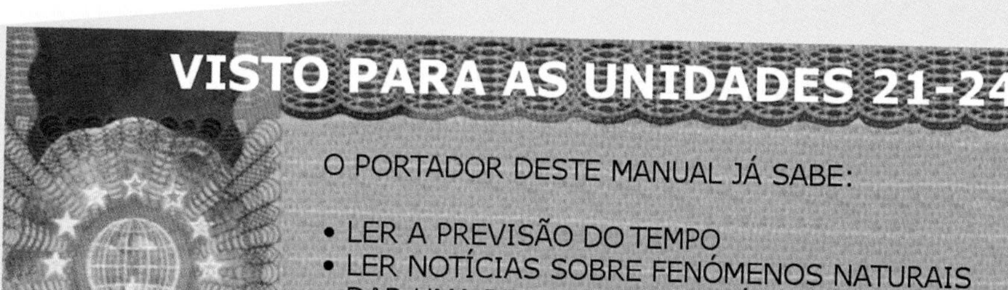

UNIDADE 21 GOSTARIA DE SABER PINTAR

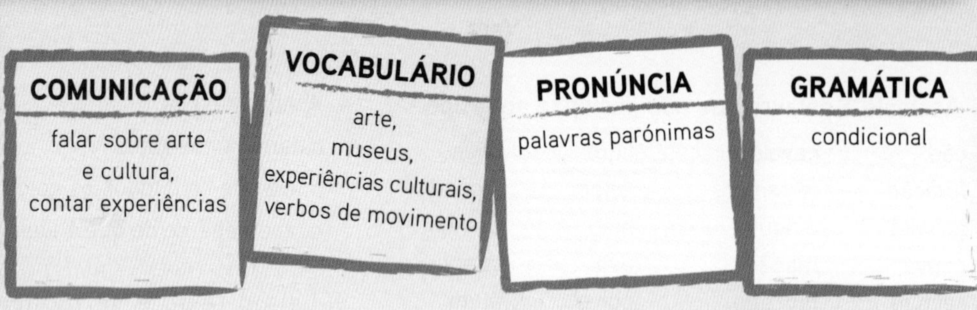

ESTA PINTURA É DE QUEM?

A. Gosta de arte? Costuma ir a exposições e a museus? Faça estas perguntas ao seu colega.

B. Veja as fotografias de algumas das pinturas mais conhecidas mundialmente. Quem é que as pintou? Faça a correspondência entre a obra e o nome do artista.

Salvador Dali	D	Pierre-Auguste Renoir	F	Leonardo da Vinci	A
Gustav Klimt	E	Sandro Botticelli	B	Edvard Munch	C

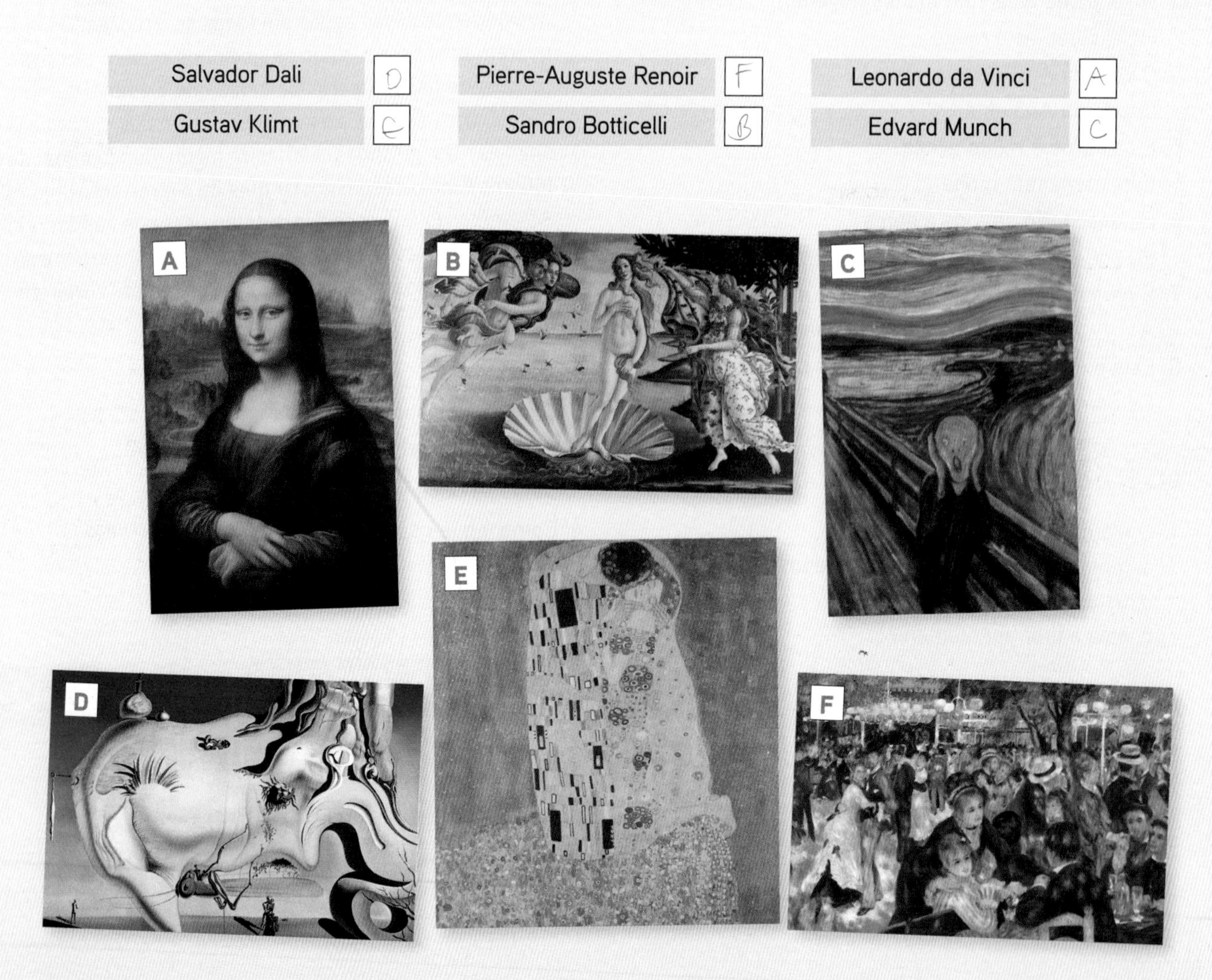

C. De qual destas pinturas gosta mais? Sabe alguma coisa sobre elas? Já viu alguma delas no museu? Qual é que ficava bem na sua sala? Fale sobre isto com o seu colega.

B14 **D. Vai ouvir o diálogo entre a Vera e o Hugo. Leia as frases abaixo. São verdadeiras (V), falsas (F) ou a informação não consta no texto (NC)? Assinale.**

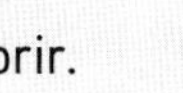

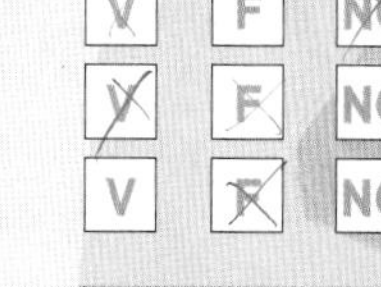

	V	F	NC
1. A Vera viu a exposição *Caminhos* logo depois de ela abrir.	X		
2. A Vera foi à exposição sozinha.			X
3. O Hugo acaba por concordar com a Vera.	X		
4. A Vera gostou de todas as pinturas que viu na exposição.		X	

B14 **E. Ouça o diálogo mais uma vez e complete as frases abaixo.**

1. No Museu Berardo abriu uma exposição que chama-se *Caminhos*.
2. A exposição estreou na sexta-feira passada.
3. A exposição tem pinturas novas de Paula Rego.
4. Para compreender a arte de Paula Rego, é preciso conhecer as histórias.
5. As pinturas de Paula Rego fazem sentir emoções forte.
6. Além das pinturas de Paula Rego, na exposição há obras de um pintor espanhol.

F. Observe como as frases da coluna à esquerda foram reformuladas na coluna à direita. Os pares de frases têm o mesmo significado? Como se chamam as formas verbais destacadas?

1. **Gostaria** muito de ir ao Museu Berardo.	1. **Gostava** muito de ir ao Museu Berardo.
2. Claro que **iria** contigo.	2. Claro que **ia** contigo.
3. **Deverias** fazer um esforço.	3. **Devias** fazer um esforço.

VÁ À GRAMÁTICA NA PÁGINA 140 E FAÇA OS EXERCÍCIOS A E B.

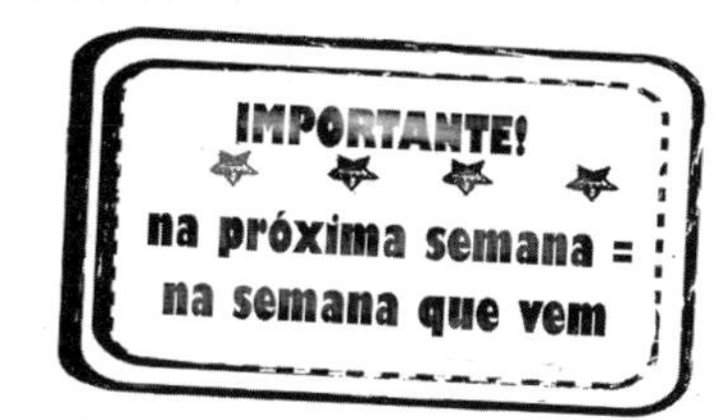

G. Faça a correspondência entre os verbos e as imagens.

[3] tropeçar [5] pisar [2] bater [4] escorregar [6] entornar [1] deixar cair

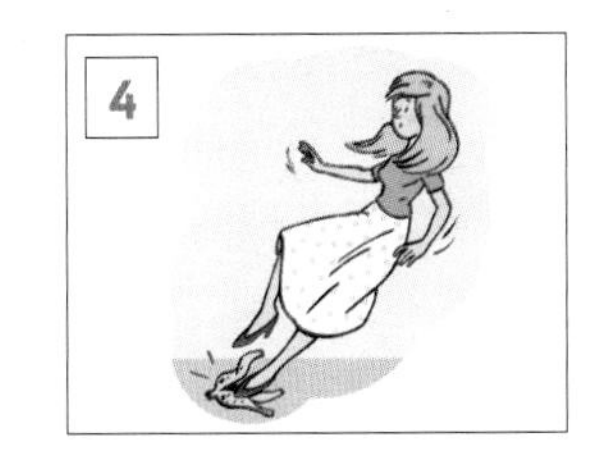

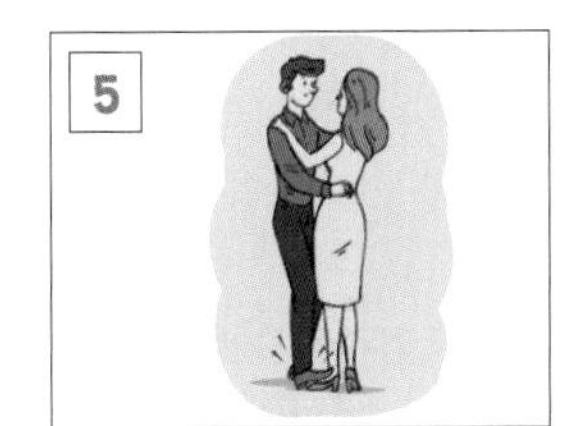

UPS! FOI SEM QUERER!

H. Leia os artigos sobre acidentes que aconteceram a obras de arte. Faça a correspondência entre os textos e os títulos.

☐ a. Não está nada partido! Isto é arte!	☐ b. Mais sorte do que talento
☐ c. Não brinco em trabalho!	☐ d. Cuidado com esses ténis!

1. Uma funcionária de limpeza do Museu Ostwall, em Dortmund, na Alemanha, reparou ___[1] balde de borracha com manchas de tinta colocado por baixo de uma torre de madeira. A senhora pôs-se a limpar o balde até a tinta sair por completo. Mal ela sabia que o balde fazia parte ___[2] instalação chamada *Quando Começa a Cair Água do Teto,* do alemão Martin Kippenberger. Para o artista, as manchas de tinta eram as gotas de água da chuva. Limpando o balde, a funcionária destruiu uma obra de arte no valor de 800 mil euros.

2. Às vezes, é difícil distinguir ___[3] um acidente e arte. Foi o que aconteceu num dos museus em Londres, onde um dos visitantes tropeçou ___[4] cadeira e caiu em cima de uma escultura de porcelana feita por uma artista mexicana. A escultura partiu-se em vários pedaços que se espalharam ___[5] chão. Outros visitantes que entravam na sala não percebiam que tinha havido um acidente e tiravam fotografias dos pedaços no chão, pensando que faziam parte da exposição. Essa escultura nunca antes tinha recebido tanto interesse!

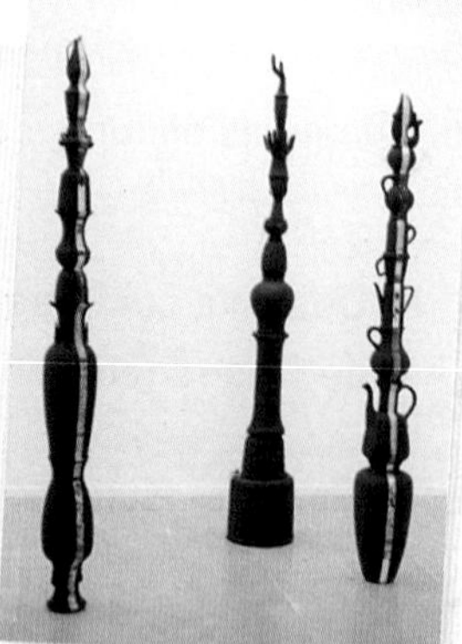

3. Na cidade espanhola de Borja, Cecilia Giménez, uma idosa sempre pronta ___[6] ajudar o padre na igreja local, resolveu renovar *Ecce Homo*, um retrato de Cristo pintado numa das paredes da igreja. O trabalho não correu como era de esperar. D. Cecilia alterou a pintura de tal forma que o Cristo passou a parecer um macaco. O trabalho da D. Cecilia foi tão mau que ficou conhecido em todo o mundo. Centenas de turistas começaram a visitar Borja para ver a famosa "obra" da D. Cecilia. Ela própria tornou-se uma celebridade.

4. Em janeiro de 2006, Nick Flynn, um inglês de 42 anos, teve a infeliz ideia ___[7] visitar o Museu Fitzwillliam, em Cambridge. Numa das salas do museu, o Sr. Flynn pisou os seus próprios atacadores e caiu em cima de três vasos chineses do século XVII. Teve sorte – não lhe aconteceu nada, ao contrário dos vasos, que se partiram em mil pedaços. Apesar de lamentar o acidente, o Sr. Flynn ficou proibido ___[8] entrar no Museu Fitzwilliam para sempre.

B15 **I.** Complete os textos acima com as preposições/ /contrações em falta. Ouça as frases para confirmar.

J. Leia os artigos outra vez e responda às perguntas.

1. Como era a obra de Martin Kippenberger?
2. O que é que a funcionária de limpeza não sabia?
3. O que é que aconteceu à escultura de porcelana?
4. Quem é Cecilia Giménez?
5. Porque é que a igreja de Borja se tornou famosa?
6. O que é que fez Nick Flynn no museu?

K. Escolha uma das histórias e conte-a ao seu colega sem olhar para o texto.

L. Já lhe aconteceu alguma vez destruir ou deitar para o lixo, por acaso, algo precioso? Conte como foi ao seu colega.

B16 M. Leia a história de Cecilia Giménez contada por ela própria. Ponha os parágrafos por ordem. A seguir, ouça para confirmar.

1. ____ 2. ____ 3. ____ 4. ____ 5. ____ 6. ____ 7. ____ 8. ____

A. Quando voltei para Borja, duas semanas depois, não se falava de outra coisa. Os jornalistas escreveram artigos sobre uma velha que não sabia pintar e que destruiu uma grande obra de arte.

B. Havia pessoas à espera à porta da minha casa. Andavam atrás de mim querendo fazer-me perguntas. Era tudo demais para mim. Não estava preparada para isso. Chorei todos os dias. Sofri muito.

C. Uma semana depois, comecei a receber flores e muitas cartas de apoio, com palavras muito simpáticas. Isso ajudou-me muito. Não sei como agradecer a todos os que me escreveram.

D. Não vou dizer quanto me pagam por eles, mas não é nada mau. Toda esta história acabou por me dar muitas coisas boas. Mas custou. Não desejo a ninguém as coisas pelas quais passei. Ninguém merece!

E. Não sou uma grande pintora, mas sempre gostei de pintar. Estou a tomar conta deste retrato há 20 anos. O ar húmido da igreja faz-lhe muito mal. *Ecce Homo* ainda existe graças a mim.

F. Era tudo mentira. Ninguém reparou que o meu trabalho não estava acabado! E também ninguém disse que aquela pintura não tinha quase nenhum valor!

G. Agora as coisas estão bem. Desde que tudo isto começou, 130 mil pessoas visitaram a igreja. Há uns dias tive uma exposição dos meus quadros. Antes ninguém os quis, agora vendem-se muito bem.

H. Há dois anos, reparei que ele estava mesmo mal. Era preciso fazer alguma coisa o mais rapidamente possível. Comecei a renová-lo, mas não acabei. Deixei a tinta a secar e fui de férias.

N. Que diferenças há na história contada pelos jornalistas e por Cecilia Giménez? Fale sobre isto com o seu colega. Conhece exemplos de outras histórias mal contadas que se tornaram famosas graças à Internet?

PRONÚNCIA

B17 A. Ouça as palavras e escreva o número de acordo com a ordem de audição.

a. pais	☐	país	☐
b. caro	☐	carro	☐
c. avó	☐	avô	☐
d. olho	☐	óleo	☐
e. massa	☐	maçã	☐
f. comprimentos	☐	cumprimentos	☐

B17 B. Complete as frases com algumas das palavras do exercício A. Ouça para confirmar.

1. Os meus ________ vivem fora do ________.
2. A Paula manda-te ________.
3. O Jaguar é um ________ muito ________.
4. A minha ________ divorciou-se do meu ________.
5. Para fritar, usas ________ ou azeite?
6. Fiz ________ assada para sobremesa.

LEIO, LOGO EXISTO

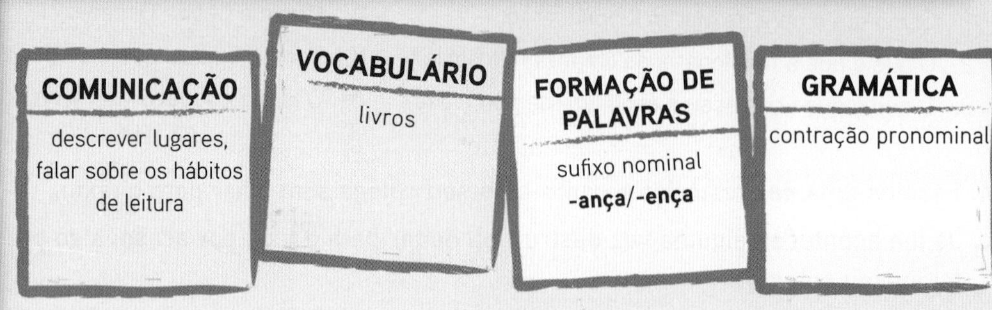

AS LIVRARIAS MAIS BONITAS DO MUNDO

A. Costuma comprar livros nas livrarias ou pela Internet? Gosta de visitar as livrarias? Tem alguma livraria preferida? Faça estas perguntas ao seu colega.

B. As fotografias abaixo mostram quatro das dez livrarias mais bonitas do mundo, escolhidas por uma cadeia de televisão britânica. Leia as apresentações das livrarias na página seguinte e complete as fotografias com os nomes das livrarias. Qual das livrarias nunca teve outras funções?

Depois de servir durante vários anos como armazém de bicicletas, esta igreja medieval voltou a ser um templo, só que, desta vez, trata-se de um templo de livros. É um verdadeiro céu na terra para quem gosta de ler. Fica na cidade de Maastricht, na Holanda, e chama-se Selexyz.

Esta livraria serviu de inspiração para a autora dos livros sobre Harry Potter. Os fãs da série vão reconhecer estes interiores de imediato. A sua decoração Arte Nova tem um grande valor histórico. Fica no centro da cidade do Porto e chama-se Livraria Lello.

É uma livraria moderna que fica numa antiga fábrica. O que chama mais a atenção dos visitantes, além das paredes preenchidas com livros até ao teto, é a escultura de uma mulher numa bicicleta com asas pendurada no ar. A livraria encontra-se em Lisboa e chama-se Ler Devagar.

El Ateneo, em Buenos Aires, foi construído e decorado para ser um magnífico teatro. Depois, tornou-se um cinema, e agora é uma livraria. Este deve ser o único lugar no mundo onde pode descontrair lendo um livro sentado na plateia com vista para o palco.

C. Leia as descrições das livrarias mais uma vez. Sabe o que significam as palavras destacadas? Escreva-as abaixo, ao lado da definição ou do sinónimo correto.

1. ______________ → para guardar coisas
2. ______________ → relaxar
3. ______________ → conjunto de episódios
4. ______________ → dá-nos ideias
5. ______________ → para voar
6. ______________ → igreja ou mesquita
7. ______________ → maravilhoso
8. ______________ → onde o público se senta
9. ______________ → parte da casa
10. ______________ → num museu

D. Já visitou alguma das livrarias apresentadas? Gostou? Se não, qual delas lhe parece mais bonita e interessante? Qual é que gostaria mais de visitar? Porquê?

E. Na sua opinião, a que géneros de livros se adequam mais os títulos da coluna à direita? Faça a correspondência.

1. Biografia	a. Estação Terra
2. Ficção científica	b. Destino: A Terra dos Pinguins
3. Romance histórico	c. Nascido e Criado na Margem do Rio
4. Literatura de viagem	d. A Minha Cara-Metade
5. Policial	e. Tudo por um Reino
6. História de amor	f. Acorda-me antes de Morreres

F. Faça a sua lista de seis títulos inventados que possam ser identificados com cada um dos géneros do exercício E. O seu colega vai ter de adivinhar que géneros são.

B18 **G. Vai ouvir três pessoas a falarem sobre os gostos literários. Quais dos géneros do exercício E lhes recomendaria? Escreva-os abaixo.**

Susana: Paula: Rodrigo:

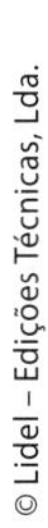

B18 **H. Ouça as entrevistas mais uma vez e assinale a(s) pessoa(s) certa(s).**

1. Quem fez uma escolha errada?	SUSANA	PAULA	RODRIGO
2. Quem não gosta de ficção?	SUSANA	PAULA	RODRIGO
3. Quem diz que os livros lhe ensinam algo?	SUSANA	PAULA	RODRIGO
4. Quem não comprou o livro de que fala?	SUSANA	PAULA	RODRIGO

I. Agora leia as entrevistas. Sabe o que significam as palavras destacadas? Consulte o glossário ou pergunte ao seu colega.

A: Susana, gosta de ler? De que tipo de livros gosta?
B: Os livros são a minha paixão. Leio tudo o que me vem parar às mãos. Mas não pensem que não sou uma leitora exigente. O livro tem de me fazer chorar, rir ou trazer memórias há muito esquecidas, enfim, tem de mexer comigo. Gosto de livros que me prendem, que me fazem esperar pelo próximo capítulo e não me deixam descansar até chegar ao fim. Detesto os livros que me deixam indiferente.
A: Qual foi o último livro que leu?
B: Foi uma história de crime, muito inteligente. Gostei bastante.
A: Como é que arranjou esse livro? Comprou-o? Alguém lho deu?
B: A minha amiga Rita, que tem os mesmos gostos que eu, recomendou-mo e emprestou-mo.

A: Paula, gosta de ler? De que tipo de livros gosta?
B: Gosto. Mas não gosto de livros muito pesados ou de histórias inventadas. Prefiro ler histórias verdadeiras, que falam das pessoas que conheço da televisão e cujas vidas vale a pena conhecer melhor. Esses livros fazem-me pensar na minha própria vida, ajudam-me a tomar decisões e a encontrar soluções para os meus problemas. São, para mim, uma fonte de inspiração e de esperança.
A: Qual foi o último livro que leu?
B: Era sobre uma pessoa que eu admiro, a Lady Di. É um livro muito bom. Também deve ler. Posso emprestar-lho. Quer?
A: Como é que arranjou esse livro? Comprou-o? Alguém lho deu?
B: Sim, os meus filhos deram-mo. Foi uma prenda de anos.

A: Rodrigo, gosta de ler? De que tipo de livros gosta?
B: Gosto bastante, sim. Os meus gostos são muito variados. Gosto de livros cujas personagens continuam comigo muito tempo depois de acabar a leitura. Também tenho muito interesse em livros que me fazem visitar lugares e países que de outra forma nunca poderei visitar. Adoro aprender sobre culturas e modos de vida diferentes da minha.
A: Qual foi o último livro que leu?
B: Foi um romance de um escritor francês. Não era muito o meu género. Já li melhores.
A: Como é que arranjou esse livro? Comprou-o? Alguém lho deu?
B: Vi-o na montra de uma livraria. Foi a capa do livro que me chamou a atenção, por isso comprei-o.

J. As frases abaixo foram retiradas das entrevistas. Olhe para as palavras destacadas. São contrações de que palavras?

1. Alguém lho deu? 2. A minha amiga Rita recomendou-mo. 3. Posso emprestar-lho.

VÁ À GRAMÁTICA NA PÁGINA 140 E FAÇA O EXERCÍCIO C.

K. **Faça as perguntas abaixo ao seu colega.**

1. Gostas de ler? De que tipo de livros gostas?
2. Qual foi o último livro que leste?
3. Como é que arranjas/escolhes os livros que lês?
4. Qual é o teu escritor preferido?
5. Leste algum livro mais do que uma vez?
6. Já leste algum livro em português?

B19 **L.** **Leia o excerto de um romance de um escritor português. Complete o texto com os verbos da caixa. Ouça para confirmar.**

abri	estava	pus	deixei	fui	olhei	peguei	percebi

A Clarisse estava a beber de manhã. Eram oito horas e ela já estava a beber. ________[1] fazer o pequeno-almoço. ________[2] em dois ovos, ________[3] na frigideira, estrelei-os. ________[4] queimar um pouco as claras, que é assim que gosto deles. ________[5] a porta do frigorífico para tirar um sumo. Ao olhar para as prateleiras da porta, ________[6] que havia ali muito espaço. ________[7] para a Clarisse. Faltava uma garrafa de *grappa* no frigorífico, bem como uma garrafa de *Alvarinho* e sabe-se lá o que mais. A Clarisse não ________[8] a beber de manhã. Ainda estava a beber de manhã.

Afonso Cruz, *Flores*

M. **Trabalhe em pares para escrever a continuação da história do exercício anterior.**

FORMAÇÃO DE PALAVRAS

A. **Alguns nomes são formados a partir do verbo ou adjetivo com o uso do sufixo *-ança/-ença*. Escreva as palavras em falta abaixo.**

1. mudar — mudança
2. diferente — ________
3. ________ — lembrança
4. esperar — ________
5. ________ — segurança
6. semelhante — ________
7. ________ — presença

B. **Complete as frases com algumas das palavras do exercício A na forma correta.**

1. Esta rua, à noite, é pouco segura.
2. Trabalho numa empresa que faz ________.
3. Os alunos ________ passar no exame.
4. Este exercício é ________ ao anterior.
5. Faz muita ________ saber falar línguas.
6. Vou abrir esta carta na ________ do diretor.
7. O Rui trouxe-me uma ________ da China.

O AMOR E AS PIPOCAS

PENSAVA QUE VOCÊ ERA DIFERENTE!

A. Vai muito ao cinema? Já alguma vez foi ao cinema sozinho? Costuma beber e comer no cinema? Faça estas perguntas ao seu colega.

B20 B. Observe a banda desenhada e complete os balões com as frases das caixas. Ouça para confirmar.

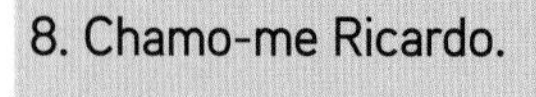

B21 **C.** **Ouça o relato da história no discurso indireto e complete-o com as palavras que faltam.**

1. Ele ________ que aquele lugar era dele.
   Ela ________ desculpa e disse que ia tirar aquilo dali.
2. Ele ________ se ela gostava de pipocas.
   Ela ________ que sim e agradeceu.
3. Ele ________ se ela era portuguesa.
   Ela ________ que era polaca.
4. Ela ________ que se chamava Anna e perguntou-lhe como ele se chamava.
   Ele ________ que se chamava Ricardo.
5. Ele ________ se podia convidá-la para um café.
   Ela ________ e ________
6. Ele ________ que adorava aquela atriz e que era muito bonita.
   Ela ________-lhe se era por causa daquela atriz que ele ________ ver aquele filme.
7. Ele ________ que não tinha percebido e perguntou-lhe o que é que ela estava a dizer.
   Ela ________ que estava a dizer que era melhor ele ir tomar um café com a atriz e não com ela.
8. Ela ________ que pensava que ele era diferente e agradeceu as pipocas.
   Ele ________-lhe para esperar.

D. **Repare como as palavras destacadas no discurso direto (exercício B) foram mudadas no discurso indireto (exercício C). Complete a lista das alterações. Consegue descobrir as regras?**

DISCURSO DIRETO		DISCURSO INDIRETO
esse	→	aquele
é	→	________
gosta	→	________
se chama	→	________
podia	→	________
desta	→	________
quis	→	________
está	→	________
era	→	________

VÁ À GRAMÁTICA NA PÁGINA 141 E FAÇA O EXERCÍCIO A.

B22 **E.** Ouça as frases. O que é que eles disseram? Responda começando com "Ele/Ela disse/perguntou...".

Vá às ATIVIDADES DE COMUNICAÇÃO NA PÁGINA 175 (A) OU 183 (B) E FAÇA O EXERCÍCIO 14.

ONDE É QUE ESTE FILME FOI RODADO?

F. Olhe para as fotografias. Conhece estes filmes? Faça a correspondência com os títulos.

1. Chicago
2. A Casa dos Espíritos
3. Perfume: A História de um Assassino
4. Sete Anos no Tibete

G. Viu algum dos filmes apresentados na página anterior? Gostou? Conhece os atores que participaram nestes filmes? Gosta deles? Fale sobre isto com o seu colega.

H. Leia o artigo abaixo. Qual é o melhor título para este artigo? Assinale com ✓.

1. SUPRESAS DESAGRADÁVEIS ☐ 2. NEM SEMPRE É ONDE PARECE ☐ 3. SER ATOR É FINGIR ☐

Ser ator é fingir ser alguém que não somos. Mas nos filmes que vemos nos cinemas e na televisão não são só os atores e as atrizes que fazem isso. Às vezes, são também as cidades que têm de fingir que são algo diferente. Normalmente, os filmes são rodados em lugares onde o filme se passa. É difícil imaginar um filme cuja ação se passa em Nova Iorque rodado numa ilha grega. Ou um filme cuja ação se passa em Lisboa rodado em Tóquio. Mas, às vezes, estas coisas acontecem. Na maior parte dos casos, por razões financeiras, mas também por causa da organização de trabalho ou por motivos políticos.

Nós, os espectadores, com frequência, não sabemos que a cidade ou o lugar que mostra o filme finge ser algo que não é. A maioria dos que viram o excelente musical americano *Chicago*, com Catherine Zeta-Jones e Renée Zellweger nos papéis principais, nem suspeita que o filme não foi rodado em Chicago, nos Estados Unidos, mas em Toronto, no Canadá. Da mesma forma, os fãs do filme de terror *Perfume: A História de um Assassino*, que se passa no século XVII, em Paris, desconhecem que foi rodado na Catalunha. Para o local onde o filme foi rodado ter o ambiente de Paris do século XVII, que era naquela altura uma cidade muito suja e nada atraente, a equipa que fez o filme encheu as ruas do centro histórico de Barcelona com três toneladas de carne e peixe morto.

Outro exemplo é *A Casa dos Espíritos*, um drama baseado no romance da escritora chilena Isabel Allende. O filme passa-se no Chile, mas foi rodado na Dinamarca e em Portugal. Neste filme, Lisboa faz o papel da capital do Chile, Santiago. O exemplo mais surpreendente é *Sete Anos no Tibete*, um filme biográfico com Brad Pitt no papel principal, que foi rodado a milhares de quilómetros do Tibete, na Argentina.

I. Consegue, pelo contexto, descobrir o significado das palavras destacadas no artigo? Em caso de dúvida, consulte o glossário ou pergunte ao seu colega.

J. Leia o artigo outra vez e responda às perguntas.

1. Porque é que alguns filmes não são feitos onde se passa a ação?
2. Quem são as atrizes de *Chicago*?
3. O que é que foi feito para Barcelona parecer Paris antiga?
4. Que filme foi rodado em Lisboa?
5. Onde foi rodado *Sete Anos no Tibete*?

K. Quais são os géneros dos filmes mencionados no artigo na página anterior? Escreva-os abaixo.

Perfume: A História de um Assassino	terror	*Chicago*	______
A Casa dos Espíritos	______	*Sete Anos no Tibete*	______

L. Leia, nas caixas abaixo, outros géneros cinematográficos. Lembra-se de alguns filmes que representam estes géneros?

comédia | guerra | ação | aventura

M. Complete as frases com as palavras/expressões da caixa.

banda sonora / cartaz / dobrados / efeitos especiais / legendas / realizador

1. No teu país, os filmes no cinema são ______ ou têm ______?
2. Conheces algum filme com uma ______ muito boa?
3. Quem é o ______ de cinema mais conhecido do teu país?
4. Gostas de filmes com muitos ______?
5. Sabes quais são os filmes que estão em ______ na cidade em que moras agora?

N. Faça as perguntas do exercício M ao seu colega.

PRONÚNCIA

B23 **A.** Faça a correspondência entre as palavras em que a letra *e* é pronunciada da mesma forma. Ouça para confirmar.

1. pr**e**to → g
2. s**e**nha
3. pap**e**l
4. **e**difício
5. sort**e**
6. r**e**alizar
7. c**e**nto
8. c**em**

a. qu**e**ro
b. sab**em**
c. ól**e**o
d. t**e**rror
e. t**e**nho
f. **e**xato
g. viv**e**r
h. **e**ntra

B23 **B.** Copie as palavras do exercício A para a coluna correta da tabela. Ouça para confirmar.

[ɛ]	[e]	[ɨ]	[ɐ]
f**e**sta	m**e**sa	p**e**rfil	ov**e**lha

[ẽ]	[ɐ̃]	[i]	[j]
t**e**mpo	armaz**ém**	**e**moção	pass**e**ar

UNIDADE 24

FIQUEI A VER O NOTICIÁRIO

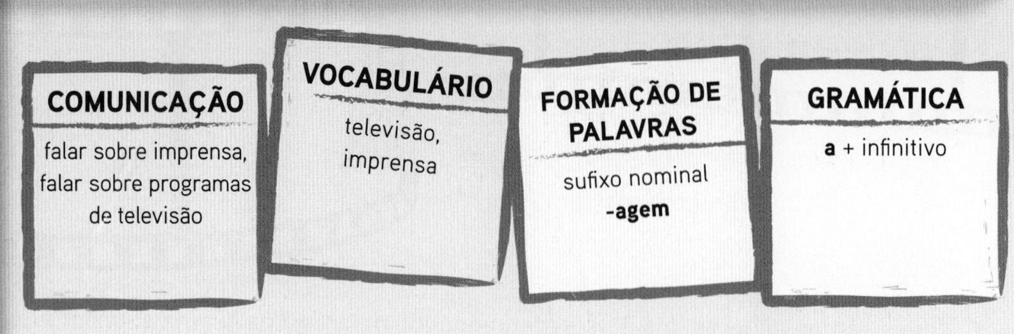

A IMPRENSA

A. Sabe de que país são estes jornais? Escreva o nome do país ao lado do logótipo do jornal.

B. Faça as perguntas abaixo ao seu colega.

1. Costumas ler jornais/revistas? Quais?
2. Preferes ler os jornais/as revistas na Internet ou em papel?
3. Assinas alguns jornais/algumas revistas?
4. Já leste jornais/revistas em português?

C. Complete o texto abaixo com as palavras da caixa.

semanário / cor de rosa / tabloide / artigos / diários / desportivos

IMPRENSA EM PORTUGAL

Em Portugal, há muitos jornais e revistas. Os ________ [1] mais importantes são o *Público*, o *Jornal de Notícias* e o *Diário de Notícias*. Saem todos os dias, domingos incluídos. Outro jornal de referência é o *Expresso*, mas este sai só uma vez por semana, aos sábados. Outro ________ [2], que sai também aos sábados, é o *Sol*. O jornal que se vende mais é um ________ [3], o *Correio da Manhã*. Muitas pessoas compram jornais ________ [4] – *a Bola* e o *Record*. A revista mais importante é a *Visão*. Há também muitas revistas ________ [5], que publicam ________ [6] sobre as vidas das celebridades, como a *Caras* e a *VIP*.

D. Que jornais/revistas há no seu país? Escreva um texto parecido com o texto acima sobre a imprensa no seu país.

A TELEVISÃO

B24 **E.** Leia e ouça cinco pessoas a falarem sobre vários tipos de programas de televisão. Que programas são? Faça a correspondência.

1. Jogos de futebol	2. Concursos	3. Documentários	4. Noticiários	5. Telenovelas

A [ ]

Gosto muito. Ontem, num dos canais estava a dar um sobre a vida e a obra de uma famosa fotógrafa americana. Fiquei a ver até muito tarde porque sempre quis ser fotógrafo profissional. Nunca cheguei a fazer nenhum curso nessa área, mas interesso-me muito pelo assunto. Contudo, os meus preferidos são sobre a natureza. São uma excelente maneira de descontrair depois de um dia de trabalho. Além disso, alguns têm muita qualidade.

B [ ]

É algo de que gosto muito de ver, mas não em casa. Só sabe bem quando é uma atividade social, feita na companhia dos amigos. Há uns meses, na minha rua, abriu um bar que tem um ambiente incrível. Passei a frequentá-lo muito. Quando estou lá, passo o tempo a beber e a torcer pelos nossos rapazes, mesmo quando não estão a fazer o melhor. Afinal, o que interessa é a qualidade do espetáculo, e não o resultado.

C [ ]

Na minha opinião, é um entretenimento de nível bastante baixo. Regra geral, não costumo ver. Mas, às vezes, tenho de ver porque a minha mãe é fã e eu vivo com ela. Acho que nunca vou chegar a perceber esse hábito que ela tem de se sentar no sofá para assistir todas as noites ao novo episódio da *Menina do Mar* ou *Nas Asas do Vento* ou outra coisa deste género com um título igualmente parvo.

D [ ]

Aprendemos muito assistindo a estes programas. Gosto daqueles em que podemos responder a várias perguntas. Fico zangado quando erro e satisfeito quando acerto. Gosto também daqueles em que os famosos têm de dançar ou cantar. O problema é que, estes programas, quando são um sucesso de audiências, nunca mais terminam. Eu perco o interesse muito rapidamente. Acho muita piada no início, mas depois da primeira ou segunda temporada fico farto e prefiro passar a ver outra coisa.

E [ ]

Não costumo ver nada disso. Só mostram mortes, guerras, crime, enfim, nada além de desgraças. Há tantas coisas más a acontecer no mundo todos os dias. Eu sou muito sensível e fico deprimida quando vejo as pessoas a sofrer. Prefiro mudar de canal ou mesmo desligar a televisão. Eu sei que desta forma não me mantenho bem informada, mas paciência. O que é que eu ganharia em saber tudo isso? Só dores de cabeça durante o dia e pesadelos à noite.

F. Consegue, pelo contexto, descobrir o significado das palavras destacadas nos textos acima? Em caso de dúvida, consulte o glossário ou pergunte ao seu colega.

G. Leia os textos da página anterior mais uma vez. Responda às perguntas abaixo escrevendo o tipo de programa certo no espaço disponibilizado.

Que tipo de programas...

1. ... não deixam dormir com calma? __________
2. ... deviam acabar mais rapidamente? __________
3. ... não se deve ver sozinho? __________
4. ... ajudam a relaxar? __________
5. ... não têm qualidade? __________

H. Procure as frases 1-3 nos textos do exercício E e complete-as com as palavras que faltam. Qual é o significado das estruturas que escreveu? Faça a correspondência com os sinónimos à direita.

1. Nunca vou __________ perceber esse hábito.
2. __________ ver até muito tarde.
3. Prefiro __________ ver outra coisa.

a. conseguir

b. começar a

c. estar a

I. Leia mais duas frases com *a* + Infinitivo. Em qual delas a estrutura sublinhada indica modo? Em qual pode ser substituída por uma oração temporal?

1. Ouvi alguém a gritar.
2. Passas todo o dia a falar ao telemóvel.

VÁ À GRAMÁTICA NA PÁGINA 141 E FAÇA OS EXERCÍCIOS B E C.

J. Faça as perguntas abaixo ao seu colega.

1. Que canais de televisão vês?
2. Que programas de televisão vês?
3. O que é que te irrita na televisão?
4. Costumas ver canais em português?
5. Achas que a televisão no teu país tem qualidade?
6. Mudas de canal quando passa publicidade?

Que canais de televisão vês?

Vejo o *Travel Channel* e o *Discovery*.

B25 **K. Ouça o diálogo em que a Filomena e a Alzira falam sobre telenovelas. Porque é que há um mal-entendido entre as senhoras?**

IMPORTANTE!
fartar-se de fazer algo

L. **Leia o diálogo. Sabe o que significam as palavras destacadas? Escreva-as abaixo, ao lado da definição ou do sinónimo correto.**

Filomena: Alzira, viste ontem à noite a telenovela?
Alzira: Claro que vi. Vejo todas as noites. E o episódio de ontem foi tão emocionante! Mal posso esperar pelo próximo!
Filomena: Não me digas nada! Fiquei tão aflita, nem conseguia dormir à noite.
Alzira: Aflita? Aflita porquê? Eu fartei-me de rir! Foi hilariante!
Filomena: Eu não achei nada de hilariante na morte do Francisco. Só me apetecia chorar.
Alzira: Espera lá! Francisco? Qual Francisco?
Filomena: Como qual? O irmão gémeo da Menina do Mar!
Alzira: Eu não estou a falar da *Menina do Mar*! Deixei de ver aquilo há muito tempo! É uma chatice! Estou a falar de *Nas Asas do Vento*!
Filomena: Não acredito! Como é que podes dizer que a *Menina do Mar* é uma chatice? Essa telenovela é brilhante! Os atores, a história, tudo é fantástico.
Alzira: Não acho nada. Para mim, tudo aquilo é ridículo. No princípio ainda vi, mas depois fartei-me. Devias ver *Nas Asas do Vento*. Tem muita qualidade e é muito divertida.
Filomena: Vi apenas um ou dois episódios e não estava a perceber nada daquilo. Não gostei nada. Ouve lá, o que é que tu achas, o Francisco morreu mesmo ou os médicos mentiram à Menina do Mar? Ou, se calhar, é tudo apenas um engano?
Alzira: Eu acho que o engano é tu veres aquela porcaria! É uma perda de tempo!

1. ____________ → divertido e que faz rir
2. ____________ → com muita qualidade
3. ____________ → sem qualidade nenhuma
4. ____________ → sem interesse nenhum
5. ____________ → tão mau que faz rir
6. ____________ → que causa emoções

M. **Escreva, no espaço ao lado, os nomes dos programas de televisão que pode caracterizar usando os adjetivos/nomes destacados no exercício L. Explique ao seu colega por que razão acha estes programas emocionantes, hilariantes, uma chatice, etc.**

____
____
____
____
____
____

FORMAÇÃO DE PALAVRAS

A. **Alguns nomes são formados a partir do verbo com o uso do sufixo *-agem*. Escreva as palavras em falta abaixo.**

1. viajar — viagem
2. ____________ — passagem
3. contar — ____________
4. ____________ — lavagem
5. secar — ____________
6. ____________ — paragem

B. **Complete as frases com algumas das palavras do exercício A na forma correta.**

1. Esta camisa seca num instante!
2. Que seguro de ____________ é que você tem?
3. João! ____________ com isso! Porta-te bem!
4. As ____________ aéreas para Cuba são caras.
5. A pequena Inês já sabe ____________ até 100.
6. É melhor ____________ estas calças a seco.

Condicional

O Condicional é uma alternativa mais formal ao Imperfeito. Na maior parte dos casos, pode ser substituído por este tempo linguístico.

Condicional regular

eu	Infinitivo + **ia**	(fala**ria**)
tu	Infinitivo + **ias**	(fala**rias**)
você / ele / ela	Infinitivo + **ia**	(fala**ria**)
nós	Infinitivo + **íamos**	(fala**ríamos**)
vocês / eles / elas	Infinitivo + **iam**	(fala**riam**)

Condicional irregular

	dizer	*fazer*	*trazer*
eu	dir**ia**	far**ia**	trar**ia**
tu	dir**ias**	far**ias**	trar**ias**
você / ele / ela	dir**ia**	far**ia**	trar**ia**
nós	dir**íamos**	far**íamos**	trar**íamos**
vocês / eles / elas	dir**iam**	far**iam**	trar**iam**

O Condicional é usado para:

- pedir coisas, informação, ajuda ou um favor (como forma de cortesia):
  Poderia dizer-me onde é a estação?
- expressar desejo, vontade, gostos ou preferências:
  Gostaria de fazer uma festa.
- falar de ações pouco prováveis que dependem de uma condição:
  Iria à praia, mas não tenho carro.

Contração pronominal

me + o = mo	te + o = to	lhe + o = lho
me + a = ma	te + a = ta	lhe + a = lha
me + os = mos	te + os = tos	lhe + os = lhos
me + as = mas	te + as = tas	lhe + as = lhas

O Jorge deu as flores à Rita.
O Jorge deu-as à Rita.
O Jorge deu-lhe as flores.
O Jorge deu-lhas.

A. Complete com a forma correta do Condicional.

1. Adoraria morar em Paris! *(eu/adorar)*
2. Daria tudo para ter este emprego! *(eu/dar)*
3. Seria melhor ficar em casa! *(ser)*
4. Gostaríamos de dar um passeio. *(nós/gostar)*
5. Os senhores poderiam esperar aqui? *(poder)*
6. Nunca comprarias este casaco. *(tu/comprar)*
7. Não te importarias de apagar a luz? *(importar)*
8. Eu nunca faria isso! *(fazer)*
9. estaria mais feliz longe de ti! *(eu/estar)*

B. Substitua os verbos nas formas verbais do Pretérito Imperfeito do Indicativo pelo Condicional.

1. Não sei se o Rui casava com a Inês.
   Não sei se o Rui casaria com a Inês.
2. Gostava de vos dar um presente.
   Gostaria de vos dar
3. Ficava contigo, mas tenho de ir.
   Ficaria
4. Ela nunca voltava a trabalhar aqui!
   voltaria
5. Devíamos contar tudo à polícia!
   Deveríamos

C. Substitua a(s) palavra(s) sublinhada(s) por pronomes e faça a contração pronominal.

1. Mostrei o postal à mãe ontem.
   Mostrei-lho ontem.
2. Já te devolvi esses livros!
   ____________________!
3. Dá as malas ao senhor!
   ____________________!
4. Ele ofereceu-te a bebida.
   ____________________.
5. Vais apresentar-me a tua irmã?
   ____________________?
6. A Ana comprou-me este livro.
   ____________________.
7. Não me deste os parabéns.
   ____________________.
8. Pagas-me o café?
   ____________________?
9. Ela emprestou os óculos ao irmão.
   ____________________.

Discurso Indireto

- Ao transformar o discurso direto em discurso indireto, às vezes alteramos algumas palavras e tempos verbais: *"Não moro aqui."* → *A Ana disse que não morava ali.*

Mudanças de tempos linguísticos:

- Presente → Imperfeito (*falo* → *falava, vou falar* → *ia falar, estou a falar* → *estava a falar*)
- P.P.S. → Pretérito Mais-que-Perfeito Composto (*falei* → *tinha falado*)
- Futuro → Condicional (*falarei* → *falaria*)

Mudanças de outras palavras:

aqui	ali
aí, cá	lá
hoje	nesse/naquele dia
ontem	no dia anterior
há (5 anos)	(5 anos) antes
amanhã	no dia seguinte
no próximo...	no ... seguinte
este, esse	aquele
isto, isso	aquilo
eu/tu/nós	ele/ela/eles, etc.
meu/teu/nosso	seu/dele/deles, etc.

Os verbos mais comuns que introduzem o discurso indireto são *dizer*, *pensar*, *responder* (seguidos de *que*) e *perguntar* (seguido de *se/onde/quem*, etc.).

Uso de *a* + Infinitivo

- *Ficar a* + Infinitivo refere-se a uma ação durativa ou que se realiza em vez de outra, normalmente contrariando uma expectativa:

  Fico a ler em casa sempre que posso.

- *Chegar a* + Infinitivo refere-se a uma ação que acaba por (não) acontecer:

  Eles não chegaram a falar com o diretor.

- *Passar a* + Infinitivo refere-se ao início de uma ação ou estado:

  Passei a fazer compras nas lojas mais pequenas.

- Com os verbos *ver* e *ouvir*, a estrutura *a* + Infinitivo substitui uma oração temporal:

  Vi a Ana a beber um café. (= Vi a Ana quando ela estava a beber um café.)

- Com outros verbos, *a* + Infinitivo indica o modo: *Desci a escada a correr. (= Desci a escada correndo.)*

A. Complete as frases no discurso indireto.

1. "Esse hotel é caro."
   O taxista disse que aquele hotel era caro.
2. "Chumbei no exame."
   O Rui disse que tinha chumbado.
3. "Vou voltar para casa cedo."
   A Ana prometeu que ia voltar para casa cedo.
4. "A casa de banho é aqui?"
   O cliente perguntou se a casa de banho ~~está~~ era aqui.
5. "O museu fechará em breve."
   O funcionário avisou que o museu fecharia em breve.
6. "Podia ajudar-me?"
   O homem perguntou-me se ~~me~~ o poderia ajudar.
7. "O que é isso?"
   O pai perguntou o que era aquilo.
8. "Vou ao Porto na próxima terça."
   O Hugo disse que ia ao Porto na terça seguinte.
9. "Ontem, ficámos em casa."
   A Inês disse que tinham ficado em casa no dia anterior.
10. "Esta não é a minha bagagem."
    O passageiro disse que aquela não era a bagagem dele.

B. Complete as frases com *ficar*, *chegar* ou *passar* na forma correta e a preposição *a*.

1. Hoje, a Ana vai ficar a trabalhar em casa.
2. Depois da conversa que tive com o médico, ________ comer fruta todos os dias. *(eu/P.P.S.)*
3. O Nuno terminou o curso, mas nunca ________ defender a tese. *(P.P.S.)*
4. ________ pensar no que me tinhas dito e acho que tens razão. *(eu/P.P.S.)*
5. Nós nunca ________ conhecer o marido da Ana. *(P.P.S.)*
6. Não me ligas nenhuma! Mas não faz mal. ________ saber que eu também já não gosto de ti! *(tu/Imperativo)*

C. Complete com os verbos na forma correta. Não use o gerúndio.

1. Quando entrei em casa, ouvi alguém a chorar. *(ouvir, chorar)*
2. A Ana gosta de ________ duche ________. *(tomar, cantar)*
3. A D. Odete ________ a vida ________ casas. *(ganhar, limpar)*
4. Ontem, estava tão cansado que ________ no sofá ________ o filme. *(adormecer, ver)*
5. Já ________ várias vezes o vizinho de cima ________ na garagem. *(ver, fumar)*
6. Tu ________ a vida ________-te! *(passar, queixar)*

PORTUGUÊS EM AÇÃO 6

NA CLÍNICA

B26 **A.** A Raquel precisa de fazer um exame médico, por isso telefona para uma clínica. Leia as frases abaixo e ouça o diálogo. As frases são verdadeiras (V) ou falsas (F)? Assinale.

A Raquel...

1. ... marcou um número errado. V F
2. ... desmarcou a consulta. V F
3. ... não trabalha às sextas. V F
4. ... não vai comer no dia do exame. V F

C. Observe as palavras na caixa abaixo. Tape o diálogo à direita com uma folha de papel e pratique, com o seu colega, um diálogo parecido usando as palavras listadas abaixo.

engano aguardar útil
marcar consulta utente exame

D. No seu país, costuma utilizar os serviços de saúde privados ou públicos? Já alguma vez teve de procurar ajuda médica estando no estrangeiro? Onde? Porquê? Tinha seguro de saúde? Em que língua falou com os profissionais de saúde? Fale sobre isto com o seu colega.

B26 **B.** Leia o diálogo e complete-o com as palavras que faltam. A seguir, ouça para confirmar.

Voz 1: Estou?

Raquel: Estou sim? É da Clínica dos Olivais?

Voz 1: Não. É ________[1]. Telefonou para um número privado.

Raquel: Peço desculpa. Com licença.

Voz 2: Bem-vindo à Clínica dos Olivais. De momento, todas as nossas ________[2] estão ocupadas. Por favor, aguarde. A sua chamada será atendida logo que possível.

Funcionária: Boa tarde. Fala a Marta. Em que posso ser ________[3]?

Raquel: Boa tarde. Era para marcar uma ecografia abdominal. De preferência, ao fim da tarde.

Funcionária: Pode ser no dia 9, às 18h00.

Raquel: Dia 9? E antes, não dá? É que no dia 7 tenho consulta com o Dr. Costa. Não tendo os resultados do exame, vou ter de desmarcar a consulta.

Funcionária: Há uma ________[4] no dia 4, mas é às 14h00.

Raquel: É uma sexta, não é? Pode ser às 14h00. Sexta é o meu dia de folga.

Funcionária: Diga-me o seu nome e o número de utente, se faz favor.

Raquel: Raquel Vaz. O número é o 4733906.

Funcionária: Obrigada. Já está marcado. No dia do exame, não coma nada ________[5] de um pequeno-almoço ligeiro.

Raquel: Está bem. Obrigada e boa tarde.

A CRÍTICA DE UM FILME

A. A Ana escreveu a crítica de um filme. Leia a crítica. Em que parágrafo encontramos informação sobre...

1. ... os locais onde o filme foi feito? ______
2. ... o título, o realizador e o elenco? ______
3. ... a opinião da Ana sobre o filme? ______
4. ... a história do filme? ______

B. Leia outra vez o parágrafo 3 e complete-o com os verbos da caixa na forma correta do Presente.

casar	fugir	ganhar	nascer
odiar	prometer	ter	trabalhar

C. Leia outra vez o parágrafo 4. De que é que a Ana gostou? De que é que não gostou?

A Casa dos Espíritos é um drama baseado no romance da escritora chilena Isabel Allende. Foi realizado pelo dinamarquês Bille August, em 1993. O filme conta com Meryl Streep, Glenn Close, Jeremy Irons, Antonio Banderas e Winona Ryder nos papéis principais. **1**

O filme foi rodado em Portugal e na Dinamarca, mas a ação passa-se na América do Sul, no Chile. Começa nos anos 30 e acaba nos anos 70 do século passado. **2**

Este drama conta a história da família de Esteban, um homem muito ambicioso que ______[1] muito pobre, mas com muito trabalho e esforço ______[2] dinheiro suficiente para comprar uma quinta e muitas terras. Já rico, Esteban ______[3] com uma mulher chamada Clara com quem ______[4] uma filha, Blanca. Aos 20 anos, Blanca apaixona-se por Pedro, um rapaz que ______[5] para o pai dela. Esteban, que agora é um conhecido político, ______[6] Pedro. Depois de Blanca ficar grávida, ______[7] da casa do pai e casa com Pedro. Esteban, furioso, ______[8] matar o marido da filha. **3**

O elenco deste filme é, de facto, de sonho. Contudo, tenho de dizer que fiquei um pouco dececionada com algumas das personagens. Jeremy Irons é, sem dúvida, brilhante no papel de Esteban. Mas tanto Meryl Streep como Glenn Close não podem incluir este filme na lista dos seus maiores êxitos. A história é interessante e tem tudo o que uma história bem contada deve ter. Também é impossível não gostar da banda sonora, que fica connosco muito tempo depois de sairmos do cinema. Este filme, de certeza, não é nenhuma obra-prima, mas vale a pena vê-lo. **4**

D. **Escreva a crítica de um filme. Dê informação básica sobre o filme e faça um breve resumo da história (sem revelar o fim!). Não se esqueça de escrever sobre o que gostou e o que não gostou.**

REVISÃO UNIDADE 21 a UNIDADE 24

A. Escolha a opção correta.

1. Perguntei *se* estavas ocupado.
   a. que b. se c. sobre
2. ______ fazer uma viagem, mas não posso.
   a. Adorei b. Adoraria c. Adoro
3. Passei ______ vir a este café.
   a. para b. a c. de
4. Deixei ______ o prato no chão.
   a. cair b. a cair c. caindo
5. Os pedaços de vidro espalharam-se ______ chão.
   a. ao b. pelo c. para o
6. Ontem, ______ ler até muito tarde.
   a. fiquei de b. fiquei a c. ficava a
7. Esta fotografia ______-me muitas memórias.
   a. leva b. dá c. traz
8. Esta casa ______ logo a minha atenção.
   a. levou b. chamou c. virou
9. Vou ao Porto na semana que ______.
   a. chega b. vai c. vem
10. Vou ______-te uma história.
    a. contar b. falar c. dizer
11. O que é que está a ______ na televisão?
    a. haver b. ter c. dar
12. Esta canção ______ parte de um filme.
    a. é b. está c. faz

B. Corrija as frases como nos exemplos.

1. Faço ~~do~~ meu melhor para te ajudar. *o*
2. Quero agradecer / todos. *a*
3. Onde é que este filme passa? ______
4. Você é muito enganada! ______
5. Isto é uma grande obra da arte. ______
6. Já estás pronta de sair? ______
7. A Ana passou ouvir fado. ______
8. Vamos torcer o nosso clube. ______
9. Vou fazê-lo logo possível. ______

C. Escreva a palavra que falta.

1. Este não é *o* meu género de livro.
2. ______ geral, gosto de arte moderna.
3. Não gosto de filmes ______ ação.
4. Quanto é que pagaste ______ isto?
5. Queria um lugar à janela, ______ preferência.
6. Tropecei ______ tapete e caí.
7. Parti um copo. Desculpa! Foi ______ querer.
8. Não estamos preparados ______ isso.
9. A viagem correu como era ______ esperar.

D. Complete as letras que faltam nas palavras.

1. A garrafa caiu e p*artiu*-se.
2. Portugal é uma república. Espanha é um r______.
3. Este camião pesa três t______.
4. Qual era o r______ do jogo ao intervalo?
5. Este filme é dobrado ou tem l______?
6. O Lucas tem um irmão g______.
7. Este jornal sai todos os dias. É um d______.
8. Acordei a gritar porque tive um p______.
9. Viste o último e______ da telenovela?
10. À terça não trabalho. É o meu dia de f______.
11. Este filme é b______ num romance.
12. L______ muito, mas não posso ajudá-lo.
13. Essa música está a i______-me. Podes baixar o som?

E. Reformule as frases usando a palavra dada.

1. A Ana está deprimida hoje. *(baixo)*
   A Ana está em baixo hoje.
2. Não sei quem é este ator. *(desconhecer)*
   ______
3. Tu gostas de bacalhau, mas eu não. *(contrário)*
   ______
4. A Fátima vai ter um filho. *(grávida)*
   ______
5. O que é que está nos cinemas agora? *(cartaz)*
   ______
6. Estou ansioso para te ver. *(mal)*
   ______
7. A Ana perguntou por ti imensas vezes. *(fartar)*
   ______
8. Conseguiste falar com o Sr. Santos? *(chegar)*
   ______
9. Tu não te interessas nada por mim! *(ligar)*
   ______

F. Faça a correspondência entre as colunas.

1. ficção	a. prima
2. banda	b. de uma loja
3. capa	c. de um livro
4. filme	d. sonora
5. obra	e. principal
6. montra	f. científica
7. papel	g. de terror

G. Assinale a palavra que não pertence ao grupo.

1. literatura	pintura	fatura	teatro
2. magnífico	emocionante	brilhante	ridículo
3. atacador	realizador	pintor	ator
4. biografia	romance	retrato	policial
5. canal	plateia	palco	estreia
6. drama	capítulo	comédia	musical

H. Complete as frases com a palavra relacionada com a palavra destacada.

1. Este filme causa muitas **emoções**.
   Este filme é muito *emocionante*.
2. Vi o filme no dia em que **estreou**.
   Vi o filme no dia da ______.
3. Esta pintura não **vale** nada.
   Esta pintura não tem ______ nenhum.
4. O Miguel fez só um **erro** no teste.
   O Miguel ______ só uma vez no teste.
5. Este filme foi uma **surpresa**.
   Este filme foi ______.
6. O Pedro só lê jornais sobre **desporto**.
   O Pedro só lê jornais ______.
7. Sou **apaixonado** por livros que falam sobre viagens.
   Tenho uma ______ por livros que falam sobre viagens.

B27 **I. Ouça os textos e escolha a opção correta.**

1. O Carlos
   a. queria ir à Coreia do Norte.
   b. leu um romance do Peixoto.
   c. queixa-se da falta de tempo.
2. A Ana
   a. quer saber mais sobre as viagens do autor.
   b. tem uma amiga estrangeira cujo português é perfeito.
   c. vai recomendar um livro sem o ler.
3. Sara Almeida
   a. é atriz e modelo.
   b. matou o marido.
   c. está apaixonada.
4. A Andreia
   a. diz que a Sara Almeida parece mais velha ao vivo.
   b. está surpreendida com o que o Paulo não sabe.
   c. parece não gostar da Sara Almeida.

J. Leia o texto e verifique o significado das palavras desconhecidas no glossário. A seguir, responda às perguntas.

José Saramago (1922-2010) foi um escritor português e o único autor de língua portuguesa a receber o Prémio Nobel da Literatura. Nasceu numa família de agricultores numa pequena aldeia localizada no centro de Portugal. Saramago passou a maior parte da sua vida em Lisboa, onde trabalhou como mecânico, funcionário público, tradutor e, mais tarde, como jornalista. O seu primeiro romance, publicado quando tinha 25 anos, foi um fracasso. Os grandes sucessos chegaram muito mais tarde, nos anos 80. Recebeu o Prémio Nobel em 1998. No fim da vida, casou-se com uma jornalista espanhola, Pilar del Rio, e foi viver com ela na ilha espanhola de Lanzarote. Em 2008, o realizador brasileiro Fernando Meirelles fez um filme baseado no romance de Saramago, *Ensaio sobre a Cegueira*, com a famosa atriz americana Julianne Moore no papel principal. Os romances do escritor foram traduzidos para 25 línguas. Só em Portugal venderam-se dois milhões de exemplares dos livros de Saramago.

1. Saramago recebeu um prémio. Qual e quando?
2. Que profissões teve Saramago?
3. Como e quando começou a carreira do escritor?
4. Para onde se mudou Saramago no fim da vida?
5. Que ligações existem entre o cinema e a obra de Saramago?

UNIDADE 25 — VENHO FAZER ANÁLISES

COMUNICAÇÃO	VOCABULÁRIO	PRONÚNCIA	GRAMÁTICA
falar sobre problemas de saúde, descrever tratamentos e procedimentos médicos	saúde sintomas de doença, tratamentos e procedimentos médicos	ditongos	**ir** e **vir** como auxiliares, discurso indireto (imperativo), expressões com **fazer**

FAZER UM *CHECK-UP* MÉDICO

A. Complete as perguntas do questionário médico com as palavras da caixa.

~~*check-up*~~ cirurgia medicamento osso raio X sangue tensão vacina

QUESTIONÁRIO MÉDICO

PERGUNTAS	RESPOSTAS
1. Quando é que fez um *check-up* pela última vez?	________
2. Quando foi a última vez que mediu a ________?	________
3. Quando é que fez análises ao ________ pela última vez?	________
4. Quando foi a última vez que fez um ________?	________
5. É alérgico a algum ________?	________
6. Costuma tomar alguma ________ contra a gripe?	________
7. Já alguma vez fraturou um ________?	________
8. Já alguma vez fez uma ________?	________
9. ________________________________	________

B28 **B.** Confirme as suas respostas ouvindo um diálogo em que o médico faz as perguntas do questionário a um paciente. No diálogo, há uma pergunta que não consta no questionário. Escreva-a na última linha.

B28 **C.** Ouça o diálogo mais uma vez e escreva no questionário as respostas do paciente.

D. Trabalhe em pares. Faça as perguntas do questionário ao seu colega.

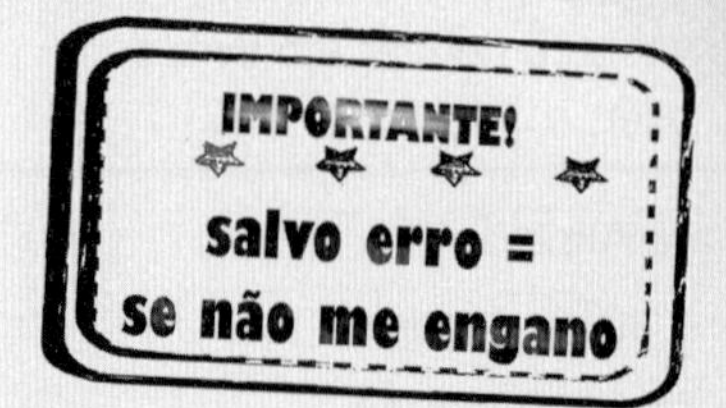

E. Leia as frases do diálogo do exercício B. O que é que expressam as palavras sublinhadas? Faça a correspondência com as definições.

1. Venho fazer um *check-up*.
2. Fui tirar um dente.
3. Ia tomar a vacina um dia destes.

a. Uma intenção no passado (que se realizou).
b. Uma intenção que, possivelmente, não se vai realizar.
c. Uma intenção que se deve realizar.

VÁ À GRAMÁTICA NA PÁGINA 162 E FAÇA O EXERCÍCIO A.

CONSTIPAÇÃO OU GRIPE?

B29  **F.** Leia o quadro informativo que explica as diferenças entre uma simples constipação e uma gripe. Ouça o médico a falar sobre esta questão e complete o quadro com as palavras em falta.

CARACTERÍSTICAS	CONSTIPAÇÃO	GRIPE
dor de ______[1]	raramente acontece	frequente, pode ser forte
______[2] no corpo	raramente acontecem	muito ______[3]
febre	pouco comum	comum, pode ser ______[4]
______[5] entupido ou a pingar	comum, causa ______[6] em respirar	pouco comum
______[7] inflamada	muito comum	raramente acontece
tosse	comum, normalmente é ______[8]	muito comum
______[9]	uma semana	uma a duas semanas
tratamento	aliviar os ______[10] (sobretudo baixar a febre), não tomar antibióticos	

G. Tape o quadro acima e, olhando apenas para as imagens que representam sintomas, fale com o seu colega sobre as diferenças entre constipação e gripe.

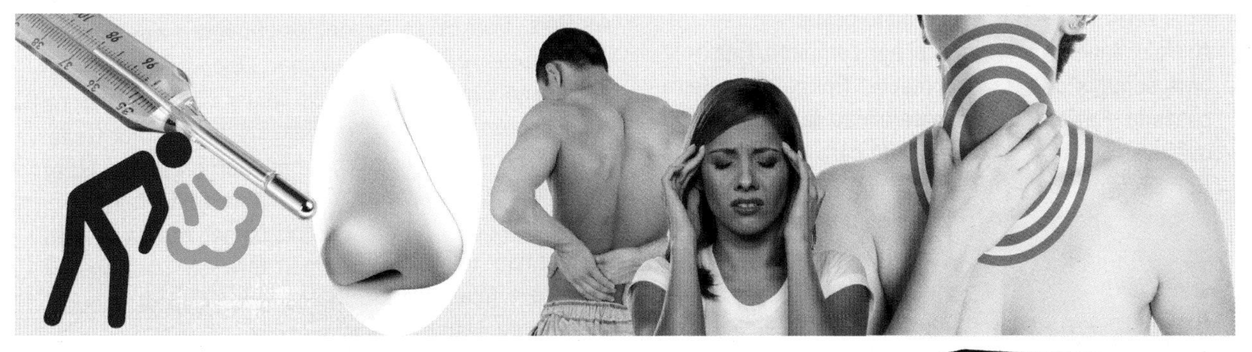

H. Você apanha constipações ou gripes facilmente? O que é que faz? Vai ao médico? Que medicamentos costuma tomar? Fale sobre isto com o seu colega.

ESTOU DE BAIXA!

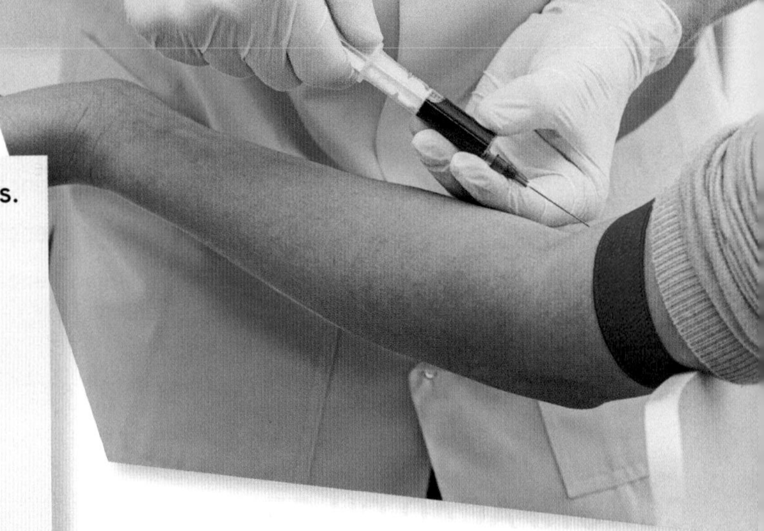

I. Faça a correspondência entre as colunas.

1. apanhar	a. de uma doença
2. ter	b. de baixa
3. ser	c. ao hospital
4. estar	d. atendido
5. recuperar	e. uma doença
6. ir parar	f. alta

B30 **J. O Pedro encontra na rua uma colega do trabalho. Ouça o diálogo. As frases abaixo são verdadeiras (V) ou falsas (F)? Assinale.**

1. O Pedro não esperava ver a Ana. V F
2. A Ana foi a um restaurante muito conhecido. V F
3. A Ana ficou doente no restaurante. V F
4. A Ana foi rapidamente atendida por um médico. V F
5. O Pedro acha que é melhor comer em casa. V F

K. Leia o diálogo. Sabe o que significam as expressões destacadas? Pergunte ao seu colega ou consulte o glossário.

P: Ana! Que surpresa! Tu, por aqui? Não te tenho visto no escritório nos últimos dias. Tiraste uns dias de férias?
A: Nada disso. Estou de baixa. Apanhei uma intoxicação alimentar. Até fui parar ao hospital!
P: A sério? De facto, estás muito pálida.
A: Pois. Ainda não recuperei por completo. Faz hoje uma semana que isso aconteceu. Foi na terça-feira passada. Fazia anos e o meu irmão fez questão de me levar a um restaurante muito caro que se chama *Boa Onda*.
P: Sei qual é. Todas as noites as pessoas fazem fila para entrar lá. Pensava ir lá um dia destes. Dizem que é bom.
A: Olha, não vás! De bom, não tem nada. Foi a comida deles que me fez mal. O meu irmão pediu frango. Eu pedi polvo. Quando vi o prato, pareceu-me um bocado estranho. Mas comi na mesma.
P: Fizeste asneira. Nesses casos, eu mando sempre para trás.
A: Eu sei. Foi um disparate. Mas não queria fazer uma cena logo no dia dos meus anos. Bem, depois de voltar para casa comecei a sentir-me mal. Fiquei com febre e muitas dores. Nem imaginas!
P: Que horror!
A: Pois. Fomos às urgências. Fizeram-me esperar duas horas até ser atendida. Depois, tiraram-me sangue para fazerem análises. Quase desmaiei porque eu não posso ver sangue. Faz-me muita impressão. Deram-me um antibiótico, mas demorou até fazer efeito. Fiquei lá três dias. Tive alta na sexta-feira.
P: De facto, não há nada como comer em casa. Não faz sentido nenhum ir comer fora só para gastar dinheiro e ficar doente. Deves fazer queixa daquele restaurante. Não deixes isso assim.
A: Tens razão. Bem, vou andando. Já agora, fazes-me um favor? Dá este recibo à minha colega Cláudia, pode ser?
P: Claro, fica descansada. Dou-lho logo de manhã. As melhoras e volta rapidamente para o escritório porque fazes falta. Um beijinho!

L. **Complete as frases abaixo com algumas das expressões destacadas no diálogo na página anterior.**

1. Ao fazer a sopa, a Júlia, em vez de sal, pôs açúcar. A Júlia fez asneira.
2. Os fãs estão a fazer fila para comprar os bilhetes para o concerto de Madonna.
3. Amanhã, vai fazer uma semana desde que falámos pela última vez.
4. A Inês diz que lhe faz impressão ver na rua tantas pessoas a pedir comida e dinheiro.
5. Amanhã, vai fazer uma semana que regressei de Caracas.
6. A Ana fez uma cena quando viu o namorado a beijar outra rapariga na rua.
7. Não faço questão de ir ao cinema hoje. Também podemos ir amanhã.
8. Comecei o ginásio há três meses e estou a ver que começa a fazer efeito

M. **Sublinhe as frases, no diálogo da página anterior, às quais as frases abaixo se referem. O que é que elas têm em comum?**

1. A Ana disse ao Pedro para ele não ir ao restaurante *Boa Onda*.
2. O Pedro disse à Ana para ela não deixar aquilo assim.
3. A Ana pediu ao Pedro para ele dar o recibo à colega dela, a Cláudia.
4. O Pedro disse à Ana para ela voltar rapidamente para o escritório.

O Pedro encontrou a Ana na rua. Ficou surpreendido e perguntou...

VÁ À GRAMÁTICA NA PÁGINA 162 E FAÇA O EXERCÍCIO B.

N. **Volte a ler o diálogo na página anterior. A seguir, conte o que aconteceu à Ana usando o discurso indireto.**

VÁ ÀS ATIVIDADES DE COMUNICAÇÃO NA PÁGINA 175 (A) OU 183 (B) E FAÇA O EXERCÍCIO 15.

PRONÚNCIA

B31 **A.** **Faça a correspondência entre as palavras em que as letras destacadas são pronunciadas da mesma forma. Ouça para confirmar.**

1. qu**ei**xa
2. d**eu**
3. b**oi**
4. tabl**oi**de
5. m**ãe**
6. lim**ão**
7. c**au**sa
8. c**éu**

a. **ao**
b. chap**éu**
c. d**ói**
d. b**ei**jo
e. mus**eu**
f. ap**oi**o
g. qu**em**
h. fizer**am**

B31 **B.** **Copie as palavras do exercício A para a coluna correta da tabela. Ouça para confirmar.**

[ɐj]	[ɐ̃j]	[ɔj]	[oj]
sei	bebem	herói	pois

[aw]	[ɐ̃w]	[ɛw]	[ew]
grau	dão	véu	pneu

UNIDADE 26

EU É QUE SOU LOUCO POR FUTEBOL!

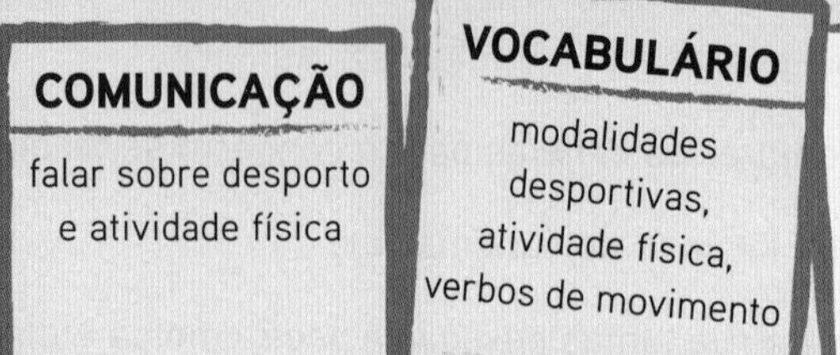

COMUNICAÇÃO
falar sobre desporto e atividade física

VOCABULÁRIO
modalidades desportivas, atividade física, verbos de movimento

FORMAÇÃO DE PALAVRAS
sufixo nominal **-mento**

GRAMÁTICA
frases enfáticas

QUE MODALIDADE É ESTA?

A. Pratica ou praticou algum desporto? Gosta de ver algum desporto na televisão? Costuma assistir a eventos desportivos ao vivo (jogos de futebol, torneios de ténis, etc.)? Faça estas perguntas ao seu colega.

B. Faça a correspondência entre as modalidades e as fotografias.

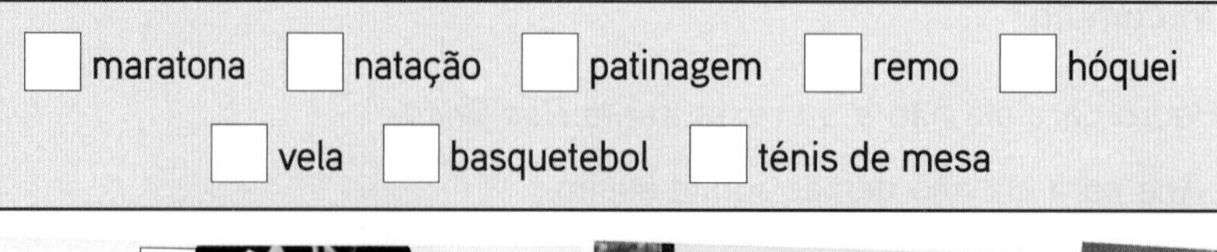

☐ maratona ☐ natação ☐ patinagem ☐ remo ☐ hóquei
☐ vela ☐ basquetebol ☐ ténis de mesa

C. Leia o que quatro pessoas dizem sobre o desporto nos países delas. Faça a correspondência entre o país e o texto.

1. Portugal 2. EUA 3. Suécia 4. China

A ☐
Somos um povo que adora desportos de inverno. O nosso desporto nacional é o hóquei no gelo. A nossa equipa nacional é uma das melhores do mundo. O esqui é outra grande paixão nossa. Somos também grandes adeptos de futebol e de ténis. Um dos maiores jogadores de ténis de todos os tempos é do nosso país.

B ☐
O desporto em que somos os melhores do mundo é o ténis de mesa. Nesta modalidade, ganhamos tudo o que há para ganhar. Ninguém é capaz de nos vencer. O futebol está a tornar-se cada vez mais popular, mas os nossos jogadores são ainda muito fracos e quase nunca ganham.

C

As pessoas pensam que no meu país ligamos só ao futebol e o resto não interessa. Gostaria de dizer que isto não é verdade, mas não posso. É assim mesmo. Somos loucos por futebol. É também no futebol que temos mais sucessos. Mas não só. Temos uma bela tradição nas corridas de longa distância, em especial na maratona.

D

Somos a nação que ganha sempre mais medalhas de ouro nos Jogos Olímpicos. Somos muito bons na maior parte das modalidades. Mas o que adoramos mais são os desportos de equipa, como o basebol ou o basquetebol. No basquetebol, somos campeões do mundo. O sonho de qualquer jogador de basquetebol é jogar no nosso país.

D. Sabe o que significam as palavras destacadas nos textos do exercício C? Pergunte ao seu colega ou consulte o glossário.

E. Que desportos são mais populares no seu país? Em que desportos é que o seu país tem mais sucesso? Fale sobre isto com o seu colega.

F. O que é que estas pessoas estão a fazer? Faça a correspondência entre os verbos/expressões da caixa e as fotografias.

☐ empurrar 2 agarrar ☐ atirar ☐ puxar ☐ saltar
☐ segurar ☐ esticar ☐ dar um pontapé ☐ carregar

B32 **G.** Ouça o relato de um evento desportivo. Que evento é esse?

B32 **H.** Ouça o relato outra vez. Que verbos do exercício F é que ouve? Sublinhe-os.

A ESPERANÇA DO CLUBE

I. Leia a entrevista com Jorge Ferreira, um jovem jogador de futebol. Complete-a com as perguntas/ /afirmações do jornalista.

a. És o melhor jogador deste clube. Porquê? Tens mais talento? Trabalhas mais? Ou é uma questão de sorte?

b. Quando é que começou a tua aventura com a bola?

c. Como é a relação com o teu treinador?

d. Quando é que podemos ver-te a jogar?

e. Vá lá, não sejas tão modesto! Conheces bem o teu valor. Diz lá o que é que tu tens que os outros não têm.

f. Onde é que te imaginas daqui a uns cinco anos? Em que ponto da tua carreira estarás?

g. É o futebol que te ocupa todo o tempo, não é? Como é que te dás na escola?

h. ~~Então, tu é que és o Jorge, a grande esperança do clube.~~

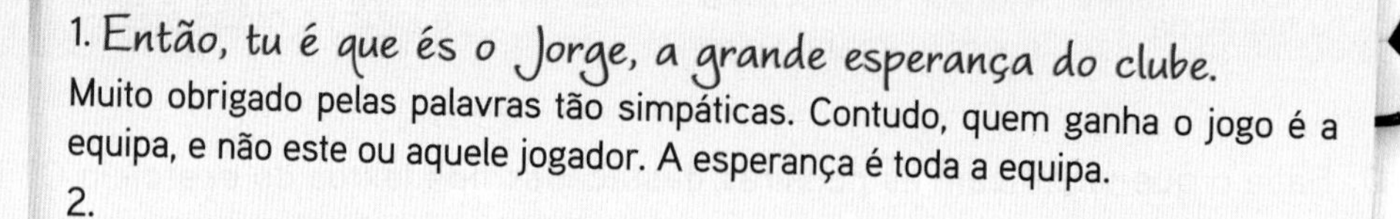

Muito obrigado pelas palavras tão simpáticas. Contudo, quem ganha o jogo é a equipa, e não este ou aquele jogador. A esperança é toda a equipa.

2. ______________________________

Muito cedo. Tinha seis anos quando me tornei sócio do clube. Comecei a ir ver os jogos, primeiro sempre na companhia do meu pai, depois com colegas e amigos. Foi nessa altura que comecei a jogar.

3. ______________________________

Bem, tenho alguns problemas. Tenho treinos todos os dias e, nos dias em que jogamos fora, falto às aulas. Faço o meu melhor para conseguir ter boas notas, mas é difícil.

4. ______________________________

Sei lá. Eu sou apenas um dos onze jogadores. Se sou bom, é graças aos meus colegas e ao meu treinador. Sem eles, não sou nada.

5. ______________________________

Bem, parece que vou ter de responder mesmo. Cá para mim, trabalhar muito não chega para ser o melhor. O que me ajuda muito é ser o mais forte e, ao mesmo tempo, o mais rápido da equipa.

6. ______________________________

Foi ele que me pôs neste clube porque acredita em mim. Ouço sempre com atenção tudo o que ele tem para dizer antes do jogo porque sei que, quando estou a jogar, sou eu que tomo as decisões.

7. ______________________________

Espero ser capaz de chegar longe nesta profissão, mas onde, exatamente, não sei. De momento, o que eu quero é jogar à bola. É isto que me dá prazer e me faz feliz.

8. ______________________________

O nosso próximo jogo é no sábado. Apesar de jogarmos contra uma equipa melhor do que a nossa, acredito que a vitória estará do nosso lado. Bem, um empate também não seria nada mau. O que eu quero é marcar um golo. Ou dois. Será, sem dúvida, um belo jogo. Os bilhetes já estão esgotados!

J. Leia a entrevista mais uma vez e responda às perguntas abaixo.

1. Como foram os primeiros contactos do Jorge com a bola?
2. O que é que o Jorge pensa sobre o seu lugar na equipa?
3. Porque é que o Jorge é o melhor jogador da equipa?
4. Que planos tem o Jorge para o futuro?
5. O que é que o Jorge espera do próximo jogo?

K. Leia os pares de frases abaixo. Qual é a diferença entre elas? Encontre e sublinhe, na entrevista com o Jorge, mais frases do mesmo tipo das da coluna à esquerda.

1a. Tu é que és o Jorge.
1b. Tu és o Jorge.
2a. Quem ganha o jogo é a equipa.
2b. A equipa ganha o jogo.
3a. O que eu quero é marcar um golo.
3b. Eu quero marcar um golo.
4a. Sou eu que tomo as decisões.
4b. Eu tomo as decisões.

L. Complete as frases criando pares como no exercício K.

1a. Ela é que comeu o bolo.
1b. ______________________.
2a. Quem ______________________.
2b. O Paulo põe o carro na garagem.
3a. O que me interessa é ter boas notas.
3b. ______________________.
4a. É ______________________.
4b. A Nádia paga o jantar.

B33 **M.** Complete as frases abaixo com as expressões destacadas na entrevista com o Jorge. Ouça para confirmar.

1. ________, diz-nos onde passaste a noite.
2. ________ o que é que achas deste casaco.
3. ________, a Ana desistiu de vir à festa.
4. ________ o que vou fazer amanhã!

VÁ À GRAMÁTICA NA PÁGINA 162 E FAÇA O EXERCÍCIO C.

FORMAÇÃO DE PALAVRAS

A. O sufixo *-mento* serve para formar nomes a partir dos verbos. Escreva as palavras em falta abaixo.

1. aquecer — *aquecimento*
2. casar — ________
3. ________ — nascimento
4. atender — ________
5. ________ — sentimento
6. encerrar — ________
7. ________ — tratamento

B. Complete as frases com algumas das palavras do exercício A na forma correta.

1. O meu *casamento* acabou em divórcio.
2. Ana, podes ________ a sopa?
3. Esta loja ________ aos domingos.
4. Qual é a sua data de ________?
5. Andei tanto que mal ________ as pernas.
6. Qual é o ________ para esta doença?
7. Qual é o vosso horário de ________?

UNIDADE 27

ESPERO QUE GOSTES DO BRASIL!

COMUNICAÇÃO	VOCABULÁRIO	PRONÚNCIA	GRAMÁTICA
expressar desejo, vontade, pedidos, sentimentos e dúvida	português do Brasil, organização de vida, aluguer de uma casa	palavras homónimas e parónimas	presente do conjuntivo

MEU BRASIL BRASILEIRO

A. Faça uma lista com cinco palavras que associa ao Brasil (não escreva nomes de cidades nem de regiões, como, por exemplo, Rio de Janeiro, Amazónia, etc.). Compare a sua lista com a do seu colega. Há muitas diferenças?

B. Conhece as diferenças entre o vocabulário do Português Europeu e o do Português do Brasil? Faça a correspondência.

PORTUGUÊS EUROPEU	PORTUGUÊS DO BRASIL
1. elétrico	a. tela
2. autocarro	b. celular
3. comboio	c. suco
4. telemóvel	d. bonde
5. frigorífico	e. café da manhã
6. gelado	f. trem
7. ecrã	g. ônibus
8. casa de banho	h. sorvete
9. pequeno-almoço	i. geladeira
10. sumo	j. banheiro

B34 **C.** O que é que sabe sobre o Brasil? Complete as frases. Ouça para confirmar.

1. A moeda usada no Brasil chama-se _______________.
2. As Cataratas do Iguaçu ficam na fronteira entre o Brasil e _______________.
3. O Rio de Janeiro é famoso pela estátua do _______________.
4. Quase um terço do _______________ no mundo é produzido no Brasil.
5. O Rio de Janeiro organizou os Jogos Olímpicos em _______________.
6. Durante alguns anos, o Rio de Janeiro foi a capital de _______________.
7. O prato nacional do Brasil chama-se _______________.
8. O único Museu de Língua Portuguesa é em _______________.

TANTA COISA PARA TRATAR!

D. **Leia o texto abaixo. Em cada uma das linhas falta uma palavra. Complete as linhas com as palavras da caixa.**

de	o	em	a	~~por~~	se

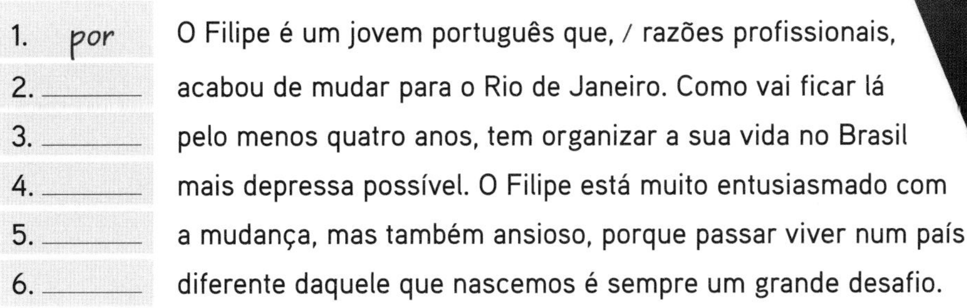

1. por ______ O Filipe é um jovem português que, / razões profissionais,
2. ______ acabou de mudar para o Rio de Janeiro. Como vai ficar lá
3. ______ pelo menos quatro anos, tem organizar a sua vida no Brasil
4. ______ mais depressa possível. O Filipe está muito entusiasmado com
5. ______ a mudança, mas também ansioso, porque passar viver num país
6. ______ diferente daquele que nascemos é sempre um grande desafio.

E. **Leia os relatos dos assuntos de que o Filipe está a tratar. Sabe o significado das palavras destacadas? Pergunte ao seu colega ou consulte o glossário.**

Preciso de arrendar uma casa. Quero uma casa que me dê **condições** para descansar depois de um dia de trabalho. Os preços são mais altos do que na Europa. **Receio** que seja complicado encontrar algo em conta e numa boa zona da cidade, mas espero ter este assunto resolvido ainda esta semana.

Cheguei ao Brasil como turista, mas, em breve, devo receber o visto de residência. Ter este visto é **obrigatório** para poder começar a atividade profissional. Já entreguei todos os documentos necessários. Espero que não haja problemas e que possa receber o visto dentro de um mês.

Quem vive e trabalha no Brasil tem de estar inscrito nas finanças. Tratar deste assunto é a coisa mais urgente de todas. Sem isso, não poderei abrir uma conta num banco ou **arrendar** uma casa. Também é preciso ter o número da segurança social.

O Rio de Janeiro é uma cidade muito grande, as distâncias são enormes e ter um carro será uma necessidade. **Porém**, **duvido** que consiga arranjar um antes de começar a trabalhar. Espero que os meus novos colegas de trabalho me ajudem a encontrar um carro usado, mas em boas condições.

Outra coisa importante é ter um seguro de saúde privado. Vou demorar algum tempo a ver as ofertas e a comparar as condições para escolher o melhor. Espero, **entretanto**, não ter nenhum problema de saúde grave, porque, mesmo em caso de **emergência**, prefiro não usar o serviço de saúde público.

Será também preciso abrir uma conta num banco. Para fazê-lo, é preciso ter o visto de residência e morada fixa. Preciso de ter a conta para começar a trabalhar e receber o meu primeiro **ordenado**. **No entanto**, ainda não decidi que banco será melhor para mim.

F. **Leia os relatos outra vez. Qual é a ordem em que o Filipe vai tratar dos assuntos abaixo? Escreva os números 1-6.**

√ abrir uma conta num banco	☐	√ começar a trabalhar	☐	√ receber o visto	☐
√ arrendar uma casa	☐	√ comprar um carro	6	√ inscrever-se nas finanças	☐

G. Já alguma vez viveu fora do seu país? Se sim, de que assuntos teve de tratar logo depois da chegada? Foi difícil? Fale sobre isto com o seu colega.

H. Sublinhe nos textos do exercício E as formas verbais usadas depois de *Quero (...) que...*, *Espero que...*, *Receio que...* e *Duvido que...*. Sabe como se chamam estas formas?

VÁ À GRAMÁTICA NA PÁGINA 163 E FAÇA O EXERCÍCIO A.

I. Leia a primeira frase e complete a segunda usando o verbo sublinhado na forma do Presente do Conjuntivo.

1. A Teresa hoje não pode chegar atrasada.
   Espero que a Teresa hoje não cheque atrasada.
2. Os pais do Filipe estão tristes porque ele vai sair de Portugal.
   Os pais do Filipe não querem que ele ____________________.
3. O marido da Ana acha que ela deve procurar outro emprego.
   O marido da Ana quer que ela ____________________.
4. Estou preocupado porque acho que a Joana vai chumbar no teste.
   Receio que a Joana ____________________.

J. Leia o *e-mail* que uma amiga do Filipe escreveu depois da partida dele para o Brasil. Leia também a resposta do Filipe e complete os textos com os verbos em falta na forma correta do Presente do Indicativo ou do Conjuntivo.

Olá, lindo!
Nem tive tempo para me encontrar contigo e para te dar um beijo de despedida! __________[1] *(eu/esperar)* que tudo __________[2] *(estar)* a correr bem por aí e que __________[3] *(tu/gostar)* da vida na Cidade Maravilhosa. __________[4] *(eu/agradecer)* que me __________[5] *(tu/enviar)* a morada logo depois de encontrares casa. Tenho uma prendinha para ti que não consegui dar-te em Portugal, por isso vou mandá-la por correio, apesar de desconfiar dos correios brasileiros. __________[6] *(eu/esperar)* que a encomenda não __________[7] *(perder-se)* e que __________[8] *(chegar)* às tuas mãos sem problemas.
Agora que partiste, vou ter saudades dos pequenos-almoços contigo na esplanada do nosso café preferido. Mas a vida é assim. No entanto, não __________[9] *(eu/duvidar)* de que estes quatro anos __________[10] *(ir)* passar depressa. Só te __________[11] *(eu/pedir)* que __________[12] *(tu/ter)* cuidado, que não te __________[13] *(meter)* em sarilhos e que não __________[14] *(tu/esquecer-se)* da tua amiga.
Beijinhos, Fátima

Olá, minha querida!
Obrigado pela mensagem. Isto aqui, por enquanto, é uma grande confusão. Mas já percebi que vou gostar de viver cá. Esta cidade é extraordinária. __________[15] *(eu/querer)* que me __________[16] *(tu/visitar)* ainda este ano!
O que é que me vais enviar? __________[17] *(eu/esperar)* que não __________[18] *(ser)* nada de valor. Aliás, __________[19] *(eu/preferir)* que me __________[20] *(tu/vir)* entregar em mão. Está combinado?
Bem, tenho de ir. Vou ver mais uma casa. __________[21] *(eu/esperar)* que __________[22] *(ser)* o que quero, pois já estou a ficar farto de andar de um lado para o outro a ver casas.
Beijos, Filipe

K. **Escreva frases sobre os seus desejos, vontades, sentimentos e dúvidas em relação ao presente ou ao futuro dos membros da sua família ou dos seus amigos.**

1. Quero que ____.
2. Espero que ____.
3. Receio que ____.
4. Tenho dúvidas de que ______________________________________.

L. **Depois de encontrar a casa que queria, o Filipe escreveu uma mensagem na página dele numa rede social na Internet. Leia o texto. As frases abaixo são verdadeiras (V) ou falsas (F)? Assinale.**

Encontrei a casa! Andei à procura durante muito tempo pelas agências, mas sem resultado. Já tinha perdido a esperança de arranjar algo de jeito quando o Marcus, um amigo meu, me disse que sabia de um apartamento muito bom e com um preço acessível. É um apartamento pequeno e mobilado, com a cozinha equipada e com boa localização, na zona de Copacabana. O prédio tem segurança e câmaras de vigilância. A renda é de 2.500 reais, o que não é nada mau naquela zona. Tive de pagar um mês de caução. O contrato de arrendamento é válido por 2 anos. O senhorio é uma pessoa muito simpática. É proprietário de vários apartamentos neste prédio e diz que já teve inquilinos portugueses com quem se deu muito bem. Estou a adorar este apartamento! Devo ao Marcus um jantar!

	V	F
1. O Filipe arranjou a casa com a ajuda de uma agência.	V	F
2. O prédio parece ser seguro.	V	F
3. O Filipe deve ficar neste apartamento durante dois anos.	V	F
4. O dono do apartamento aluga muitas casas.	V	F
5. O Filipe deve pagar um jantar ao Marcus.	V	F

M. **Está a alugar ou alguma vez alugou um apartamento? Foi fácil encontrá-lo? Fê-lo através de uma agência? A renda era alta? Conhecia o senhorio? Faça estas perguntas ao seu colega.**

PRONÚNCIA

B35 **A.** **Leia os pares de palavras. Assinale com um ✓ as que são pronunciadas da mesma forma. Ouça para confirmar.**

1. vês	vez	☐	8. cinto	sinto	☐
2. cem	sem	☐	9. amamos	amámos	☐
3. voz	vos	☐	10. acento	assento	☐
4. facto	fato	☐	11. estas	estás	☐
5. hás	as	☐	12. assa	asa	☐
6. ouço	osso	☐	13. riu	rio	☐
7. à	há	☐	14. ouve	houve	☐

B35 **B.** **Ouça as palavras e escreva o número de acordo com a ordem de audição.**

a. sou	☐	só	☐
b. hão	☐	ao	☐
c. vêm	☐	veem	☐
d. lia	☐	lha	☐
e. fiz	☐	fixe	☐
f. seu	☐	céu	☐
g. saia	☐	saía	☐

UNIDADE 28

ISSO DÁ AZAR!

COMUNICAÇÃO
falar sobre traços culturais, descrever atitudes, dar opinião, reagir

VOCABULÁRIO
superstições, diferenças culturais, atos de fala

FORMAÇÃO DE PALAVRAS
sufixo nominal **-ância/-ência**

GRAMÁTICA
uso de **talvez** e **embora** com o presente do conjuntivo, expressões com **dar**

NÃO DIGAM QUE NÃO AVISEI!

A. Olhe para as imagens. A que palavra abaixo as associa? Porquê? Fale sobre isto com o seu colega.

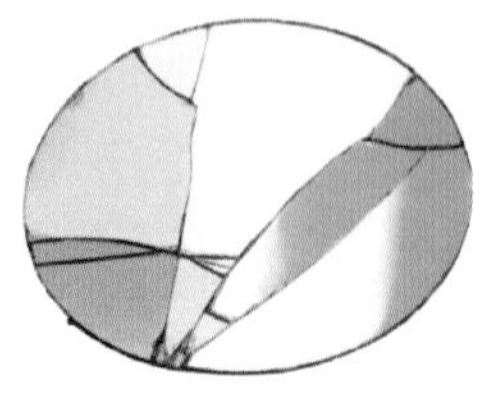

1. religião
2. superstição
3. ciência

B. Leia as frases abaixo e faça a correspondência com as imagens.

- [ ] abrir um guarda-chuva dentro de casa
- [ ] passar por baixo de uma escada
- [ ] colocar o chapéu em cima da cama
- [ ] entornar sal na mesa
- [ ] pôr a mala/carteira com dinheiro no chão
- [ ] cruzar facas na mesa
- [ ] ver uma aranha em casa
- [ ] ter quadros tortos na parede

C. No exercício B, são apresentadas algumas das superstições mais populares em Portugal. Todas elas dão azar, com apenas uma exceção. Sabe qual é a superstição que dá sorte?

D. No seu país também existem superstições como as apresentadas nos exercícios A e B? Que outras superstições importantes ou interessantes há no seu país e na sua cultura de origem? Fale sobre isto com o seu colega.

B36 **E.** Leia os textos em que três pessoas falam sobre as atitudes e as opiniões que têm sobre as superstições. As três frases das caixas ao lado foram retiradas dos textos. Coloque-as no espaço certo. Ouça para confirmar.

a. Realmente, não percebo este tipo de reações.

b. Se existe uma crença, não existe sem razão.

c. Por isso, sempre que posso, prefiro evitá-las.

Mário: Bem, não ligo assim tanto a essas coisas, mas admito que fico um bocado incomodado quando me acontece alguma daquelas situações que podem dar má sorte. ____________________[1]. Não dá trabalho nenhum, basta ter cuidado e não esquecer coisas, como não pôr a mala no chão ou cruzar facas. Também nunca faria uma coisa importante, como, por exemplo, comprar uma casa ou um carro, numa sexta-feira 13. Tendo esse cuidado, sei que quando me acontece algo menos bom, a culpa não é minha e que não foi o meu comportamento que trouxe o azar. Talvez nada disto seja verdade, mas nunca se sabe.

Aline: Todas as superstições são um grande disparate. Por amor de Deus, vivemos no século XXI! Não levem a mal, não quero ofender ninguém, mas não consigo perceber como é que pessoas adultas e boas de cabeça podem acreditar nessas coisas. E não são poucas! Uma vez, fui convidada para um jantar em casa de uma amiga minha. Como estava a chover, entrei em casa dela com o chapéu de chuva todo molhado e abri-o na entrada. Ela ficou tão assustada que deu um grito de horror! Passou o resto da noite cheia de nervos e estava muito pouco à vontade. A mim, só me dava vontade de rir! ____________________[2].

Natércia: No mundo em que vivemos, acontecem muitas coisas que não sabemos explicar. A ciência não tem respostas para tudo. ____________________[3]. Quem somos nós para ignorar a sabedoria do povo? Por isso, sim, sou supersticiosa, embora não goste nada dessa palavra. Prefiro a palavra tradição. Ou cultura, porque tudo faz parte da cultura em que nascemos e em que fomos educados. Vocês podem ignorar essa tradição, mas depois de vos acontecer alguma desgraça, não digam que não vos avisei! Por acaso, não dá azar falar sobre azar? É melhor mudarmos de assunto!

F. Sabe o significado das palavras destacadas? Consulte o glossário ou pergunte ao seu colega.

G. Quem tem as opiniões e as atitudes mais parecidas com as suas? O Mário? A Aline? Ou a Natércia? Fale sobre isto com o seu colega.

H. Encontre, nos textos do exercício E, as palavras *talvez* e *embora*. Que forma verbal é usada depois destas palavras?

VÁ À GRAMÁTICA NA PÁGINA 163 E FAÇA OS EXERCÍCIOS B E C.

B37 **I.** **As frases abaixo fazem parte de uma notícia sobre as superstições relacionadas com a sexta-feira 13. Ponha as frases por ordem. Ouça para confirmar.**

1. ______ 2. ______ 3. ______ 4. ______ 5. ______ 6. ______

A. O Dan fazia parte do grupo das pessoas que nunca punham o pé fora de casa naquele dia. Foi também isso que o Dan resolveu fazer a 13 de agosto de 2010.

B. Quando o dia 13 calha numa sexta-feira, o que acontece uma a três vezes por ano, milhares de pessoas em todo o mundo ficam muito ansiosas.

C. Estava deitado na cama a ver televisão quando, de repente, o chão do andar de cima caiu em cima dele. O Dan morreu de imediato.

D. O que nem sempre é o caso, como mostra o exemplo de Dan Bexter, um contabilista de Nova Iorque.

E. À mulher dele, que tinha saído de casa de manhã para trabalhar, ignorando esta coincidência de dias, não aconteceu nada.

F. Uma grande parte delas prefere passar este dia em casa, pensando que é o lugar onde nada de mal lhes pode acontecer.

J. **Conhece alguém que tenha medo da sexta-feira 13? Fale sobre isto com o seu colega.**

DÁ-ME VONTADE DE RIR!

K. **Leia quatro frases retiradas dos textos do exercício E. Complete-as com o verbo em falta. Confirme na página anterior.**

1. A mim, só me ______ vontade de rir!
2. Não ______ trabalho nenhum.
3. Ficou tão assustada que ______ um grito de horror.
4. Não ______ azar falar sobre azar?

B38 **L.** **Leia a conversa entre o Hugo e o Piotr, que estuda português numa universidade em Lisboa. Complete o diálogo com as palavras da caixa. Ouça para confirmar.**

um abraço / uma festa / fome / os parabéns / umas voltas / ideias

H: Olá, Piotr! Tudo bem? Como é que está a correr o curso de português? Falta muito para acabar?
P: Olá! O curso terminou ontem. Já estou de férias.
H: A sério? Não sabia. E passaste?
P: Claro. Acabei de saber que tive dezoito valores no teste final. Podes dar-me ________ 1.
H: Dezoito? Fantástico. Dá cá ________ 2. Então, agora podes dar ________ 3.
P: Não me dês ________ 4. Primeiro, preciso de descansar. E, também, agora tenho tempo para dar ________ 5 pelo país para o conhecer melhor.
H: Fazes bem! Olha, está a dar-me ________ 6. Queres almoçar?

M. Junte as frases das colunas para fazer diálogos. Quais dos diálogos abaixo se passam 1) num ginásio, 2) numa fila, 3) numa agência de viagens e 4) numa agência imobiliária?

1. Estou com dores de estômago!	a. Então, nada feito. Fica tudo na mesma!
2. Vamos ao cinema, mas tu pagas.	b. Claro que consegues! Vá lá, força!
3. Quem está a seguir? O senhor?	c. Coitado. Sinto muito. O que é que tinha?
4. Onde é que estiveste ontem à noite?	d. Não, obrigado, não estou com fome.
5. Não tens calor? Vou abrir a janela!	e. Desculpe, mas agora é a minha vez.
6. Espere! Eu ajudo-a a levar a mala!	f. Deixa estar! Não tenho calor nenhum!
7. Não consigo levantar este peso. É demasiado para mim!	g. O tamanho não importa. Quando é que podemos ir vê-lo?
8. O meu cão morreu ontem. Estava muito doente.	h. Bem feito! Avisei-te que beber sumo de laranja à noite faz mal. Agora não te queixes.
9. Hoje, a gente vai ter de ficar no escritório mais tempo.	i. Não se incomode, obrigada. Não é muito pesada.
10. Vou comer umas sandes que trouxe de casa. És servido?	j. Pois é. Que remédio! O trabalho tem de ser feito, não é?
11. Não posso alterar a data do seu voo para amanhã. Está tudo cheio. Lamento.	k. Era só o que faltava! Quem convida, paga.
12. Temos um apartamento para vender neste bairro, mas é muito pequeno.	l. O que é que isso te interessa? Não tens nada a ver com isso!

N. Consegue compreender pelo contexto o significado das expressões destacadas nos diálogos acima? No caso de ter dúvidas, consulte o glossário.

FORMAÇÃO DE PALAVRAS

A. Os sufixos *-ância* e *-ência* servem para formar nomes a partir dos adjetivos. Escreva as palavras em falta abaixo.

1. frequente — frequência
2. paciente — ________
3. ________ — urgência
4. distante — ________
5. ________ — assistência
6. residente — ________
7. ________ — ausência

B. Complete as frases com algumas das palavras do exercício A na forma correta.

1. Com que frequência vais ao teatro?
2. A Ana quer ser ________ de bordo.
3. Preciso de um médico já! Vamos às ________!
4. Preciso de pedir o visto de ________.
5. Para ser professor é preciso muita ________.
6. Receio que o médico esteja ________ hoje.
7. Quero conhecer países exóticos e ________.

Ir e *vir* como auxiliares

- *Vir* (no Presente ou P.P.S.) + Infinitivo indica movimento em direção ao local onde está o locutor e exprime intenção de realização da ação:
  Venho/Vim falar contigo.

- *Ir* (no P.P.S.) + Infinitivo indica movimento em direção a um local onde o locutor não está e exprime intenção de realização da ação:
  Fui comprar leite.

- *Ir* (no Imperfeito) + Infinitivo indica intenção de realização da ação que acabou por não se realizar ou que, possivelmente, não se vai realizar:
  Ainda bem que ligaste! Ia mandar-te um e-mail.

Discurso indireto (Imperativo)

Para transformar uma frase imperativa em discurso indireto, usamos os verbos *pedir* ou *dizer* seguidos de *para* ou o verbo *mandar*:

Ana: "Faz o jantar!"

A Ana disse-me para/pediu-me para/mandou-me fazer o jantar.

Frases enfáticas

Para enfatizar uma frase, podemos usar:

1) *é que:*
   Então, tu é que és a namorada do Rui!

2) o verbo *ser* seguido do sujeito e de *que*. *Ser* e o verbo principal ficam no mesmo tempo linguístico.
   Foste tu que telefonaste para mim!

3) os pronomes *quem/o que* seguidos do verbo principal e de *ser*. *Ser* e o verbo principal ficam no mesmo tempo linguístico.
   Quem gosta de ti é o Samuel.
   O que queria era ir à praia.

4) os advérbios *cá* e *lá*:
   Cá para mim, vai chover.
   Diz lá o que queres!

A. Complete com a forma correta de *ir* + Infinitivo (no P.P.S. ou Imperfeito) ou *vir* + Infinitivo.

1. A Ana ia procurar outro emprego, mas já não vai porque foi promovida.
2. Já foste ver o último filme de Spielberg? *(tu)*
3. fui comprar um xarope, mas acabei por não o tomar porque a tosse passou sozinha. *(eu)*
4. Venho tratar do visto de residência. É aqui no consulado que se pede, não é? *(eu)*
5. Ia pedir uma sobremesa mas, como estou a ficar maldisposto, já não quero.
6. O que é que vieste fazer aqui à cozinha? Volta já para o quarto! *(tu)*
7. Ia deitar-me quando me lembrei de que ainda tinha de responder a um *e-mail*. *(eu)*

B. Complete as frases no discurso indireto.

1. "Ana, dá-me um copo de água, se faz favor!"
   A mãe pediu à Ana para lhe dar um copo de água.
2. "Jorge, não fales tão alto!"
   A Inês ______________________.
3. "Diogo, baixa essa música!"
   O pai ______________________.
4. "Rui, não me incomodes agora!"
   A D. Lúcia ______________________.
5. "Sr. Costa, respire fundo!"
   A médica ______________________.

C. Transforme as frases abaixo em frases enfáticas usando a estrutura dada.

1. Nesta loja vendem bacalhau. *(ser ... que)*
   É nesta loja que vendem bacalhau.
2. O Tiago gosta de doces. *(quem ... ser)*
   ____
3. Apetecia-me dormir. *(o que ... ser)*
   ____
4. Tu tiveste a ideia de lanchar fora. *(é que)*
   ____
5. Espera mais um bocadinho! *(lá)*
   ____
6. A Inês arranjou esta confusão. *(ser ... que)*
   ____
7. Desculpa dizer isto, mas não devias comprar esta casa. *(lá)*
   ____

Presente do Conjuntivo

- O Presente do Conjuntivo é usado nas frases dependentes de verbos que exprimem desejo/ /vontade (*esperar, querer, preferir, pedir, agradecer*), sentimento (*lamentar, recear*) ou dúvida (*duvidar*) introduzidas por *que*. Os sujeitos das frases principal e subordinada têm de ser diferentes:

  Queres que faça o jantar?

  Receio que ela não esteja em casa.

  Duvido que tenhas tempo.

- As formas do Presente do Conjuntivo regular formam-se a partir da 1.ª pessoa do singular do Presente do Indicativo (***fal**o*, ***beb**o*, ***part**o*, ***dig**o*, ***venh**o*, etc.), substituindo a terminação *-o* por *-e* (nos verbos em *-ar*) ou por *-a* (nos verbos em *-er* e *-ir*).

Conjuntivo regular

	falar	*beber*	*partir*
eu	fale	beba	parta
tu	fales	bebas	partas
você / ele / ela	fale	beba	parta
nós	falemos	bebamos	partamos
vocês / eles / elas	falem	bebam	partam

Conjuntivo irregular

	dar	*estar*	*ir*
eu	dê	esteja	vá
tu	dês	estejas	vás
você / ele / ela	dê	esteja	vá
nós	demos	estejamos	vamos
vocês / eles / elas	deem	estejam	vão

	querer	*saber*	*ser*
eu	queira	saiba	seja
tu	queiras	saibas	sejas
você / ele / ela	queira	saiba	seja
nós	queiramos	saibamos	sejamos
vocês / eles / elas	queiram	saibam	sejam

- A única forma do Presente do Conjuntivo de *haver* é *haja*.

- O Conjuntivo também é usado depois de algumas palavras, como *talvez* ou *embora*:

  Talvez chequemos a tempo.

  Embora esteja a chover, vamos passear.

A. Complete com a forma correta do Presente do Conjuntivo.

1. Os meus pais não querem que eu faça uma festa em casa. *(fazer)*
2. Receio que o João não ______ no exame. *(passar)*
3. Lamento que ______ tanto trabalho, mas não posso ajudar-te. *(ter)*
4. Espero que vocês ______ jantar a nossa casa em breve. *(vir)*
5. Duvido que os alunos ______ fazer este exercício. *(conseguir)*
6. A mãe quer que ______ a casa dela. *(nós/alugar)*
7. Prefiro que ______ outra coisa. *(tu/vestir)*
8. Peço-te que não me ______ de manhã. *(acordar)*
9. Espero que no fim de semana não ______. *(chover)*
10. Os meus pais não querem que eu ______ contigo. *(casar)*
11. Prefiro que ______ a Ana a fazer o relatório. *(ser)*
12. Receio que a esta hora não ______ táxis. *(haver)*
13. Levem o mapa. Não quero que se ______ na cidade. *(perder)*

B. Transforme as frases substituindo *talvez* por *se calhar* ou vice-versa.

1. Se calhar, amanhã, temos uma visita.
   Talvez, amanhã, tenhamos uma visita.
2. Talvez seja necessário fazer reserva de uma mesa.
   ______
3. Se calhar, a Ana sabe com quem devemos falar.
   ______
4. Talvez o Luís queira uma sobremesa.
   ______
5. Se calhar, vocês sabem onde pus as chaves.
   ______

C. Transforme as frases usando *embora*.

1. O Rui está desempregado, mas não vai aceitar a proposta de trabalho.
   Embora o Rui esteja desempregado, não vai aceitar a proposta de trabalho.
2. O Miguel conduz sempre com cuidado, mas já teve três acidentes.
   ______
   ______
3. A Susan aprende português há dois anos, mas ainda tem dificuldades em falar.
   ______
   ______

PORTUGUÊS EM AÇÃO 7

NO GINÁSIO

A. Faça a correspondência entre as colunas.

1. tornar-se	a. o folheto
2. consultar	b. em forma
3. manter-se	c. os treinos
4. participar	d. sócio
5. começar	e. em aulas

B39 **B. A Raquel vai inscrever-se num ginásio. Leia as perguntas abaixo e ouça o diálogo. A seguir, responda às perguntas.**

1. O que é preciso fazer para se tornar sócio?
2. Qual é o objetivo da Raquel no ginásio?
3. Que funções têm os treinadores?
4. O que é que a Raquel quer ver antes de se inscrever?

B39 **C. Leia o diálogo e complete-o com as palavras que faltam. A seguir, ouça para confirmar.**

Raquel: Bom dia, estou a pensar inscrever-me neste ginásio. Pode informar-me sobre as ________[1] e os preços?

Funcionário: Muito bom dia. Para se inscrever, a senhora precisa de se tornar sócia pagando a inscrição, que é 50 euros. Depois, é só escolher o programa e as ________[2] que pretende fazer. Neste folheto tem todas as informações em relação aos preços.

Raquel: Obrigada. Estou interessada principalmente em manter-me em boa forma. Tinha pensado fazer *cardiofitness* duas ou três vezes por semana. E talvez queira também participar em aulas de grupo de vez em quando.

Funcionário: Pode ter ________[3] a tudo isso com a mensalidade de 35 euros.

Raquel: O treinador pessoal também está incluído neste preço?

Funcionário: Não. O treinador pessoal é pago à parte e custa bastante mais. Mas na sala de treino há sempre treinadores disponíveis para a ajudar em ________[4] momento. Aliás, antes de começar os treinos, um dos nossos treinadores vai fazer a sua avaliação física e elaborar o programa de treino mais adequado às suas condições e necessidades.

Raquel: Parece-me bem. Antes de tomar a decisão, gostava de ver as instalações. É possível?

Funcionário: Claro que sim. Acompanhe-me, por favor. Vou mostrar-lhe a ________[5] dos balneários e as salas de treino.

D. Observe as palavras na caixa abaixo. Tape o diálogo à direita com uma folha de papel e pratique, com o seu colega, um diálogo parecido usando as palavras listadas abaixo.

inscrever-se	sócio	inscrição	
folheto	forma	mensalidade	treinador
avaliação	instalações	balneários	

E. Frequenta algum ginásio? Com que frequência lá vai? Que treinos está a fazer? Fale sobre isto com o seu colega.

ESCRITA 7

DANDO OPINIÃO

A. A Suwanna é uma tailandesa que há uns anos se mudou para Portugal. Leia o artigo em que ela escreve sobre os lados bons e maus de viver no estrangeiro. Complete-o com as palavras/ /expressões da caixa.

por outro lado / por fim / resumindo / por um lado / contudo

Viver no estrangeiro traz à nossa vida muitas vantagens. Num país diferente do nosso, podemos ter novas experiências e entrar em contacto com culturas e pessoas que nunca poderíamos conhecer vivendo no nosso país natal. Todas estas experiências podem tornar a nossa vida mais rica e contribuir para mudar a maneira como vemos o mundo e também o nosso país de origem. ________[1], tornamo-nos mais críticos em relação ao nosso país. ________[2], a experiência de viver fora do nosso país ajuda-nos a ver o lado bom da cultura em que nascemos.

Mudar para um país diferente, em muitos casos, significa ter uma vida melhor. Na maioria dos casos, as pessoas vão viver para um país mais rico do que o seu, onde podem ganhar mais.

________[3], ninguém deve pensar que viver no estrangeiro é sempre um mar de rosas. Há muitas desvantagens. É preciso lutar muito para vencer. É preciso ter ideias, ser criativo, forte e não ter medo de trabalhar. Muitas vezes, os estrangeiros têm de aceitar empregos abaixo das suas habilitações. Em alguns países, os estrangeiros, apesar de lá viverem há muito tempo, nunca chegam a ter os mesmos direitos que os nativos. A adaptação a uma cultura diferente nem sempre é fácil. Aprender uma nova língua é um desafio para muitas pessoas. ________[4], qualquer pessoa que vai viver noutro país tem de estar preparada para viver momentos de grande solidão e aceitar o facto de que as saudades da família, dos costumes, dos sabores e das paisagens da sua terra vão passar a fazer parte do seu quotidiano.

________[5], podemos dizer que viver no estrangeiro pode ser algo de muito bom, mas não é, de certeza, uma experiência que se pode recomendar a todos.

B. Leia o artigo outra vez. De acordo com o texto...

1. ... de que forma é que a vida no estrangeiro altera o que pensamos sobre a nossa terra natal?
2. ... que sentimentos acompanham todos os que decidiram mudar-se para outro país?

C. Escreva um artigo sobre um dos temas abaixo. Use as palavras/expressões *por um lado, por outro lado, contudo, por fim* e *resumindo*.

a. Vantagens e desvantagens de ter um animal em casa.
b. Vantagens e desvantagens de casar com um estrangeiro.
c. Vantagens e desvantagens de viajar por conta própria ou em grupo e com guia.

REVISÃO UNIDADE 25 a UNIDADE 28

A. Escolha a opção correta.

1. As pessoas fazem fila para jantar aqui.
   a. dão b. fazem c. esperam
2. ________ o senhor queira provar este bolo...
   a. Se calhar b. Talvez c. Embora
3. Agradeço que ________ isto ao Marco.
   a. dás b. dês c. darias
4. Querem que ________ por vocês?
   a. espero b. espera c. espere
5. Foi o Paulo que ________ esta reunião.
   a. pedia b. pediu c. pede
6. O Hugo pediu-me ________ o ajudar.
   a. para b. a c. para que
7. ________ jantar fora, mas fiz uma sopa.
   a. Ia a b. Ia c. Ia de
8. Como é que a minha mala foi ________ aí?
   a. estar b. parar c. dar
9. Vou ________-me num ginásio.
   a. escrever b. inscrever c. prescrever
10. O número 13 ________ azar.
    a. faz b. dá c. leva
11. O Lucas ________ um pontapé na mesa.
    a. fez b. deu c. levou

B. Corrija as frases como no exemplo.

1. Tenho de manter-me ~~na~~ forma. em
2. Não digas que nem te avisei! ________
3. Lá para mim, a Ana não vem. ________
4. Espero que não te perdes! ________
5. Gostas de jogar a bola? ________
6. As bebidas são pagas na parte. ________
7. Digam cá o que querem beber. ________
8. Tanto que sei, o Rui foi ao Brasil. ________
9. Quais são as sintomas de gripe? ________
10. Eu desconfio na Helena. ________

C. Escreva a palavra que falta.

1. Costuma tomar a vacina contra a gripe?
2. Eu peso 85 kg, salvo ________.
3. Disse-te ________ ires para a cama!
4. Tenho o nariz ________ pingar.
5. O Nuno é louco ________ futebol.
6. Apanhei gripe, por isso estou ________ baixa.
7. A sopa estava fria. Mandei-a ________ trás.
8. Ando de um lado para o ________ todo o dia.
9. Não fizeste nada ________ jeito!
10. Não leve ________ mal o que eu disse.

D. Complete as letras que faltam nas palavras.

1. Na Suécia, jogam hóquei no gelo.
2. Tomamos o café na e_ _ _ _ _ _ _ _ _ ou no interior?
3. Quando é que você m_ _ _ _ a tensão?
4. Apanhei uma i_ _ _ _ _ _ _ _ _ _ _ alimentar.
5. Este medicamento vai a_ _ _ _ _ _ _ a sua dor.
6. O jogo terminou com um e_ _ _ _ _ _.
7. Quanto é que pagas de r_ _ _ _ pela tua casa?
8. Você deve fazer análises ao s_ _ _ _ _ _.
9. Esta equipa ganhou uma m_ _ _ _ _ _ de ouro.
10. O Costinha m_ _ _ _ _ três golos no último jogo.
11. Esse quadro está t_ _ _ _. Põe-no direito!

E. Reformule as frases usando a palavra dada.

1. Os alemães são os melhores do mundo em futebol. *(campeão)*
   Os alemães são campeões do mundo em futebol.
2. Não tenho jeito para línguas mas, mesmo assim, vou aprender italiano. *(embora)*
   ____
3. Não consigo pendurar este quadro sozinho. *(capaz)*
   ____
4. Não arranjes problemas! *(sarilho)*
   ____
5. A Ana saiu do hospital na terça. *(alta)*
   ____
6. Acho que não vão aumentar o teu salário. *(duvidar)*
   ____
7. As pessoas têm de pagar impostos. *(obrigatório)*
   ____
8. O Miguel emprestou-me 20 euros. *(dever)*
   ____

F. Escreva o sinónimo pelo qual pode substituir a palavra sublinhada.

1. O senhor <u>partiu</u> a perna. fraturou
2. Este tratamento <u>reduz</u> a tensão. ________
3. Estás muito <u>branco</u> na cara! ________
4. O senhor já <u>consultou</u> o folheto? ________
5. Quem é que <u>ganhou</u>? ________
6. <u>Chega</u> de queixas! ________
7. <u>Apareceu</u> um problema. ________
8. Aqui há muitos <u>fãs</u> de futebol. ________
9. Tu só fazes <u>asneiras</u>! ________

G. Assinale a palavra que não pertence ao grupo.

1. sangue	renda	osso	coração
2. senhorio	remo	patinagem	vela
3. incomodar	ofender	encantar	assustar
4. inquilino	treinador	adepto	jogador
5. baliza	empate	bola	folheto
6. bonde	sumo	banheiro	trem

H. Complete as frases com a palavra relacionada com a palavra destacada.

1. O Rui não trabalha porque está **doente**.
   O Rui não trabalha por causa de uma doença.
2. Como é que se **trata** esta doença?
   Qual é o ________ para esta doença?
3. Este assunto é uma **urgência**.
   Este assunto é muito ________.
4. O Miguel gosta de **nadar**.
   O Miguel gosta de praticar ________.
5. A casa que arrendámos não tem **mobília**.
   A casa que arrendámos não está ________.
6. Quando é que posso **inscrever**-me?
   Quando é que posso fazer a ________?
7. De repente, ouvi alguém a **gritar**.
   De repente, ouvi ________.

B40 **I. Ouça os textos e escolha a opção correta.**

1. O Diogo
   a. já correu a meia maratona de Lisboa.
   b. confia na sua forma física.
   c. gosta de fazer as coisas como deve ser.

2. A Sara
   a. acha que o resultado da meia maratona é importante.
   b. preferia correr a meia maratona acompanhada.
   c. vai falar com o Nuno.

3. O ginásio do André
   a. costumava ser melhor.
   b. não é muito sujo.
   c. custa o mesmo que o ginásio do Mário.

4. O ginásio do Mário
   a. tem sempre demasiadas pessoas.
   b. é popular entre estrangeiros.
   c. fica perto da casa dele.

J. Leia o texto e verifique o significado das palavras desconhecidas no glossário. Certifique-se também se sabe a diferença entre *emigrante* e *imigrante*. A seguir, responda às perguntas.

Ao longo de todo o século passado, Portugal foi um país de emigrantes. O destino de preferência dos portugueses que queriam sair de Portugal dependia da zona do país em que viviam. Os de Portugal Continental iam para o norte da Europa, principalmente para o Luxemburgo (hoje em dia, 16% dos luxemburgueses são de origem portuguesa), França, Suíça, Bélgica e Inglaterra. Os da Madeira iam viver para a Venezuela e a África do Sul. Os dos Açores escolhiam sobretudo os Estados Unidos e o Canadá. A partir da década de 70 do século XX, Portugal passou a ser também um destino de imigração. Primeiro, começaram a vir para Portugal os habitantes das antigas colónias portuguesas em África, depois vieram os brasileiros, os chineses, os indianos e, a partir de 1998, as pessoas vindas da Ucrânia, da Moldávia e da Roménia. O sul de Portugal tornou-se um destino atraente para alemães e ingleses que compram casas no Algarve porque querem passar a viver num país barato e com muito sol.

1. Para onde emigravam os portugueses?
2. De onde são os estrangeiros que moram em Portugal?

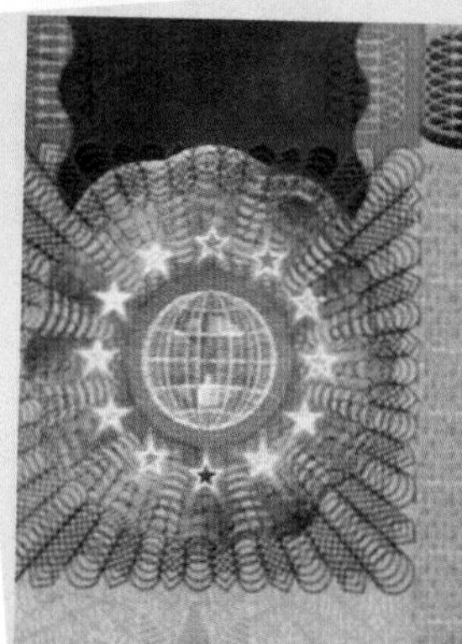

VISTO PARA O NÍVEL B2

O PORTADOR DESTE MANUAL JÁ SABE:

- FALAR SOBRE SINTOMAS DE DOENÇAS
- FALAR SOBRE PROCEDIMENTOS MÉDICOS
- FALAR SOBRE DESPORTO
- FALAR SOBRE PRÁTICAS CULTURAIS
- DESCREVER ATITUDES
- INSCREVER-SE NUM GINÁSIO

E TEM DIREITO A PROSSEGUIR PARA O NÍVEL B2

PASSAPORTE PARA PORTUGUÊS<<<<<<<<<<<<<<<<<<
NÍVEL B1<<<<<<<<<<<<<<<<<<<<<<<<<<<<<<<<<<<

ATIVIDADES DE COMUNICAÇÃO PARTE 1: ALUNO A

EXERCÍCIO 1 (UNIDADE 2)

- Escreva três frases sobre três factos surpreendentes ou pouco conhecidos sobre si, como, por exemplo: *Fiz uma cirurgia plástica ao nariz.* ou *Vi o mesmo filme no cinema quatro vezes.* Duas frases devem ser verdadeiras. Uma deve ser falsa.
- Leia as frases ao seu colega e peça-lhe para adivinhar qual a frase que não é verdadeira. Depois de revelar ao colega qual é a frase falsa, dê mais pormenores sobre as frases verdadeiras, respondendo às perguntas do seu colega.
- Troquem de papéis.

EXERCÍCIO 2 (UNIDADE 3)

- Olhe para as palavras e para as imagens. Escolha uma delas e defina-a, como, por exemplo:

  É um lugar onde nunca chove. O seu colega deve adivinhar a palavra: *deserto.*

- Depois de o seu colega adivinhar a palavra, é a sua vez de jogar. O seu colega vai dar a definição e você vai ter de adivinhar a palavra.

EXERCÍCIO 3 (UNIDADE 4)

- Olhe para os pares de verbos e nomes abaixo. Escolha um par, diga as palavras ao seu colega e peça-lhe para ele as usar para construir uma frase na 1.ª pessoa do Pretérito Imperfeito de Indicativo para exprimir desejo, vontade, gosto ou preferência, como, por exemplo:

gostar/praia – Gostava de estar na praia agora.

gostar/praia	apetecer/vaca	apetecer/perfume
querer/sotaque	querer/romance	adorar/curso
adorar/talento	preferir/madrugada	gostar/embaixada

- Se o seu colega construir uma frase correta, sem erros e de acordo com as instruções, recebe um ponto. No caso de fazer um erro ou não saber construir a frase, é você que recebe um ponto.
- Troquem de papéis.
- Repitam os passos até usarem todos os pares de palavras.

EXERCÍCIO 4 (UNIDADE 5)

- Conhece bem o seu colega? Complete as frases sobre ele, usando o Infinitivo, como, por exemplo: *Aos fins de semana, não gostas de te levantar antes do meio-dia.*

Quando estás de férias, adoras ______________________________.

Irrita-te quando alguém está a ______________________________.

Querias ter mais tempo para poder ______________________________.

Não tens talento para ______________________________.

Quando eras criança, querias ______________________________.

Estás a aprender português para ______________________________.

Para relaxar, gostas de ______________________________.

- Leia as frases que escreveu ao seu colega. Ele vai dizer-lhe se correspondem à verdade ou não.
- Troquem de papéis. Agora o seu colega vai ler frases sobre si. Diga-lhe se são verdadeiras ou não. Corrija as frases falsas.

EXERCÍCIO 5 (UNIDADE 7)

- O seu colega vai escolher uma profissão para si dizendo, por exemplo, *És professor*. Você deve dizer se esta profissão é boa ou má para si e justificar, como, por exemplo: *Esta profissão não é boa para mim, porque o professor tem de ter muita paciência, e eu não sou nada paciente*. Ou *Esta profissão é ótima para mim, porque o professor trabalha com crianças e eu adoro crianças.*
- Agora você escolhe para o seu colega uma das profissões abaixo. Diga *Você é...* e ouça o que ele pensa sobre isso.

guia de turismo	assistente de bordo	contabilista
agricultor	músico	jornalista
cabeleireiro	engenheiro	padre católico

- Repitam os passos até usarem todas as profissões.

EXERCÍCIO 6 (UNIDADE 8)

- Leia as frases abaixo e preencha, pelo menos, três espaços na página seguinte, com as respostas.

1. País estrangeiro que visitei quando era criança.
2. Professor que tive na escola e de quem me lembro muito bem, por boas ou más razões.
3. Restaurante em que estive e de que nunca me vou esquecer porque me aconteceu uma coisa muito boa ou muito má.
4. Nome de um edifício famoso que visitei e de que gostei muito.
5. Nome da pessoa que me disse as palavras mais bonitas que ouvi na vida.
6. Nome de um prato que fiz sozinho para a minha família, amigos ou colegas e de que fiquei muito orgulhoso porque todos adoraram.

1.

4.

2.

5.

3.

6.

- Mostre ao seu colega os campos que preencheu acima. O seu colega vai fazer-lhe perguntas, como, por exemplo, *Porque é que escreveste aqui "Alemanha"?* Você deve responder *Escrevi "Alemanha" porque foi o país que visitei quando era criança.* Dê mais pormenores sobre o assunto.
- Troquem de papéis.

EXERCÍCIO 7 (UNIDADE 9)

- Você vai ter três profissões e o seu colega vai adivinhar quais são. Leia as frases sobre o que tem feito ultimamente em cada uma delas. Complete as frases com as formas verbais no Pretérito Perfeito Composto do Indicativo.

1. secretária

Tenho escrito muitos *e-mails*. *(escrever)*

_________________ muitos telefonemas. *(atender)*

_________________ notas nas reuniões. *(tomar)*

2. empregado de mesa

_________________ muitos clientes. *(servir)*

_________________ alguns copos. *(partir)*

_________________ poucas gorjetas. *(receber)*

3. jornalista

_________________ em muitas reuniões de trabalho. *(estar)*

_________________ muitos artigos. *(escrever)*

_________________ entrevistas a políticos. *(fazer)*

- Leia as frases que escreveu ao seu colega. Ele deve adivinhar a sua profissão dizendo, por exemplo, *Acho que és secretária*. Se ele adivinhar a sua profissão depois de você ler só uma frase, ele recebe três pontos. Se adivinhar depois de você ler a segunda frase, recebe dois pontos. Se adivinhar depois de você ler a terceira frase, recebe um ponto.
- Troquem de papéis.
- Somem os pontos. Quem foi o vencedor?

EXERCÍCIO 8 (UNIDADE 11)

- Leia a parte sublinhada de cada frase abaixo ao seu colega. O seu colega deve terminar a frase usando o Pretérito Mais-que-Perfeito do Indicativo. Se terminar a frase usando o verbo destacado, recebe um ponto. Pode tentar três vezes.

A criança estava a chorar, porque tinha caído.

Antes de vir para Portugal, a Anna nunca tinha bebido ginjinha.

Quando fui ver o filme, já tinha lido o livro.

Quando começaste a cozinhar, eu já tinha almoçado.

Quando liguei a televisão, o programa que queria ver já tinha acabado.

Quando fechei a porta, reparei que me tinha esquecido da chave.

- Troquem de papéis. Agora o seu colega vai ler-lhe os inícios de frases. Você deve terminá-las de acordo com as instruções.
- Somem os pontos. Quem foi o vencedor?

EXERCÍCIO 9 (UNIDADE 13) (FEITO EM GRUPOS DE QUATRO)

- Você e um colega seu serão Alunos A. Juntos, vão inventar seis previsões para o futuro, como, por exemplo: *Daqui a uns 10 anos, Cristiano Ronaldo será uma estrela de cinema.* ou *Em 2030, os pais poderão escolher o sexo dos filhos.* ou *Daqui a uns 100 anos, haverá cidades debaixo do mar.*
- Escrevam as previsões que inventaram no quadro abaixo, mas sem o verbo, como, por exemplo: *Daqui a uns 100 anos, ____________ cidades debaixo do mar.*

1. ______________________________
2. ______________________________
3. ______________________________
4. ______________________________
5. ______________________________
6. ______________________________

- Troquem os livros com os Alunos B. Leiam as previsões escritas pelos vossos colegas e tentem adivinhar o verbo em falta. Completem as frases com esses verbos no Futuro Simples. Os vossos colegas vão confirmar se vocês escreveram os verbos certos.
- Agora os Alunos B leem as vossas frases e completam-nas com os verbos em falta. Confirmem as respostas.
- Falem, em grupos, sobre as previsões que escreveram. Concordam com as previsões dos Alunos B? Eles concordam com as vossas?

EXERCÍCIO 10 (UNIDADE 14)

- Escolha a resposta correta para cada uma das perguntas abaixo.

	a.	b.	c.
1. Quantos habitantes tem Lisboa?	a. 547 000	b. 320 000	c. 1 373 000
2. Qual é a distância entre o Porto e Lisboa?	a. 520 km	b. 390 km	c. 313 km
3. Quantas regiões autónomas tem Portugal?	a. 0	b. 1	c. 2
4. Que parte da Terra ocupam os oceanos?	a. 2/5	b. 3/4	c. 4/5
5. Quantas horas por dia dorme um gato?	a. 8	b. 12	c. 16
6. Quantos zeros tem um trilião?	a. 14	b. 18	c. 24
7. Qual era a população da terra em 2016?	a. 7,5 mil milhões	b. 8 mil milhões	c. 8,5 mil milhões

- Diga as suas respostas ao seu colega. Ele vai dizer-lhe se tem razão.
- Use as frases abaixo para corrigir as frases do seu colega.

1. O Rio de Janeiro tem 6 453 000 habitantes.
2. A distância entre Lisboa e Madrid é de 620 km.
3. Fala-se português em quatro continentes (como língua oficial – Europa, América do Sul, África e Ásia).
4. Portugal ocupa 15% da Península Ibérica.
5. No Mundo há 196 países independentes.
6. Um dia tem 1440 minutos.
7. Uma aranha tem oito pernas.

EXERCÍCIO 11 (UNIDADE 15)

- Preencha, pelo menos, quatro espaços abaixo.

1. Um edifício que foi projetado por um arquiteto do seu país: ______________
2. Um livro conhecido que foi escrito por alguém do seu país: ______________
3. Um objeto ou uma máquina que foi inventada por alguém do seu país: ______________
4. Uma marca de carros que foi criada no seu país: ______________
5. Uma marca de roupa que foi criada no seu país: ______________
6. Uma planta que só pode ser encontrada no seu país: ______________

- Fale sobre cada um dos nomes que escreveu com o seu colega. Dê mais pormenores. Responda às perguntas do seu colega.
- Troquem de papéis.

EXERCÍCIO 12 (UNIDADE 16) (FEITO EM GRUPOS DE QUATRO)

- Você e o seu colega são inspetores da polícia (Alunos A) e estão à procura dos ladrões que assaltaram um banco ontem à noite. Os outros dois colegas são os suspeitos (Alunos B). Eles dizem que ontem foram jantar fora os dois e depois foram tomar um copo com mais dois amigos.
- Planeiem e escrevam abaixo as perguntas que vão fazer aos suspeitos. Tentem saber tudo sobre a noite deles de ontem fazendo perguntas, como, por exemplo: *A que horas se encontraram? O que é que jantaram?, etc.*

- Cada um de vocês vai entrevistar um dos Alunos B. Escrevam as respostas às perguntas. Depois de terminarem as entrevistas, comparem as respostas dos dois suspeitos. Há diferenças? Se sim, provavelmente foram eles que assaltaram o banco!

EXERCÍCIO 13 (UNIDADE 20)

- Complete as perguntas abaixo com o pronome relativo variável *cujo* ou *qual* (com a respetiva preposição e artigo). A seguir, leia as perguntas e as três respostas possíveis ao seu colega. Ouça as respostas. A resposta certa está a vermelho. Quantas perguntas acertou o seu colega?

1. Qual é o país ______________ bandeira tem uma folha no centro?
   a. Irlanda b. Canadá c. Finlândia
2. Como se chama o edifício perto ______________ morreu a Princesa Diana?
   a. Big Ben b. Empire State Building c. Torre Eiffel
3. Qual foi o país ______________ Portugal perdeu na final do Campeonato de Futebol da Europa de 2004?
   a. Itália b. Espanha c. Grécia
4. Como se chama a cidade ______________ arquiteto foi Oscar Niemeyer?
   a. Brasília b. Manaus c. São Paulo
5. Qual foi o país ______________ emigraram muitos açorianos?
   a. EUA b. África do Sul c. Inglaterra
6. Como se chama o realizador ______________ filme *Nona Porta* foi rodado em Sintra, em Portugal?
   a. Woody Allen b. Pedro Almodóvar c. Roman Polanski

EXERCÍCIO 14 (UNIDADE 23)

- A imagem abaixo mostra uma festa na qual você estava presente. Leia o que as pessoas com as quais você falou na festa lhe disseram. O seu colega também estava na mesma festa e também falou com essas pessoas, mas, como havia muito barulho, percebeu algumas coisas de forma diferente. Fale com o seu colega para comparar as coisas que ouviram, como, por exemplo:

  Você diz: *A Rita disse-me que tinha comprado um carro.*

  O seu colega responde: *Tens a certeza? A mim, ela disse-me que tinha vendido o carro.*

EXERCÍCIO 15 (UNIDADE 25)

Façam uma simulação de diálogo entre o paciente e o médico de acordo com as orientações abaixo.

Parte 1

Você é o novo médico de família num Centro de Saúde completamente novo para si. Você é fã da medicina alternativa e acredita que tomar sempre o mesmo medicamento não é bom para os pacientes. Por isso, gosta de prescrever medicamentos diferentes. Além disso, também acha que quem decide que medicamento se deve tomar é o médico e não o paciente.

Hoje, vai ver um dos pacientes difíceis do médico anterior. Como é a primeira consulta, vai pedir-lhe para ele falar sobre o estado de saúde geral e também sobre a família, a profissão, os tempos livres/interesses. Quando percebe que o paciente só quer uma receita para comprar os comprimidos que sempre tomou antes de viajar, diga-lhe que será melhor tomar uns comprimidos menos fortes ou até desistir deles e, em vez disso, fazer uma sessão de acupunctura.

Parte 2

Agora você vai ser o paciente.

Você gosta muito do seu médico. Todas as semanas vai à consulta no hospital e oferece-lhe um presente. Você acha que ele gosta porque ele abre sempre o presente à sua frente. Esta semana você tem uma dor na barriga e acha que é algo muito grave. Pede ao médico para ver se tem febre e para medir a tensão. Peça-lhe também para fazer exames.

ATIVIDADES DE COMUNICAÇÃO PARTE 2: ALUNO B

EXERCÍCIO 1 (UNIDADE 2)

- Escreva três frases sobre três factos surpreendentes ou pouco conhecidos sobre si, como, por exemplo: *Fiz uma cirurgia plástica ao nariz.* ou *Vi o mesmo filme no cinema quatro vezes.* Duas frases devem ser verdadeiras. Uma deve ser falsa.
- O seu colega vai ler-lhe as frases que escreveu. Tente adivinhar qual é a frase falsa. Ouça a resposta correta. Faça perguntas adicionais sobre as frases verdadeiras, como, por exemplo: *Que tipo de filme era aquele que viste no cinema tantas vezes? Porque é que o viste tantas vezes?*, etc.
- Troquem de papéis.

EXERCÍCIO 2 (UNIDADE 3)

- O seu colega vai dar-lhe a definição de uma palavra, como, por exemplo: *É um lugar onde vais quando queres nadar.* Você deve adivinhar a palavra que o colega está a descrever (neste caso, *piscina*).
- Depois de adivinhar a palavra do seu colega, é a sua vez. Olhe para as palavras e para as imagens abaixo. Escolha uma delas e defina-a para o seu colega conseguir adivinhar.

EXERCÍCIO 3 (UNIDADE 4)

- O seu colega vai dizer-lhe duas palavras – um verbo e um nome. Você deve usar essas palavras para construir uma frase na 1.ª pessoa do Pretérito Imperfeito do Indicativo para exprimir desejo, vontade, gosto ou preferência, como, por exemplo:

  preferir/doces – Preferia comer menos doces.

- No caso de construir uma frase correta, sem erros e de acordo com as instruções, recebe um ponto. No caso de fazer um erro ou não saber construir a frase, é o seu colega que recebe um ponto.
- Troquem de papéis. Escolha um par de palavras abaixo e diga-o ao seu colega. Ele deve construir uma frase correta de acordo com as instruções.

preferir/doces	apetecer/cerveja	apetecer/peixe
querer/avião	querer/ténis	adorar/estrangeiro
adorar/vista	gostar/ilha	gostar/compras

- Repitam os passos até usarem todos os pares de palavras.

EXERCÍCIO 4 (UNIDADE 5)

- Conhece bem o seu colega? Complete as frases sobre ele, usando o Infinitivo, como, por exemplo: *Aos fins de semana, não gostas de te levantar antes do meio-dia.*

Gostavas de aprender a ______________________________.

Às sextas à noite, detestas ______________________________.

No futuro, gostavas de ______________________________.

Nunca te esqueces de ______________________________.

Tens talento para ______________________________.

Queres começar a ______________________________.

No próximo fim de semana, gostavas de ______________________________.

- Ouça as frases que o seu colega escreveu sobre si. Diga-lhe se são verdadeiras ou não. Corrija as frases falsas.
- Troquem de papéis. Agora você vai ler as frases que escreveu ao seu colega. Ele vai dizer-lhe se correspondem à verdade.

EXERCÍCIO 5 (UNIDADE 7)

- Escolha uma das profissões abaixo para o seu colega. Diga-lhe, por exemplo, *És professor*. O seu colega vai dizer se esta profissão é boa ou má para ele e justificar, como, por exemplo: *Esta profissão não é boa para mim, porque o professor tem de ter muita paciência, e eu não sou nada paciente.* ou *Esta profissão é ótima para mim, porque o professor trabalha com crianças e eu adoro crianças.*

piloto	agente imobiliário	rececionista num hotel
político	bailarino	vendedor numa loja de roupa
empregado de limpeza	arquiteto	informático

- Agora o seu colega vai atribuir-lhe uma profissão. Você diz se essa profissão é boa ou má para si e justifica.
- Repitam os passos até usarem todas as profissões.

EXERCÍCIO 6 (UNIDADE 8)

- Leia as frases abaixo e preencha, pelo menos, três espaços na página seguinte, com as respostas.

1. Cidade que visitei e que me surpreendeu pela negativa.
2. Evento desportivo importante a que assisti ao vivo.
3. Canção que me traz memórias muito especiais.
4. Pessoa que me ajudou quando mais precisava.
5. Hotel em que estive e de que nunca me vou esquecer porque me aconteceu uma coisa muito boa ou muito má.
6. Pessoa famosa que encontrei e com quem falei.

1.

2.

3.

4.

5.

6.

- O seu colega vai mostrar-lhe os campos que preencheu. Leia as palavras que ele escreveu e faça-lhe perguntas, como, por exemplo: *Porque é que escreveste aqui "Londres"?* O seu colega deve responder: *Escrevi "Londres" porque é uma cidade que visitei e que me surpreendeu pela negativa.* Faça-lhe perguntas adicionais (*Porque é que ..., Quando é que ...*, etc.).
- Troquem de papéis.

EXERCÍCIO 7 (UNIDADE 9)

- Você vai ter três profissões e o seu colega vai adivinhar quais são. Leia as frases sobre o que tem feito ultimamente em cada uma delas. Complete as frases com as formas verbais no Pretérito Perfeito Composto do Indicativo.

  1. cabeleireiro

  Tenho penteado muitas atrizes famosas. *(pentear)*

  ____________________ o cabelo de muitas mulheres. *(pintar)*

  ____________________ o cabelo de muitos homens. *(cortar)*

  2. assistente de bordo

  ____________________ muitas refeições. *(servir)*

  ____________________ muitos voos. *(fazer)*

  ____________________ muitos passageiros. *(ajudar)*

  3. médico

  ____________________ muitas consultas. *(ter)*

  ____________________ muitos pacientes. *(ver)*

  ____________________ muitas receitas. *(passar)*

- O seu colega vai ler-lhe as frases que escreveu. Ouça-as e tente adivinhar a profissão dele. Se adivinhar a profissão depois de ele ler só uma frase, você recebe três pontos. Se adivinhar depois de ele ler a segunda frase, você recebe dois pontos. Se adivinhar depois de ele ler a terceira frase, você recebe um ponto.
- Troquem de papéis.
- Somem os pontos. Quem foi o vencedor?

EXERCÍCIO 8 (UNIDADE 11)

- O seu colega vai dar-lhe o início de frases, como, por exemplo: *A Ana estava contente porque....* Você deve acabá-las usando o verbo no Pretérito Mais-que-Perfeito do Indicativo, como, por exemplo: *... tinha recebido uma prenda.* Se usar o mesmo verbo que na frase original do seu colega, recebe um ponto. Pode tentar três vezes.
- Troquem de papéis. Agora você lê as frases abaixo ao seu colega (só a parte sublinhada). O seu colega deve acabar a frase usando o Pretérito Mais-que-Perfeito e o verbo destacado.

Antes de entrar em casa, percebi que tinha **deixado** a janela aberta.

O cozinheiro estava contente, porque todos tinham **gostado** da comida.

O João estava muito feliz, porque tinha **recebido** um presente.

Acabei por não comprar nada, porque não tinha **levado** dinheiro comigo.

Antes de vir para Portugal, o Oleg nunca tinha **comido** polvo.

Quando a Ana chegou a casa às duas da manhã, os pais já se tinham **deitado**.

- Somem os pontos. Quem foi o vencedor?

EXERCÍCIO 9 (UNIDADE 13) (FEITO EM GRUPOS DE QUATRO)

- Você e um colega seu serão Alunos B. Juntos, vão inventar seis previsões para o futuro, como, por exemplo: *Daqui a uns 10 anos, Cristiano Ronaldo será uma estrela de cinema.* ou *Em 2030, os pais poderão escolher o sexo dos filhos.* ou *Daqui a uns 100 anos, haverá cidades debaixo do mar.*
- Escrevam as previsões que inventaram no quadro abaixo, mas sem o verbo, como, por exemplo: *Daqui a uns 100 anos, ______________ cidades debaixo do mar.*

1. ______________________________
2. ______________________________
3. ______________________________
4. ______________________________
5. ______________________________
6. ______________________________

- Troquem os livros com os Alunos A. Eles vão ler as vossas previsões e tentar completar com os verbos em falta na forma correta do Futuro Simples. Acertaram nos verbos? Confirmem as respostas dos vossos colegas.
- Agora vocês leem as previsões escritas pelos vossos colegas e tentam adivinhar o verbo em falta. Completem as frases. Os vossos colegas vão confirmar se vocês escreveram os verbos certos.
- Falem, em grupos, sobre as previsões que escreveram. Concordam com as previsões dos alunos A? Eles concordam com as vossas?

EXERCÍCIO 10 (UNIDADE 14)

- Escolha a resposta correta para cada uma das perguntas abaixo.

1. Quantos habitantes tem o Rio de Janeiro?	a. 6 453 000	b. 9 320 000	c. 15 371 000
2. Qual é a distância entre Lisboa e Madrid?	a. 460 km	b. 540 km	c. 620 km
3. Em quantos continentes se fala português?	a. 3	b. 4	c. 5
4. Que parte da Península Ibérica ocupa Portugal?	a. 15%	b. 20%	c. 25%
5. Quantos países há no mundo?	a. 186	b. 196	c. 206
6. Quantos minutos tem um dia?	a. 1380	b. 1440	c. 1480
7. Quantas pernas tem uma aranha?	a. 4	b. 6	c. 8

- O seu colega vai dizer-lhe as frases abaixo. Se errar no número, você corrige-o.

1. Lisboa tem 547 000 habitantes.
2. A distância entre o Porto e Lisboa é de 313 km.
3. Portugal tem duas regiões autónomas.
4. Os oceanos ocupam 3/4 da Terra.
5. Um gato dorme 16 horas por dia.
6. Um trilião tem 18 zeros (em Portugal).
7. Em 2016, a população da Terra era de 7,5 biliões.

- Agora, você vai dar as suas respostas ao seu colega. Ele vai dizer-lhe se tem razão.

EXERCÍCIO 11 (UNIDADE 15)

- Preencha, pelo menos, quatro espaços abaixo.

1. Um prato famoso que é feito no seu país: ______________
2. Um desporto que foi inventado no seu país: ______________
3. Uma canção famosa que foi escrita por alguém do seu país: ______________
4. Um filme que foi rodado no seu país: ______________
5. Uma pintura famosa que foi feita por alguém do seu país: ______________
6. Um animal que só pode ser encontrado no seu país: ______________

- Fale sobre cada um dos nomes que escreveu com o seu colega. Dê mais pormenores. Responda às perguntas do colega.
- Troquem de papéis.

EXERCÍCIO 12 (UNIDADE 16) (FEITO EM GRUPOS DE QUATRO)

- Você e o seu colega (Alunos B) são suspeitos de assaltar um banco ontem à noite. Vão ser interrogados por dois inspetores da polícia (Alunos A). Vocês dizem que não fizeram nada de mal ontem à noite, porque jantaram os dois fora e depois foram tomar um copo com mais dois amigos.
- Preparem as vossas respostas. Tentem adivinhar que perguntas vão fazer os polícias. Vocês vão ser interrogados separadamente, mas têm de responder às perguntas da mesma maneira para provarem que são inocentes. Os inspetores da polícia vão querer saber todos os pormenores da noite de ontem (*O que fizeram? A que horas?, etc.*).
- Respondam às perguntas dos Alunos A. Contaram a mesma história? Se sim, são inocentes!

EXERCÍCIO 13 (UNIDADE 20)

- Complete as perguntas abaixo com o pronome relativo variável *cujo* ou *qual* (com a respetiva preposição e artigo). A seguir, leia as perguntas e as três respostas possíveis ao seu colega. Ouça as respostas. A resposta certa está a vermelho. Quantas perguntas acertou o seu colega?

1. De que país é o cantor PSY ____________ canção *Gangnam Style* ficou famosa em todo o mundo?

   a. Japão b. Coreia do Sul c. China

2. Qual é o país ____________ bandeira tem um sol vermelho no centro?

   a. Argentina b. Japão c. Turquia

3. Como se chama a modelo ____________ casou o antigo Presidente de França?

   a. Carla Bruni b. Bar Refaeli c. Heidi Klum

4. Como se chama a cidade ____________ se mudou durante dois anos J. K. Rowling, a autora de Harry Potter?

   a. Lisboa b. Porto c. Sintra

5. Qual é o nome do cabo em África ____________ descobridor foi Bartolomeu Dias?

   a. Bom Nascimento b. Boa Esperança c. Boa Morte

6. Qual é o país ____________ presidente mora na Casa Branca?

   a. EUA b. Brasil c. Rússia

EXERCÍCIO 14 (UNIDADE 23)

- A imagem abaixo mostra uma festa na qual você estava presente. Leia o que as pessoas com as quais você falou na festa lhe disseram. O seu colega também estava na mesma festa e também falou com essas pessoas, mas, como havia muito barulho, percebeu algumas coisas de forma diferente. Fale com o seu colega para comparar as coisas que ouviram, como, por exemplo:

  O seu colega diz: *A Rita disse-me que tinha comprado um carro.*

  Você responde: *Tens a certeza? A mim, ela disse-me que tinha vendido o carro.*

EXERCÍCIO 15 (UNIDADE 25)

Façam uma simulação de diálogo entre o paciente e o médico de acordo com as orientações abaixo.

Parte 1

Você é um utente antigo do Centro de Saúde. Hoje, antes da consulta, dizem-lhe que o médico que vai vê-lo é novo porque o seu médico de família, que você conhece muito bem, está doente. O seu médico sabe tudo sobre si: que tem medo de andar de avião e que há um medicamento que o ajuda sempre nessas situações. Como vai fazer uma viagem de avião, na consulta de hoje, quer uma receita para comprar aquele medicamento. Depois de responder às perguntas do médico, você deve dizer o que quer. Quando percebe que o médico não lhe vai prescrever o medicamento que quer, você tenta tudo para conseguir a receita.

Parte 2

Agora você vai ser o médico.

Você está cansado depois de um longo dia de trabalho. Vai ver o seu último paciente neste dia. Conhece esse paciente muito bem. É uma pessoa que vai à consulta todas as semanas e queixa-se sempre de problemas diferentes. Além disso, traz-lhe sempre um presente e pede para você o abrir à frente dele. Desta vez, você não quer o presente, porque acha que receber presentes de um paciente todas as semanas é um exagero. Quando o paciente começa a falar do sintoma desta semana, você diz que ele não tem nada e é saudável. O seu paciente tem de perceber que os problemas de saúde dele são inventados e ele deve deixar de vir às consultas todas as semanas porque isso não faz sentido nenhum.

RESPOSTAS AO EXERCÍCIO B (UNIDADE 6)

Some os pontos.

por cada resposta *a.* – 3 pontos

por cada resposta *b.* – 2 pontos

por cada resposta *c.* – 1 ponto

15-18 pontos

Você está viciado em tecnologia.

11-14 pontos

Não é um vício. A sua relação com a tecnologia é saudável.

6-10 pontos

Você não gosta nada de tecnologia.

RESPOSTAS AO EXERCÍCIO F (UNIDADE 11)

Some os pontos.

por cada resposta *a.* – 3 pontos

por cada resposta *b.* – 2 pontos

por cada resposta *c.* – 1 ponto

15-18 pontos

Você é uma pessoa demasiado controladora.

11-14 pontos

Você é controlador em alguns aspetos da sua vida, mas isso não parece ser um problema.

6-10 pontos

Você não gosta e não sabe ser controlador.

TABELAS GRAMATICAIS

PRESENTE DO INDICATIVO – REGULAR					
	eu	**tu**	**você/ele/ela**	**nós**	**vocês/eles/elas**
-**ar** (falar)	fal**o**	fal**as**	fal**a**	fal**amos**	fal**am**
-**er** (beber)	beb**o**	beb**es**	beb**e**	beb**emos**	beb**em**
-**ir** (partir)	part**o**	part**es**	part**e**	part**imos**	part**em**

PRESENTE DO INDICATIVO – IRREGULAR E PARCIALMENTE IRREGULAR					
	eu	**tu**	**você/ele/ela**	**nós**	**vocês/eles/elas**
caber	caibo	cabes	cabe	cabemos	cabem
cair	caio	cais	cai	caímos	caem
conduzir	conduzo	conduzes	conduz	conduzimos	conduzem
conseguir	consigo	consegues	consegue	conseguimos	conseguem
construir	construo	constróis	constrói	construímos	constroem
dar	dou	dás	dá	damos	dão
descobrir	descubro	descobres	descobre	descobrimos	descobrem
despir	dispo	despes	despe	despimos	despem
destruir	destruo	destróis	destrói	destruímos	destroem
divertir-se	divirto-me	divertes-te	diverte-se	divertimo-nos	divertem-se
dizer	digo	dizes	diz	dizemos	dizem
doer			dói		doem
dormir	durmo	dormes	dorme	dormimos	dormem
estar	estou	estás	está	estamos	estão
fazer	faço	fazes	faz	fazemos	fazem
fugir	fujo	foges	foge	fugimos	fogem
haver			há		há
ir	vou	vais	vai	vamos	vão
ler	leio	lês	lê	lemos	leem
manter	mantenho	manténs	mantém	mantemos	mantêm
medir	meço	medes	mede	medimos	medem
mentir	minto	mentes	mente	mentimos	mentem
odiar	odeio	odeias	odeia	odiamos	odeiam
ouvir	ouço/oiço	ouves	ouve	ouvimos	ouvem
passear	passeio	passeias	passeia	passeamos	passeiam
pedir	peço	pedes	pede	pedimos	pedem
pentear	penteio	penteias	penteia	penteamos	penteiam
perder	perco	perdes	perde	perdemos	perdem
planear	planeio	planeias	planeia	planeamos	planeiam
pôr	ponho	pões	põe	pomos	põem
preferir	prefiro	preferes	prefere	preferimos	preferem
querer	quero	queres	quer	queremos	querem
rir	rio	ris	ri	rimos	riem
saber	sei	sabes	sabe	sabemos	sabem
sair	saio	sais	sai	saímos	saem

PRESENTE DO INDICATIVO – IRREGULAR E PARCIALMENTE IRREGULAR					
	eu	**tu**	**você/ele/ela**	**nós**	**vocês/eles/elas**
seguir	sigo	segues	segue	seguimos	seguem
sentir	sinto	sentes	sente	sentimos	sentem
ser	sou	és	é	somos	são
servir	sirvo	serves	serve	servimos	servem
sorrir	sorrio	sorris	sorri	sorrimos	sorriem
subir	subo	sobes	sobe	subimos	sobem
ter	tenho	tens	tem	temos	têm
traduzir	traduzo	traduzes	traduz	traduzimos	traduzem
trazer	trago	trazes	traz	trazemos	trazem
valer	valho	vales	vale	valemos	valem
ver	vejo	vês	vê	vemos	veem
vestir	visto	vestes	veste	vestimos	vestem
vir	venho	vens	vem	vimos	vêm

MODO IMPERATIVO – REGULAR						
	SINGULAR INFORMAL		**SINGULAR FORMAL**		**PLURAL INFORMAL/FORMAL**	
-ar (**fal**o)	Fala!	Não fal**es**!	Fal**e**!	Não fal**e**!	Fal**em**!	Não fal**em**!
-er (**beb**o)	Bebe!	Não beb**as**!	Beb**a**!	Não beb**a**!	Beb**am**!	Não beb**am**!
-ir (**part**o)	Parte!	Não part**as**!	Part**a**!	Não part**a**!	Part**am**!	Não part**am**!

MODO IMPERATIVO – IRREGULAR						
	SINGULAR INFORMAL		**SINGULAR FORMAL**		**PLURAL INFORMAL/FORMAL**	
dar	Dá!	Não dês!	Dê!	Não dê!	Deem!	Não deem!
estar	Está!	Não estejas!	Esteja!	Não esteja!	Estejam!	Não estejam!
ir	Vai!	Não vás!	Vá!	Não vá!	Vão!	Não vão!
saber	Sabe!		Saiba!		Saibam!	
ser	Sê!	Não sejas!	Seja!	Não seja!	Sejam!	Não sejam!

PRETÉRITO PERFEITO SIMPLES DO INDICATIVO – REGULAR					
	eu	**tu**	**você/ele/ela**	**nós**	**vocês/eles/elas**
-**ar** (falar)	fal**ei**	fal**aste**	fal**ou**	fal**ámos**	fal**aram**
-**er** (beber)	beb**i**	beb**este**	beb**eu**	beb**emos**	beb**eram**
-**ir** (partir)	part**i**	part**iste**	part**iu**	part**imos**	part**iram**

PRETÉRITO PERFEITO SIMPLES DO INDICATIVO – IRREGULAR					
	eu	**tu**	**você/ele/ela**	**nós**	**vocês/eles/elas**
cair	caí	caíste	caiu	caímos	caíram
dar	dei	deste	deu	demos	deram
dizer	disse	disseste	disse	dissemos	disseram
estar	estive	estiveste	esteve	estivemos	estiveram
fazer	fiz	fizeste	fez	fizemos	fizeram
haver			houve		houve

PRETÉRITO PERFEITO SIMPLES DO INDICATIVO – IRREGULAR					
	eu	**tu**	**você/ele/ela**	**nós**	**vocês/eles/elas**
ir	fui	foste	foi	fomos	foram
poder	pude	pudeste	pôde	pudemos	puderam
pôr	pus	puseste	pôs	pusemos	puseram
querer	quis	quiseste	quis	quisemos	quiseram
saber	soube	soubeste	soube	soubemos	souberam
sair	saí	saíste	saiu	saímos	saíram
ser	fui	foste	foi	fomos	foram
ter	tive	tiveste	teve	tivemos	tiveram
trazer	trouxe	trouxeste	trouxe	trouxemos	trouxeram
ver	vi	viste	viu	vimos	viram
vir	vim	vieste	veio	viemos	vieram

PRETÉRITO IMPERFEITO DO INDICATIVO – REGULAR					
	eu	**tu**	**você/ele/ela**	**nós**	**vocês/eles/elas**
-**ar** (falar)	fal**ava**	fal**avas**	fal**ava**	fal**ávamos**	fal**avam**
-**er** (beber)	beb**ia**	beb**ias**	beb**ia**	beb**íamos**	beb**iam**
-**ir** (partir)	part**ia**	part**ias**	part**ia**	part**íamos**	part**iam**

PRETÉRITO IMPERFEITO DO INDICATIVO – IRREGULAR					
	eu	**tu**	**você/ele/ela**	**nós**	**vocês/eles/elas**
pôr	punha	punhas	punha	púnhamos	punham
ser	era	eras	era	éramos	eram
ter	tinha	tinhas	tinha	tínhamos	tinham
vir	vinha	vinhas	vinha	vínhamos	vinham

INFINITIVO PESSOAL					
	eu	**tu**	**você/ele/ela**	**nós**	**vocês/eles/elas**
-**ar** (falar)	falar	falar**es**	falar	falar**mos**	falar**em**
-**er** (beber)	beber	beber**es**	beber	beber**mos**	beber**em**
-**ir** (partir)	partir	partir**es**	partir	partir**mos**	partir**em**

PARTICÍPIO PASSADO – REGULAR			
INFINITIVO	-**ar** (falar)	-**er** (beber)	-**ir** (partir)
PARTICÍPIO PASSADO	fal**ado**	beb**ido**	part**ido**

PARTÍCIPIO PASSADO – IRREGULAR					
INFINITIVO	**PARTICÍPIO PASSADO**	**INFINITIVO**	**PARTICÍPIO PASSADO**	**INFINITIVO**	**PARTICÍPIO PASSADO**
abrir	aberto	escrever	escrito	limpar	limpo
cobrir	coberto	fazer	feito	pagar	pago
descobrir	descoberto	ganhar	ganho	pôr	posto
descrever	descrito	gastar	gasto	ver	visto
dizer	dito	inscrever	inscrito	vir	vindo

PARTICÍPIO PASSADO DUPLO					
INFINITIVO	**PARTICÍPIO PASSADO COM *SER/ESTAR***	**PARTICÍPIO PASSADO COM *TER***	**INFINITIVO**	**PARTICÍPIO PASSADO COM *SER/ESTAR***	**PARTICÍPIO PASSADO COM *TER***
aceitar	aceite	aceitado	morrer	morto	morrido
acender	aceso	acendido	omitir	omisso	omitido
entregar	entregue	entregado	prender	preso	prendido
imprimir	impresso	imprimido	salvar	salvo	salvado
matar	morto	matado	secar	seco	secado

PRETÉRITO PERFEITO COMPOSTO DO INDICATIVO		
eu	tenho	particípio passado
tu	tens	
você/ele/ela	tem	
nós	temos	
vocês/eles/elas	têm	

PRETÉRITO MAIS-QUE-PERFEITO COMPOSTO DO INDICATIVO		
eu	tinha	particípio passado
tu	tinhas	
você/ele/ela	tinha	
nós	tínhamos	
vocês/eles/elas	tinham	

FUTURO SIMPLES DO INDICATIVO – REGULAR					
	eu	**tu**	**você/ele/ela**	**nós**	**vocês/eles/elas**
-**ar** (falar)	falar**ei**	falar**ás**	falar**á**	falar**emos**	falar**ão**
-**er** (beber)	beber**ei**	beber**ás**	beber**á**	beber**emos**	beber**ão**
-**ir** (partir)	partir**ei**	partir**ás**	partir**á**	partir**emos**	partir**ão**

FUTURO SIMPLES DO INDICATIVO – IRREGULAR					
	eu	**tu**	**você/ele/ela**	**nós**	**vocês/eles/elas**
dizer	direi	dirás	dirá	diremos	dirão
fazer	farei	farás	fará	faremos	farão
trazer	trarei	trarás	trará	traremos	trarão

VOZ PASSIVA	
VOZ ATIVA	**VOZ PASSIVA**
fala	é falado
falou	foi falado
falava	era falado
tem falado	tem sido falado
tinha falado	tinha sido falado
falará	será falado
falaria	seria falado
fale	seja falado
falar	ser falado
falando	sendo falado

GERÚNDIO			
INFINITIVO	-**ar** (falar)	-**er** (beber)	-**ir** (partir)
GERÚNDIO	fal**ando**	beb**endo**	part**indo**

CONDICIONAL – REGULAR					
	eu	**tu**	**você/ele/ela**	**nós**	**vocês/eles/elas**
-**ar** (falar)	falar**ia**	falar**ias**	falar**ia**	falar**íamos**	falar**iam**
-**er** (beber)	beber**ia**	beber**ias**	beber**ia**	beber**íamos**	beber**iam**
-**ir** (partir)	partir**ia**	partir**ias**	partir**ia**	partir**íamos**	partir**iam**

CONDICIONAL – IRREGULAR					
	eu	**tu**	**você/ele/ela**	**nós**	**vocês/eles/elas**
dizer	diria	dirias	diria	diríamos	diriam
fazer	faria	farias	faria	faríamos	fariam
trazer	traria	trarias	traria	traríamos	trariam

PRESENTE DO CONJUNTIVO – REGULAR					
	eu	**tu**	**você/ele/ela**	**nós**	**vocês/eles/elas**
-**ar** (falo)	fal**e**	fal**es**	fal**e**	fal**emos**	fal**em**
-**er** (bebo)	beb**a**	beb**as**	beb**a**	beb**amos**	beb**am**
-**ir** (parto)	part**a**	part**as**	part**a**	part**amos**	part**am**

PRESENTE DO CONJUNTIVO – IRREGULAR					
	eu	**tu**	**você/ele/ela**	**nós**	**vocês/eles/elas**
dar	dê	dês	dê	demos	deem
estar	esteja	estejas	esteja	estejamos	estejam
ir	vá	vás	vá	vamos	vão
haver			haja		haja
querer	queira	queiras	queira	queiramos	queiram
saber	saiba	saibas	saiba	saibamos	saibam
ser	seja	sejas	seja	sejamos	sejam

TRANSCRIÇÕES DOS TEXTOS ÁUDIO

FAIXA A2
Unidade 1
Pronúncia Exercício B

1. Q U E I J O
2. B A N D A S
3. M E L H O R
4. X A D R E Z

FAIXA A3
Unidade 2
Exercício B

Texto 1 *(Ricky Martin)*
Fala português fluentemente. Aprendeu a língua com canções brasileiras e com as dezenas de viagens que fez ao Brasil. Quando era criança, fazia parte de uma banda, que era muito popular em toda a América Latina e dava muitos concertos no Brasil. Teve sempre muitos amigos brasileiros e tentou sempre falar com eles em português. Adora o Brasil e sente-se em casa quando lá está. Diz que noutra vida foi, com certeza, brasileiro.

Texto 2 *(Nelly Furtado)*
Os pais são açorianos, da ilha de São Miguel, que emigraram para o outro lado do Atlântico nos anos 60. Começou a cantar muito cedo, com apenas 4 anos, e eram sobretudo canções em português. Hoje em dia, fala português com um sotaque bastante forte, mas tem muito orgulho em ser de origem portuguesa.

Texto 3 *(Monica Bellucci)*
Compreende português muito melhor do que fala. Há uns anos comprou uma casa no Brasil, no Rio de Janeiro. Passa lá muito tempo com as duas filhas, que falam a língua portuguesa como os falantes nativos. Diz que quer muito fazer um filme no Brasil, mas o português dela ainda não é suficientemente bom para isso.

FAIXA A4
Unidade 2
Exercício J

Jieling: Olá, Rodrigo! Tudo bem?
Rodrigo: Olá, Jieling! Estou ótimo. E tu? Quando é que vens visitar Lisboa? Ficas aqui em minha casa. Tu nunca estiveste em Portugal, pois não?
Jieling: Não. Nunca estive em Portugal nem na Europa. Os bilhetes são muito caros.
Rodrigo: Tens de vir. Com um bocado de sorte, consegues arranjar um bilhete por metade do preço. As companhias aéreas às vezes vendem os bilhetes mais baratos.
Jieling: Calma, calma. Além de comprar o bilhete, também tenho de pedir um visto.
Rodrigo: Tu precisas de visto?
Jieling: Sim, preciso. Tenho de pedir um na embaixada portuguesa cá em Pequim.
Rodrigo: Então, estás a espera de quê? Pede! É preciso pagar ou é gratuito?
Jieling: Gratuito não é. Não sei exatamente quanto custa, mas acho que não deve ser muito caro.

FAIXA A5
Unidade 3
Exercícios J e K

David
Entrevistadora: Bom dia, David. Passaram dois anos desde a nossa conversa. Você e a Maria Elena continuam a ser grandes amigos?
David: Ainda mantemos contacto, mas já não estamos tão próximos como antes. A filha da Maria Elena teve um filho e ela está agora muito ocupada com o neto. Descobriu o prazer de ser avó. Ainda bem para ela! E eu já não vivo em Portugal. Tive uma oferta de trabalho muito interessante e decidi mudar-me para a Alemanha.

Daniela
Entrevistadora: Bom dia, Daniela. Passaram dois anos desde a nossa conversa. Você e a Sónia continuam a ser grandes amigas?
Daniela: Não. Não tenho contacto nenhum com ela. A Sónia conheceu um homem casado e ficou grávida dele. Agora vivem juntos e têm um filho. Ele deixou a mulher. Mas o problema não é esse. O problema é que a Sónia mudou muito por causa daquele homem. Deixou de ter tempo para mim. Deixou de partilhar coisas comigo. Tivemos algumas discussões. Ela disse que eu tinha inveja da vida dela. A nossa amizade acabou. Mas não faz mal. É a vida. Acontece.

Sérgio
Entrevistadora: Bom dia, Sérgio. Passaram dois anos desde a nossa conversa. Você e o Gustavo continuam a ser grandes amigos?
Sérgio: Claro que sim. Agora passamos mais tempo juntos porque o Gustavo separou-se da esposa e foi viver com outra mulher. Têm um filho. Ele tinha de tomar algumas decisões bastante difíceis sobre a vida dele e eu tinha de o apoiar. É para isso que servem os amigos, não é?

FAIXA A8
Unidade 4
Exercício K

1. A: Desculpe, podia dizer-me as horas, se faz favor?
   B: Claro. São duas e vinte.
   A: Obrigado!

2. A: E para sobremesa? Bolo de bolacha ou *mousse* de chocolate?
   B: Nem uma coisa nem outra. Preferia fruta.

3. A: Diga, se faz favor!
   B: Queria uma água natural e um pastel de nata, se faz favor.

4. A: Os senhores não se importavam de falar mais baixo? Aqui é proibido fazer barulho.
   B: Tem toda a razão. Pedimos muita desculpa.

FAIXA A9
Unidade 4
Exercícios P e Q

Entrevistador: Como é que é a sua vida agora? Mudou muito?
Rute: Mudou muito, sim. Mudou, praticamente, tudo. A mudança mais importante é a felicidade que sinto todos os dias quando me levanto de manhã.
Entrevistador: Que bom! Como é que conseguiu? O que é que aconteceu exatamente?
Rute: Despedi-me do meu emprego e fiz um curso para ser professora de português. Depois, candidatei-me para dar aulas de português a crianças em Timor-Leste. Consegui o trabalho e cá estou eu, a viver em Timor-Leste já há quase um ano! Tudo é uma novidade para mim aqui. Todos os dias descubro coisas novas, conheço pessoas novas, provo comidas novas. Adoro esta vida! Até comecei a aprender tétum!
Entrevistador: Então, foi muito fácil acabar com a vida que tinha?
Rute: Não foi bem assim. Os primeiros dias em Timor-Leste não foram nada fáceis. Tive de aprender a viver num país que tem uma cultura muito diferente da minha. Mas todas as dificuldades que tive fizeram de mim uma pessoa mais forte. E agora já está tudo bem. Ganho pouco, mas a vida aqui é muito barata. Trabalho com crianças. É uma experiência completamente nova para mim. Descobri que a coisa mais importante no trabalho com crianças é a sinceridade.

Entrevistador: Com os adultos não é assim?
Rute: Não.
Entrevistador: Não se arrepende de nada, então?
Rute: Não, não me arrependo de nada.

FAIXA A10
Português em Ação 1
Exercícios B e C

Raquel: Boa noite! Acabei de chegar de Curitiba, mas a minha mala não veio.
Funcionário: Dê-me o seu cartão de embarque, se faz favor.
Raquel: Aqui está.
Funcionário: Fez escala em São Paulo, não foi? Lamento, mas, de momento, o sistema não consegue localizar a sua bagagem. Reside em Portugal?
Raquel: Resido, sim.
Funcionário: Preencha este formulário, se faz favor. Escreva aqui a sua morada e descreva a mala: cor, tamanho e peso. Precisamos do máximo de informação para encontrar a sua mala. Depois de a sua bagagem chegar a Lisboa, vamos entrar em contacto consigo.
Raquel: Acha que vai demorar muito?
Funcionário: Não. Provavelmente, a mala ainda está em São Paulo e vai chegar no voo de amanhã.
Raquel: Vou ter de voltar aqui para vir buscar a mala? É que eu quero ir ainda hoje à noite para Faro.
Funcionário: Não, não. A senhora escusa de voltar cá. Não tem de alterar os seus planos. Nós entregamos a mala na morada que está no formulário.
Raquel: Muito obrigada.

FAIXA A11
Revisão 1-4
Exercício I

Texto 1
Ana: Paulo, conheces o irmão da Anabela?
Paulo: O Rui? Sim. Conheci-o na festa de anos dela. Lembras-te? Dançámos quizomba e salsa.
Ana: Ah, pois foi... linda festa...
Paulo: Mas depois nunca mais o vi. Porque é que estás a perguntar, Ana?
Ana: Acho que ele está interessado em mim.
Paulo: A sério? Mas ele, por acaso, não é casado?
Ana: Pelo que sei, está separado.
Paulo: Vê lá se ele não está a mentir. Tem cuidado!
Ana: Não preciso. Eu não quero nada com ele. Estou muito bem sozinha!

Texto 2
Pai: Fátima, que cara é essa? O que é que aconteceu?
Fátima: Hoje tive uma grande discussão com a minha diretora. Disse-lhe umas coisas muito desagradáveis, coisas que não se devem dizer a ninguém. Fiz muito mal.
Pai: Ai, meu Deus! E agora?
Fátima: Acho que vão despedir-me. Se calhar, seria melhor eu despedir-me primeiro.
Pai: Ai, filha. O que é que te deu? Demoraste tanto tempo a encontrar esse emprego. Parecia que estavas a dar-te tão bem.
Fátima: Estava, no início. Mas há uns dias as coisas pioraram.
Pai: Tens de fazer alguma coisa. Pede desculpa, diz que estás muito arrependida e que não volta a acontecer.
Fátima: Achas? Posso tentar, mas parece-me que vão despedir-me na mesma.

FAIXA A12
Unidade 5
Exercícios B e C

D. Alzira: Boa noite, Alice. Sabe que ontem à noite a nossa vizinha do segundo andar, a D. Leonor, teve uma visita?
D. Alice: Boa noite, Alzira. A sério? Quem foi?
D. Alzira: Era o filho dela com a nora.
D. Alice: O filho com a nora? Mas o filho dela divorciou-se há muitos anos. E acho que ele está no estrangeiro agora. Tem certeza de que era o filho? Se calhar era o sobrinho com a mulher.
D. Alzira: Pois, se calhar era o sobrinho. Não vi muito bem. Estava escuro.
D. Alice: Era alto e moreno, de óculos?
D. Alzira: Era.
D. Alice: De certeza que era o sobrinho. Conheço o sobrinho dela muito bem. Ele trabalha com o meu genro.
D. Alzira: Com o seu genro? Pensei que o seu genro estava sem trabalho.
D. Alice: Já tem trabalho. O sogro da minha filha arranjou-lhe emprego no mesmo escritório onde está o sobrinho da D. Leonor.
D. Alzira: Ah, muito bem. E quanto é que ganha?
D. Alice: Não ganha nada mal. Não se pode queixar.

FAIXA A14
Unidade 5
Exercício O

João
As regras que a Catarina fez não fazem sentido nenhum! Ela pensa mesmo que eu vou aprender a cozinhar? Deve ser maluca! Eu trabalho os dias inteiros e quando chego a casa preciso de descansar e não de cozinhar ou arrumar a casa. E porque é que eu devo comer peixe? Nesta casa ninguém gosta de peixe! Os meus filhos não têm problemas de saúde, porque é que devem comer coisas de que não gostam?
Não deixar o nosso cão ir para cima das camas e do sofá também é uma ideia muito má. O cão é membro da família. A Catarina não gosta de animais, por isso nunca vai perceber isso.
Mas o pior de tudo é a televisão. Qual é o problema com a televisão? Os miúdos aprendem muito quando veem televisão. Tenho de dizer que, depois de conhecer melhor a Catarina, tenho muita pena dos filhos dela. E do marido também. Devem ser todos muito infelizes! A única regra de que gostei era a de não gritar com os filhos. Aqui, ela tem toda a razão. Vou tentar ter mais calma.

Manuel
Gosto muito da regra que diz que os meus filhos devem portar-se bem. Aqui, a Elisabete tem todo o meu apoio.
Agora, a ideia de arranjar um animal não me parece boa. A Sofia e o Guilherme vão, provavelmente, gostar da ideia, mas a minha mulher nem por isso. Ela gosta de ter a casa limpa e é impossível manter a casa limpa com um cão ou um gato.
A ideia de acabar com a natação e com as aulas de francês é muito má. É verdade que os nossos filhos têm muitas atividades. Mas são coisas úteis e necessárias. A natação é muito importante porque as crianças precisam de fazer exercício físico.
Mas o pior foi a ideia de dar as roupas da Sofia a outras pessoas. Essas roupas custaram muito dinheiro! Eu e a minha mulher trabalhamos muito para dar aos nossos filhos o melhor de tudo. Para a Elisabete é fácil dizer "Vocês não precisam disso" porque não são coisas dos filhos dela e não foi ela que pagou por aquilo!

FAIXA A17
Unidade 6
Exercícios I e J

Miguel: Ana, já tens o relatório pronto?
Ana: Sim, Miguel. Já está pronto.
Miguel: Podes enviar-me um *e-mail* e pôr o ficheiro com o relatório em anexo?
Ana: Por *e-mail* não consigo. O ficheiro é muito grande para o enviar em anexo. Tem muitas fotografias. Envio-o por *WeTransfer*, está bem?
Miguel: O que é isso? É um programa? Não o tenho no computador. Tenho de instalá-lo.
Ana: É muito simples. Recebes um *e-mail* do *WeTransfer* que diz que há um ficheiro para ti. Descarregas o ficheiro e guarda-lo no computador. Não precisas de instalar programa nenhum.
(10 minutos depois)
Ana: Então, Miguel? Já recebeste?

Miguel: Sim, sim, obrigado. Mas não sei como descarregar.
Ana: Como é que não sabes? Deixa-me ver. Tens de carregar nesta tecla.
Miguel: Ah, pois é. Mas onde é que guardo o ficheiro?
Ana: Numa pasta. Tens de escolher uma.

FAIXA A18
Unidade 6
Exercício L

A: Diga, se faz favor.
B: Queria tirar uma fotocópia destas duas páginas. Frente e verso.
A: Uma de cada?
B: Sim.
A: A preto e branco?
B: É melhor fazer a cores.

FAIXA A20
Unidade 7
Exercícios D e E

Tiago
Escolhi esta profissão porque tenho algo de artista. Fiz um curso profissional e depois de o terminar fiz um estágio num estúdio no centro da cidade. Quando acabou o estágio, o estúdio fez-me um contrato. De momento é um *part-time*, mas daqui a dois meses vou passar a trabalhar a tempo inteiro. Gosto muito deste emprego, mas não vou ficar aqui para sempre. No futuro queria abrir o meu próprio espaço e ser o meu próprio chefe. Sei que não vai ser fácil trabalhar por conta própria, mas quero tentar.

Cátia
As pessoas pensam que o meu trabalho é uma grande aventura. Têm inveja das viagens que faço, dos hotéis de cinco estrelas em que fico quando estou no estrangeiro, das pessoas famosas com quem tenho contacto no meu trabalho. Mas esquecem-se de que tudo tem um preço. Os meus horários são muito cansativos. E eu nunca posso estar cansada. Tenho de estar sempre bem-disposta e pronta a ajudar. Não é nada fácil. Às vezes, penso que queria trabalhar num escritório, ter uma vida calma e um horário fixo.

Vanda
Muitas pessoas queixam-se do trabalho que têm. Eu não sou uma dessas pessoas porque tenho uma profissão que adoro. E o salário também não é nada mau. Obviamente, nem tudo é bom. Trabalho numa clínica que está aberta 24 horas por dia, por isso, às vezes, tenho de trabalhar por turnos. Ninguém gosta dos turnos da noite ou de trabalhar nos feriados e aos fins de semana. E também faço muitas horas extra.

FAIXA A22
Unidade 8
Exercícios B e C

Jorge: Ana, estou a ver o relatório que escreveste. O que é que eu faço com os números que estão a lápis?
Ana: Apaga-os com uma borracha.
Jorge: Onde é que está a borracha?
Ana: Está na gaveta da tua secretária, ao pé da tesoura e da cola.
Jorge: Ah, pois está.
Ana: Depois de apagar esses números, põe o relatório no dossiê. Não o deixes em cima da secretária.
Jorge: Está bem.
Ana: Jorge, e não te esqueças de que amanhã de manhã temos reunião com o Dr. Melo. Escrevi a hora na tua agenda. Não chegues atrasado como da última vez!

FAIXA A24
Unidade 8
Exercício H

1. As universidades mais antigas de Portugal são a Universidade de Coimbra e a Universidade de Lisboa.
2. Nas universidades portuguesas, os alunos têm notas de 0 a 20.
3. As crianças, em Portugal, vão para a escola aos seis anos.
4. Em janeiro, não há aulas no Brasil.

FAIXA A27
Português em Ação 2
Exercícios A e B

Funcionário: Quem está a seguir?
Raquel: Acho que sou eu. O senhor não está na fila, pois não?
Senhor: Não, não.
Raquel: Boa tarde. Olhe, comprei esta máquina há uns meses e até agora funcionou bem. Nas últimas duas semanas, teve vários problemas e agora deixou de funcionar completamente.
Funcionário: Que problemas é que teve?
Raquel: Desligava-se antes de eu tirar a fotografia. E também quando carregava nos botões não acontecia nada. Agora nem consigo ligá-la.
Funcionário: A bateria está carregada?
Raquel: Está, está.
Funcionário: Hmm, estranho. Este modelo, normalmente, não dá problemas e os clientes elogiam-no muito. Está dentro da garantia, não está?
Raquel: Está, sim. Aqui tem o recibo de compra.
Funcionário: Bem, vamos ter de mandá-la para a oficina para ver o que se passa.
Raquel: Em vez de a reparar, não podem trocar por uma nova?
Funcionário: Não. Primeiro, vamos tentar arranjá-la. Se calhar, não é nada de complicado.
Raquel: Vai demorar muito?
Funcionário: Dentro de uma semana telefonamos para informar quando fica pronta.
Raquel: Não é preciso pagar nada, pois não?
Funcionário: Não, não. A garantia é válida por dois anos.

FAIXA A28
Revisão 5-8
Exercício I

Texto 1
Mãe: Bom dia, professora Mafalda. Chamou-me para falar sobre o Afonso, não foi?
Professora: É verdade. Sente-se, se faz favor. O seu filho está a dar muitos problemas.
Mãe: Eu sei. Ele é muito preguiçoso. Não quer estudar. Eu grito com ele o tempo todo, mas não ajuda nada. Ele é muito teimoso.
Professora: Gritar com ele não é a maneira certa de resolver o problema.
Mãe: Pois, tem razão. Então, as notas dele são assim tão más?
Professora: Não são grande coisa. Teve notas negativas nos testes de química e história. No teste de biologia conseguiu positiva, mas com uma nota bastante baixa também. É uma pena, porque ele é um miúdo inteligente. Mas o maior problema do Afonso não são as notas.
Mãe: Então? O que é que ele fez?
Professora: Ele porta-se muito mal na escola. Ele bate nas outras crianças e está a ser mal-educado com os professores. Na semana passada, partiu a cabeça de um colega. Isto tem de parar. Não pode continuar assim.

Texto 2
Nuno: O que é isto?
Tânia: O quê? Aconteceu alguma coisa?
Nuno: Claro que aconteceu. O meu computador está desligado. Só fui à casa de banho. Mexeste nele?
Tânia: Eu? Não. Não mexi em nada.
Nuno: Não? Ele nunca se desliga sozinho. Não mintas. O que é que fizeste?
Tânia: Só tirei o cabo por uns momentos. Não sabia que se ia desligar. Desculpa.
Nuno: Tiraste o cabo?! Estou farto de te dizer que a bateria está fraca e que não se pode tirar o cabo quando está ligado!

Tânia: Qual é o problema? Para de gritar. Liga-o.
Nuno: Estava a escrever uma coisa muitíssimo importante. De certeza que perdi tudo!
Tânia: Não perdeste nada. O computador guarda os documentos sozinho.

FAIXA A29
Unidade 9
Exercício C

Rodrigo: Georgios, é verdade que andas à procura de emprego?
Georgios: É, é. Quero ficar em Portugal e preciso de arranjar trabalho. Estás a perguntar, porquê? Tens alguma coisa para mim?
Rodrigo: Talvez. Querias fazer o quê? Tu és *designer* gráfico, não és?
Georgios: Sou. Claro que seria ótimo encontrar algo na minha área, mas, para começar, posso trabalhar como empregado de mesa ou rececionista num hotel. Não me importo.
Rodrigo: No *call center* onde trabalha a minha prima há sempre vagas. Não queres candidatar-te?
Georgios: No *call center*? Não sei. Acho que o meu português ainda não é bom para fazer isso. E também é um tipo de trabalho muito chato. Preferia algo mais interessante.
Rodrigo: Pois, é verdade. E também é mal pago. Quanto é que querias ganhar?
Georgios: Não tenho de ganhar muito. Mas tenho de ter dinheiro suficiente para poder pagar a renda da casa, que é 450 euros por mês. O local de trabalho tem de ser em Lisboa porque eu não tenho carro. E o horário também é importante. Não posso trabalhar aos fins de semana porque aos sábados tenho aulas de português.

FAIXA A30
Unidade 9
Exercícios F, G e H

Entrevistador: Bom dia, Georgios. É assim que se diz o seu nome?
Georgios: Bom dia. Está a dizer o meu nome muito bem. Tem boa pronúncia em grego.
Entrevistador: Obrigado. Georgios, conte-me a sua história. Está em Lisboa há quanto tempo?
Georgios: Bem, vim a Portugal pela primeira vez em 2011 com uma bolsa de Erasmus. Fiz dois semestres na Universidade de Coimbra. Gostei muito de Portugal, mas tinha de voltar para Chipre, onde terminei o meu curso. Há três meses, decidi voltar a Portugal, desta vez para Lisboa, e tentar a minha sorte por aqui.
Entrevistador: E como tem sido a sua vida nesta cidade?
Georgios: Muito boa. Acho que tomei a decisão certa. Tenho viajado bastante, já fui ao Algarve e também aos Açores. Só que preciso de encontrar emprego. Até agora tenho vivido com o dinheiro que trouxe comigo, mas já está a acabar. Tenho feito alguns pequenos trabalhos, mas isso não chega. Preciso de algo a sério.
Entrevistador: No seu currículo, escreveu que já colaborou com várias empresas. Como é que podemos ver os seus trabalhos?
Georgios: Tenho posto os meus trabalhos mais importantes na minha página na Internet.
Entrevistador: Muito bem. Vamos vê-los depois. Precisamos de uma pessoa criativa, com ideias próprias. Georgios, como é que se dá com *marketing* e publicidade?
Georgios: Confesso que tenho trabalhado pouco nessa área, mas interessa-me bastante.
Entrevistador: Muito bem, Georgios. Acho que é tudo, por agora. A minha colega vai entrar em contacto consigo em breve por *e-mail* ou por telefone.
Georgios: Fico à espera, então. Muito obrigado e um bom dia para si.
Entrevistador: Para si também.

FAIXA A32
Unidade 10
Exercícios D e E

Partimos de Maastricht às 8 da manhã. A fronteira fica apenas a 26 km do centro da cidade, por isso, entrámos na Bélgica meia hora depois. Passámos pela cidade de Liège e continuámos pela autoestrada em direção ao Luxemburgo. A previsão do tempo para as primeiras horas da nossa viagem era boa. O céu estava limpo e a estrada não tinha muito trânsito. Era um dia bonito e quente de fim de maio.

Nem reparámos quando entrámos no Luxemburgo. Eram 10h25. A gasolina no Luxemburgo é mais barata do que noutros países, por isso, logo depois da fronteira, parámos numa bomba de gasolina. Aproveitámos a paragem para tomar um cafezinho e descansámos uns minutos. Comprámos também umas sandes para comer no caminho.

Uma hora depois, entrámos na Alemanha. Era o quilómetro 276. Perto da cidade de Saarbrücken, de repente, o trânsito ficou muito lento e, logo depois, parou. O engarrafamento tinha vários quilómetros. Tudo por causa de um acidente. Ficámos nervosos porque a situação parecia grave e não sabíamos quanto tempo íamos ficar lá. Felizmente, 15 minutos depois tudo voltou à normalidade.

Ao quilómetro 317, entrámos em França. A paisagem era mais interessante. Gostámos muito de ver os campos cheios de flores. Passámos pela bela cidade de Colmar. Apetecia-nos dar um passeio a pé pelo centro ou almoçar num dos restaurantes típicos, mas por causa do atraso decidimos continuar a viagem sem parar. A única parte da nossa viagem pela França de que não gostámos foi o preço das portagens, que achámos caras.

Entrámos na Suíça perto da cidade de Basileia. Eram 14h23. Na Suíça, o céu estava cinzento. Logo depois, começou a chover. Foi uma chuva muito forte. Não parou de chover até à fronteira com a Áustria. Tivemos de reduzir muito a velocidade. Por causa da chuva, enganámo-nos duas vezes no caminho. Esta foi a pior parte da nossa viagem.

Ao quilómetro 735, entrámos na Áustria. Depois de apenas 40 km na Áustria, entrámos no Liechtenstein. Demorámos apenas 10 minutos a atravessar este pequenino país. A seguir, passámos pelos Alpes suíços, no caminho para Itália. Era uma estrada de montanha, estreita e cheia de curvas perigosas. Entrámos em Itália às 20h15. Meia hora depois, chegámos a Madesimo. Conseguimos atravessar nove países num só dia! Ficámos num hotel com vista para as montanhas.

FAIXA A33
Unidade 10
Exercício H

Diálogo A
Jorge: Que cidadezinha tão bonita! Ainda bem que demos com ela! Vamos parar? Andar um bocadinho?
Ricardo: Não dá para parar. Sabes que não temos tempo.
Jorge: Que pena. Bem, fica para a próxima.

Diálogo B
Ricardo: Este é o hotel onde vamos ficar.
Jorge: Acho que escolheste bem! Tem bom aspeto. Alguns quartos dão para as montanhas. Era bom ficar num deles!
Ricardo: Vamos ver se temos sorte!

Diálogo C
Ricardo: Olha, já estamos no Luxemburgo!
Jorge: A sério? Nem dei pela fronteira. Foi tão rápido!
Ricardo: Pois foi.

Diálogo D
Jorge: Comprei umas sandes. Qual é que queres?
Ricardo: São de quê?
Jorge: Esta é de queijo e esta de atum e ovo.
Ricardo: Então, eu fico com a de queijo, se não te importas.

FAIXA A34
Unidade 11
Exercícios B e C

A: Olha para esta fila de carros para chegar à praia!
B: O que é que queres? Esta praia é muito popular. A areia é branca e limpa. Nunca há vento. Tem um barzinho muito agradável. Tem tudo o que as pessoas gostam.
A: Pois, tens razão. Temos de esperar. Olha, acho que me esqueci do protetor solar.
B: Usas o meu. O sol está muito forte. É preciso ter cuidado. E as outras coisas, tens?
A: Sim. Tenho a toalha. Tenho o chapéu. Acho que tenho tudo.

FAIXA A35
Unidade 11
Exercício E

Jonas: Laura, porque é que ainda não estás em casa? O que é que se passa?
Filha: Ó pai, não se passa nada. Estou à espera do autocarro.
Jonas: Mas estás a demorar muito mais do que normalmente.
Filha: Fiquei na escola a falar com uma amiga. Fomos ao bar e bebemos uma coca-cola.
Jonas: E não me disseste nada? Qual amiga? A Marta? Ela já chegou a casa há muito tempo. Vi-a há bocado no supermercado.
Filha: Não, não foi a Marta. Estive com outra amiga, a Joana. Não a conheces.
Jonas: E porque é que não a conheço? Quem é ela? Onde mora? Quem são os pais dela? Tens de me dar o número de telemóvel dela já.
Filha: Ó pai, não podes esperar até eu chegar a casa? Estou a entrar no autocarro. Até já!

FAIXA A40
Português em Ação 3
Exercícios B e C

Raquel: Desculpe, há aqui perto alguma praça de táxis? É que os que passam na rua estão todos ocupados.
Transeunte: Há. Está a ver aquelas torres? É a catedral. Há uma praça de táxis mesmo em frente.
Raquel: Muito obrigada.

Taxista: Boa tarde. Para onde é que vai ser?
Raquel: Boa tarde. Pensão Estrela, na Rua das Flores.
Taxista: Rua das Flores? Não estou a ver onde é. Sabe dizer--me onde fica, mais ou menos?
Raquel: Por acaso, sei. É no centro da cidade, no Chiado. É paralela à Rua do Alecrim. Sobe a Rua do Alecrim e vira na segunda à esquerda, no Largo do Barão Quintela.
Taxista: Ah, já sei. É perpendicular à Rua de S. Paulo. É uma rua de sentido único. Tem alguma preferência de percurso?
Raquel: Não, não. Obrigada.

Taxista: Estamos a chegar. Onde é que quer ficar?
Raquel: Pode ser ao pé do quartel dos bombeiros. Não, deixe--me antes ao pé da estátua. Acho que a pensão é mesmo na esquina.
Taxista: Pronto. Chegámos.
Raquel: Obrigada. Quanto é?
Taxista: Ora bem, são 6,40 mais 1,60 da mala. 8€.
Raquel: Passa-me uma fatura?
Taxista: Claro que sim.

FAIXA A41
Revisão 9-12
Exercício I

Texto 1
Cátia: Olá, Mário! Que belo que tu estás! Onde é que vais vestido assim?
Mário: Vou ter uma entrevista de trabalho.
Cátia: Ah, muito bem. Posso perguntar o que é?
Mário: Podes, claro. É numa universidade privada. Têm uma vaga para assistente de relações públicas. É um trabalho muito bom. Dá para fazer muitos contactos importantes e para viajar.
Cátia: Parece interessante.
Mário: E é. Confesso que estou muito nervoso.
Cátia: Não estejas. Vais conseguir esse trabalho.
Mário: Não sei. Deve haver muita gente a candidatar-se a esta posição.
Cátia: Não tenho dúvida nenhuma de que vais ser o melhor de todos. Com a tua boa apresentação e todas as línguas que falas, vai ser fácil.
Mário: Obrigado! Bem, tenho de ir. Não quero chegar atrasado.
Cátia: Boa sorte. Depois, diz alguma coisa.

Texto 2
Inês: Jorge? Onde é que vocês estão? Ainda demoram?
Jorge: Infelizmente, acho que sim. Estamos parados na estrada. Ainda nos faltam uns 15 quilómetros. Acho que há um problema muito grave. Deve ser um acidente. Há muitos carros da polícia e ouvem-se as sirenes das ambulâncias.
Inês: E não dá para saírem daí?
Jorge: Não, não dá. Temos de esperar.
Inês: Mas vocês não foram pela autoestrada como eu vos disse?
Jorge: Não. Queríamos poupar nas portagens.
Inês: Fizeram muito mal. Poupam nas portagens, mas estão a perder tempo e gasolina. E o peixe já está a sair do forno. O que é que eu faço?
Jorge: Olha, não esperem por nós. Isto ainda pode demorar. Não devemos chegar antes das nove.
Inês: Está bem. É uma pena mas tem de ser.

FAIXA A42
Unidade 13
Exercícios A e B

A: Não acredito, outra vez!
B: O que é que foi?
A: Alguém estacionou o carro em segunda fila. Agora não conseguimos sair daqui.
B: Tens de apitar. O dono deve estar perto.
A: Não vem ninguém. Isto é uma falta de respeito. Não há paciência. Já é a segunda vez esta semana!
B: Há muitos carros na cidade. E os lugares de estacionamento são poucos.
A: Pois, esta cidade está cheia de carros. Hoje, demorei duas horas para cá chegar. As filas de trânsito eram enormes. E a Câmara não faz nada.
B: Não é bem assim. A Câmara faz o que pode, mas não é nada fácil resolver este problema.
A: Faz? O que é que faz? Eu não vejo nada. Por causa dos carros, a poluição do ar nesta cidade é das mais elevadas na Europa. Há carros por todo o lado. Precisamos de parques e jardins, não de carros.
B: As coisas estão mal por causa de pessoas como tu, que moram fora da cidade, mas trazem o carro para o trabalho. Devem usar os transportes públicos. Porque é que não vens de autocarro?
A: De autocarro? Os transportes públicos não prestam! E olha, vivo fora porque não tenho dinheiro suficiente para comprar uma casa na cidade! Não sou rico como tu!
B: Bem, já vi que estás chateado e precisas de desabafar, mas a culpa não é minha. Olha, não vamos passar aqui o resto do dia a discutir. Vais ter de chamar a polícia.

FAIXA A45
Unidade 14
Exercício A

1. Lisboa tem uma luz muito especial.
2. É impossível traduzir a palavra *saudade* para outras línguas.
3. Lisboa é uma cidade com sete colinas.
4. Os portugueses têm 365 receitas de bacalhau.
5. O fado é um tipo de música muito triste.

FAIXA A47
Unidade 14
Exercício G

Portugal produz quase metade da cortiça do mundo.
Na capital de Portugal fica a livraria mais antiga do mundo.
Portugal tem as fronteiras mais antigas da Europa.

FAIXA A48
Unidade 14
Exercício H

Nenhum país na Europa tem mais lagos do que a Finlândia.
O nome do Brasil vem do nome de uma árvore.
A Dinamarca tem a bandeira mais antiga do mundo.
Espanha produz quase metade do azeite do mundo.
Nos Estados Unidos fica o primeiro parque nacional do mundo.

FAIXA A54
Unidade 16
Exercício B

Sra. D. Leonor, sou eu, a Rosa. Está na hora de se levantar. Já passa das sete! Precisa de tomar os medicamentos, Sra. D. Leonor! Ai, estúpido do gato! Mete-se sempre entre as pernas! Está muito escuro aqui. Não vejo nada. Vou abrir as cortinas, Sra. D. Leonor! Não diz nada? Veja lá que dia tão bonito! Sra. Dona...!

FAIXA A55
Unidade 16
Exercício D

I: Salomé, diga-me o que é que estava a fazer ontem entre as 10 e as 11 da noite?
S: Nada de especial. Estive sempre na sala. Estava deitada no sofá a ver televisão.
I: A ver televisão? O que é que estava a dar?
S: Não me lembro. Não estava a prestar muita atenção porque também fiz um telefonema para uma amiga.
I: Deixe-me ver se estou a perceber bem. Está a dizer que falava ao telemóvel enquanto via televisão, certo?
S: Certo.
I: E não reparou em nada fora do comum? Não ouviu nada? As luzes estavam apagadas?
S: Estavam. Mas, já que pergunta isso, lembrei-me de uma coisa estranha.
I: O quê?
S: Quando estava a falar ao telemóvel, a luz no quarto da minha mãe, que fica ao fundo do corredor, acendeu-se. Achei estranho porque ela devia estar a dormir a essa hora.
I: Achou estranho mas, mesmo assim, não se levantou e não foi ver por que razão é que a luz estava acesa?
S: Não, não fui. Não achei que era importante. Estava a falar com a minha amiga. Senhora Inspetora! Eu sei quem matou a minha mãe!
I: Sabe? Quem?
S: Foi a Rosa! Ela é uma falsa! Uma mentirosa! A minha mãe está morta e ela deve estar a rir-se. Não acredite em nada do que ela diz! Ela só pensa no dinheiro da minha mãe!
I: A Rosa vai receber o dinheiro da D. Leonor?
S: Vai. Vai ficar com um terço. Outro terço vai para o Dr. Inocêncio. E outro para nós, para mim e para o Duarte. Só um terço para nós, que somos a única família que ela tem... Ai, desculpe! Que ela tinha! Ai, que horror! Estou tão aflita com tudo isto!

FAIXA A56
Unidade 16
Exercício I

1.
Inspetora: Duarte, o que é que estava a fazer entre as 10 e as 11 da noite de ontem?
Duarte: Estava no meu escritório, sentado à secretária.
Inspetora: Estava a trabalhar?
Duarte: Nem por isso. Estava a ler uns jornais na Internet.
Inspetora: Não reparou em nada fora do comum enquanto estava no escritório? Não ouviu nada?
Duarte: Não. Também não podia ouvir nada porque estava a ouvir música.
Inspetora: Sente-se bem, Duarte?
Duarte: Estou bem. Nada é nada. É apenas uma pequena constipação. Inspetora, eu sei quem matou a minha sogra!
Inspetora: Quem?
Duarte: Foi o Dr. Inocêncio! Ele é um falso! Um mentiroso! Não acredite em nada do que ele diz! Ele só pensa no dinheiro da minha sogra!

2.
Inspetora: Dr. Inocêncio, o que é que estava a fazer entre as 10 e as 11 da noite de ontem?
Dr. Inocêncio: Estava a tomar um banho de imersão. Gosto de ler deitado na banheira.
Inspetora: Foi o senhor o último a ver a D. Leonor viva, não foi?
Dr. Inocêncio: Fui, sim. Às nove da noite, fui ao quarto dela e dei-lhe os medicamentos.
Inspetora: Não reparou em nada fora do comum?
Dr. Inocêncio: Não. Estava tudo em ordem. A D. Leonor estava muito bem-disposta.
Inspetora: Não era o senhor que normalmente dava os medicamentos à D. Leonor, pois não?
Dr. Inocêncio: Não. Eu apenas os comprava. Era a Rosa que levava os medicamentos ao quarto da D. Leonor. Mas, ontem, a Rosa não estava. Inspetora, eu sei quem matou a D. Leonor!
Inspetora: Quem?
Dr. Inocêncio: Foi o Duarte. Ele odiava-a! Quer todo o dinheiro dela!
Inspetora: Acha? Bem, vamos tentar descobrir isso. Dr. Inocêncio, tenho mais uma pergunta para si. Porque é que ontem comprou um bilhete de avião para o Brasil?
Dr. Inocêncio: Eu? Eu?
Inspetora: Sim. O bilhete foi comprado com o seu cartão de crédito e está em seu nome.
Dr. Inocêncio: Eu não comprei nada! Isso não é verdade! Não comprei nada!

3.
Inspetora: Rosa, o que é que estava a fazer entre as 10 e as 11 da noite de ontem?
Rosa: Estava no comboio. Vinha de Coimbra.
Inspetora: Porque é que foi a Coimbra?
Rosa: Foi algo muito estranho. À tarde recebi um telefonema de uma esquadra da polícia em Coimbra. Disseram-me que tinham os meus documentos e que eu tinha de ir buscá-los imediatamente. Os meus documentos tinham desaparecido dois dias antes. Não sabia se os tinha perdido ou se tinham sido roubados. Não percebi como foram parar a Coimbra, mas meti-me imediatamente no comboio e fui lá.
Inspetora: E o que é que aconteceu em Coimbra?
Rosa: A morada que me deram não existia! Não havia esquadra nenhuma. Ninguém sabia nada sobre os meus documentos! Cheguei a Sintra muito tarde, já passava da meia-noite.
Inspetora: Quando entrou no quarto da D. Leonor de manhã e a encontrou morta na cama, reparou em algo fora do comum no quarto? Tudo estava no seu lugar?
Rosa: Sim. Tudo parecia normal. A mobília. O gato...
Inspetora: O gato?
Rosa: Sim, o gato está sempre lá no quarto da D. Leonor porque o Sr. Duarte é alérgico.

FAIXA A57
Unidade 16
Exercício K

Narrador: Depois de falar com todos os habitantes da quinta, a Inspetora não tinha dúvida nenhuma de quem tinha sido o autor do crime. Chamou todos ao escritório e disse:

Inspetora: Bem, já sei quem matou a D. Leonor. A D. Leonor foi morta porque o assassino precisava do dinheiro dela. Para enganar a polícia e fazê-la pensar que foi o Dr. Inocêncio quem matou a D. Leonor para fugir com o dinheiro dela para o estrangeiro, o assassino usou o cartão do Dr. Inocêncio para comprar uma viagem para o Brasil. O assassino também tinha roubado os documentos da Rosa uns dias antes e depois telefonou-lhe a dizer que era polícia e mandou-a ir a Coimbra. O assassino quis a Rosa fora de casa na noite do crime. Porquê? Porque era importante a Rosa ter um álibi. O assassino amava a Rosa. Quis fugir com ela para o estrangeiro com o dinheiro que a Rosa ia receber depois da morte da D. Leonor. O assassino foi ao quarto da D. Leonor à noite e matou-a. Mas, esqueceu-se de uma coisa. Esqueceu-se de que era alérgico ao gato. Foi por causa disso que descobri quem era. Está tudo certo, Duarte? Duarte, você está preso. Prendam-no!
Rosa: Duarte, como é que pudeste fazer uma coisa destas? Que horror!
Duarte: Foi por amor, Rosa. Fiz tudo por amor por ti!

FAIXA A58
Unidade 16
Exercícios N e O

A 3 de abril, um homem de 59 anos foi detido pela PSP de Lisboa, à hora do almoço, a roubar azulejos de um prédio na Rua da Junqueira, em Belém. Os agentes foram chamados por uma cidadã alemã que estuda na Universidade de Lisboa e é moradora no prédio. Quando os agentes chegaram ao prédio, o ladrão estava no seu interior. Tinha uma caixa cheia de azulejos na mão. Foi imediatamente levado para a esquadra.
Muitos prédios em Portugal estão destruídos devido ao roubo de azulejos. Este crime é frequente sobretudo em Lisboa, onde os azulejos são procurados por estrangeiros que gostam de os levar para casa como lembrança. Os turistas não sabem que os azulejos que compram foram roubados de prédios da capital.

FAIXA A60
Português em Ação 4
Exercícios A e B

Raquel: Boa tarde. Queria alugar um carro por três dias.
Funcionário: Com certeza. A senhora fez a reserva?
Raquel: Não, não fiz. Isto é uma urgência. O meu carro avariou e é por isso que preciso de alugar um.
Funcionário: Que tipo de carro pretende?
Raquel: O mais pequeno e o mais barato possível.
Funcionário: Temos um Volkswagen Up com duas portas e ar condicionado. Custa 45 euros por três dias. É muito em conta em comparação com outros carros disponíveis de momento.
Raquel: Ótimo. Vou levar esse.
Funcionário: Muito bem. Dê-me o seu cartão de cidadão e a carta de condução, se faz favor. E também o cartão de crédito. Quantos condutores vai haver? Só um?
Raquel: Só um, sim. Como é que é com o seguro?
Funcionário: O seguro obrigatório está incluído no preço. Mas não cobre tudo. Pelo seguro contra todos os riscos cobramos mais 11 euros por dia. Vai querer?
Raquel: Acho que sim. Fico mais tranquila.
Funcionário: Muito bem. Assine aqui, se faz favor. Estes são os seus documentos. E esta é a chave do carro. Deve ser devolvido com o depósito cheio na quinta-feira, dia 15, até às duas da tarde. Boa viagem!
Raquel: Muito obrigada.

FAIXA A61
Revisão 13-16
Exercício I

Texto 1
Luís: Joana, sabes o que me aconteceu ontem?
Joana: O quê?
Luís: O mesmo que te aconteceu a ti há umas semanas.
Joana: Assaltaram-te o carro?
Luís: Sim.
Joana: Que chatice. Não me digas que foi também na Rua da Glória.
Luís: Foi, foi.
Joana: Que horror. Não se pode deixar o carro lá. Não tinhas nada lá dentro, pois não?
Luís: Tinha. Um saco com roupa que comprei. Esqueci-me dele e ficou no banco de trás à vista. Obviamente, levaram-no. Partiram o vidro todo.
Joana: Então, a culpa foi tua. Estou farta de te dizer para não fazeres isso, mas tu não ouves. Eu agora nem uma garrafa de água deixo à vista quando ponho o carro lá. Apresentaste queixa na polícia?
Luís: Para quê? Não vão encontrar o ladrão, pois não? É uma perda de tempo.
Joana: Não é nada. Eles têm de saber o que se passa nessa rua.

Texto 2
Gonçalo: Estou, Mafalda? Olha, tenho uma notícia para ti. O edifício abandonado ao lado do nosso prédio está em obras!
Mafalda: Está? Que bom! Finalmente!
Gonçalo: Pois. Estou mesmo em frente dele. Acabei de falar com o arquiteto. Vão fazer um hotel aqui.
Mafalda: Interessante. Então, vamos ter um hotel ao lado. Não é mau, pois não? O que é que achas?
Gonçalo: Acho que é bom. Mas as obras vão demorar um ano. Vai haver muito barulho e muito pó no ar.
Mafalda: Se calhar não vai ser assim tão mau. Além disso, vai haver barulho durante o dia quando eu estou no trabalho, por isso, esta parte não me preocupa muito. Tu, que estás no desemprego, vais sofrer mais. Que tipo de hotel será? Não sabes?
Gonçalo: Parece que vai ser um hotel de luxo. Quatro ou cinco estrelas.
Mafalda: Isso é muito bom. A rua vai ficar mais elegante e os preços das casas vão subir.
Gonçalo: Tu só pensas em dinheiro.
Mafalda: Alguém tem de pensar nesta família.

FAIXA B3
Unidade 18
Exercício C

Muitas vezes as estatísticas surpreendem-nos. Mas, desta vez, parece que isso não acontece. Assim, onde se bebe mais leite é na Finlândia, enquanto a Argentina é o país onde há maior consumo de carne de vaca. A Itália ocupa o primeiro lugar no consumo de massa. Podíamos pensar que o chá era a bebida mais consumida num país europeu. Mas não é verdade. É a Índia que fica à frente no consumo de chá. Já a Grécia ocupa o primeiro lugar no consumo de azeite. Mais uma vez, apesar de ser muito consumida em muitos países, é a República Checa que ganha no consumo de cerveja. Finalmente, como não podia deixar de ser, a Suíça vence no consumo de chocolate.

FAIXA B4
Unidade 18
Exercício M

Ontem, fui jantar com a minha namorada a um restaurante que toda a gente diz que é muito bom. Mas nós não gostámos nada. É verdade que o espaço é engraçado. Agora, com a comida a história é outra. Os empregados demoraram imenso tempo a servir. As sopas que trouxeram não estavam bem temperadas. A minha não sabia a nada e a da minha namorada estava muito salgada. As batatas que acompanhavam a carne estavam quase cruas. E a carne tinha um cheiro muito estranho. A única exceção foi a sobremesa. A *mousse* de chocolate estava uma delícia! No fim, houve um problema com a conta. Puseram na conta quatro cafés, em vez de dois. Ainda bem que reparámos nisso! Tenho a certeza absoluta de que nunca mais vou lá voltar.

FAIXA B5
Unidade 19
Exercício I

No horóscopo chinês, cada ano corresponde a um animal e a personalidade das pessoas é associada às características de cada animal. Assim, uma pessoa que nasceu em 1996 é do signo rato e pode ter as características deste animal. Vamos ver agora que características estão normalmente associadas a que animais. A serpente é sensual e inteligente e também é conhecida por poder ser falsa. Ao contrário do boi e do tigre, o macaco é esperto, sociável e muito criativo. O porco partilha a inteligência com a serpente. É também aberto e sincero. A cabra é sensível e prestável, gosta de ajudar. Outra característica é ser modesta. O boi, animal forte e grande, é calmo, responsável, forte e teimoso. O cavalo é elegante, ambicioso e bom trabalhador. O galo é organizado, convencido e vaidoso. Esta característica é comum ao dragão, que também é excêntrico e, às vezes, agressivo. Todos conhecemos as características do cão: é fiel, amigo do seu amigo e sociável. O tigre é elegante como o cavalo e também corajoso e independente. Já o coelho é sincero, meigo, fofo e, às vezes, também é tímido. Finalmente, o rato. Como a serpente e o porco, é inteligente. Também é rápido e desconfiado.

FAIXA B6
Unidade 19
Exercícios L e M

Entrevistador: Mónica, você é parecida com o seu animal de estimação?
Mónica: Claro que sim. No nosso caso, a semelhança é mais do que óbvia! Tanto eu como a minha Lili somos ruivas! As pessoas reparam logo nisso e acham muita piada. Como todas as ruivas, ambas somos bonitas, sensuais, espertas e muito modestas!

Entrevistador: Fátima, você é parecida com o seu animal de estimação?
Fátima: Sem dúvida. Tanto eu como o Sotor somos um bocado fortes. Mas não temos problemas com isso. Estamos bem como estamos. Os nossos feitios também são parecidos. Olhando para o Sotor, as pessoas pensam que ele é agressivo ou até perigoso. Mas não é. Ele é muito fofo, muito meigo e muito sensível. Tal como eu.

Entrevistador: Mário, você é parecido com o seu animal de estimação?
Mário: Bem, é verdade que há uma coisa que temos em comum. O Salvador é branco e preto. E eu tenho cabelo grisalho, portanto bastante parecido. Mas as semelhanças acabam aqui. Ele é muito desconfiado e gosta de estar sozinho. Eu, pelo contrário, sou aberto, sociável e gosto de companhia.

Entrevistador: Laura, você é parecida com o seu animal de estimação?
Laura: Muitas pessoas dizem que sim. A minha Anastácia não é uma qualquer. Tem muito estilo, é muito elegante, delicada e sabe manter a linha. Eu também sou assim. A nossa maneira de ser também é parecida. Sou uma pessoa reservada, não faço amigos facilmente. A Anastácia também é assim. Os que não gostam de nós dizem que somos umas convencidas! Mas nós não ligamos a isso. São uns invejosos!

FAIXA B7
Unidade 19
Exercício O

1. Tal como os nossos pais, vivemos em Lisboa.
2. Tanto eu como o meu marido adoramos animais.
3. Nunca comi tal coisa. O que é que é?

FAIXA B10
Unidade 20
Exercício C

1. A baleia não é peixe.
2. Em Portugal, não vivem aves que não voam.
3. A aranha não é um inseto.
4. O lobo vive em Portugal.
5. Os macacos vivem na Europa, em Gibraltar.
6. O tigre vive na Rússia, na Sibéria.
7. O tigre não vive em África.
8. A baleia é o maior animal do mundo.

FAIXA B11
Unidade 20
Exercícios L e M

A: Boa tarde, qual é o preço da entrada?
B: São oito euros. Com desconto, são cinco euros.
A: Tanto? Cada vez que venho aqui o preço está mais alto.
B: É porque temos cada vez mais animais e tudo está cada vez mais caro. E, infelizmente, há cada vez menos pessoas a visitar-nos.
A: Baixem os preços dos bilhetes e vão ver que vão ter mais visitantes. Bem, quem é que pode ter desconto?
B: Os jovens até aos 15 anos e os idosos a partir dos 65 anos.
A: Então, são cinco bilhetes normais e três com desconto jovem.
B: São oito pessoas? Então, será mais em conta comprarem o bilhete de grupo. Para grupos de seis a dez pessoas, o preço é fixo: 48 euros.
A: Pois é, fica a seis euros cada. Está bem. Então, dê-me um bilhete de grupo. E depois recebo o dinheiro de cada um deles.

FAIXA B12
Português em Ação 5
Exercícios A e B

Raquel: Boa tarde. Queria saber o que é preciso para fazer o passe.
Funcionário: É preciso entregar uma fotografia e preencher um formulário.
Raquel: É feito na hora ou vou ter de esperar?
Funcionário: Vai ter de esperar. A emissão do passe leva sete dias úteis.
Raquel: Ah, ok. E qual é o preço do passe só para o metro?
Funcionário: Não há um passe exclusivo para o metro. O passe que existe é válido para toda a rede de transportes. A emissão deste passe custa sete euros. Depois, para poder utilizá-lo, tem de o carregar mensalmente com 35 euros.
Raquel: Eu utilizo apenas o metro. Não preciso de um passe para todos os transportes. Mas se não há outra opção vou ter de fazer este. Que remédio!
Funcionário: Muito bem. Tem uma fotografia?
Raquel: Tenho, sim.
Funcionário: Preencha este formulário, se faz favor.
Raquel: Já está. Faça favor.
Funcionário: Obrigado. O seu passe estará pronto a partir do dia 8 de janeiro. Venha buscá-lo aqui. Leve consigo este talão e não o perca porque vai precisar dele para levantar o passe.
Raquel: Muito obrigada.

FAIXA B13
Revisão 17-20
Exercício I

Texto 1
Marco: Sara, como é que fazes a massa com tomate? A minha nunca fica tão boa como a tua. Voltei a fazê-la ontem, mas não ficou boa. Não tinha sabor.
Sara: Que tomate usaste?
Marco: Era tomate fresco que comprei no mercado.
Sara: Da próxima, põe tomate de lata. É muito melhor porque o tomate fresco não está suficientemente maduro. Podes acrescentar um ou dois tomates frescos também. E um pouco de sumo de tomate. O molho deve parecer uma sopa.

Marco: Não será demasiado tomate?
Sara: Não. O segredo é pôr muito de tudo. E não te esqueças de acrescentar um pouco de açúcar.
Marco: Está bem. Deixa-me escrever isto tudo. E cebola? Quando é que ponho cebola?
Sara: A cebola vem primeiro. Põe cebola picada na frigideira e frita-a em azeite. A seguir, acrescenta o tomate.
Marco: Está bem. E no fim, depois de o molho estar pronto, ponho-o nos pratos e misturo com a massa, não é?
Sara: Não. Quando a massa está quase cozida, junta-a ao molho. Mistura tudo bem e deixa cozer mais um ou dois minutos.

Texto 2

Anabela: Paulo, não queres um gatinho? A minha gata vai ter filhos em breve.
Paulo: Não. Eu não gosto de gatos. São muito falsos.
Anabela: Vê-se logo que nunca tiveste um gato. Não são nada falsos. São independentes.
Paulo: Não concordo. A minha irmã tinha um gato que lhe deram de presente. Nunca sabia o que ele ia fazer. Parecia muito meigo, mas quando não gostava de alguma coisa, ficava muito agressivo. Detestava-o.
Anabela: Se calhar ele sentia isso e também te detestava. Os gatos são muito espertos. Eles sabem se alguém gosta deles ou não.
Paulo: Se calhar tens razão. Mas, mesmo assim, não quero gato nenhum.
Anabela: Agora, sabendo que os detestas tanto, não te dava nem um gato nem nenhum outro animal.
Paulo: Mas eu gosto de animais, por exemplo de cães. Adoro-os porque são fiéis e inteligentes.

FAIXA B14
Unidade 21
Exercícios D e E

Hugo: Gostaria muito de ir ao Museu Berardo um dia destes. Vão abrir uma exposição nova. Chama-se *Caminhos*. Não queres ir comigo?
Vera: Claro que iria contigo. Mas já fui no sábado passado.
Hugo: Já foste? Impossível. Aquela exposição vai estrear na semana que vem.
Vera: Não, não. Estás muito enganado. Abriu na sexta-feira passada. Fui vê-la logo no dia da estreia.
Hugo: A sério? E como é? Vale a pena ir? Recomendas?
Vera: Recomendo. Tem umas pinturas novas de Paula Rego.
Hugo: Paula Rego? Não sei se gosto das pinturas dela. Os quadros dela são muito... agressivos.
Vera: Bem, eu não diria que são agressivos. São bastante fortes, isso sim, com certeza. É um tipo de arte que não nos deixa indiferentes. Deverias fazer um esforço e olhar para as pinturas dela com mais atenção. Todas elas contam uma história. Têm muitos pormenores que são necessários para compreender a obra e a artista. Concordo que essas histórias, às vezes, são bastante violentas. Mas a arte é isso mesmo. A arte não é só coisas bonitinhas que nos encantam. A arte também são coisas que nos incomodam, que nos fazem pensar, sentir várias emoções, boas e más... e é isso que os quadros dela fazem. Eu acho fascinante. Gosto mesmo do estilo.
Hugo: Sim, concordo contigo. Mas não quero ver coisas que me fariam medo ou dariam pesadelos.
Vera: Bem, não exageres. Não é o caso de Paula Rego, pois não? És assim tão sensível?
Hugo: Não, não. Estou a falar em geral. E além de Paula Rego, o que é que há mais nessa exposição?
Vera: Também há muitas obras de um pintor espanhol, mas não me lembro do nome. Mas são coisas que não me dizem nada.
Hugo: Devem ser daquelas bonitinhas, de que tu não gostas.
Vera: Estás a gozar comigo, não estás?
Hugo: Claro que estou. Até parece que não me conheces...

FAIXA B15
Unidade 21
Exercício I

1. Uma funcionária de limpeza do Museu Ostwall, em Dortmund, na Alemanha, reparou num balde de borracha com manchas de tinta colocado por baixo de uma torre de madeira. (...) Mal ela sabia que o balde fazia parte duma instalação chamada *Quando Começa a Cair Água do Teto*, do alemão Martin Kippenberger.
2. Às vezes, é difícil distinguir entre um acidente e arte. Foi o que aconteceu num dos museus em Londres, onde um dos visitantes tropeçou numa cadeira e caiu em cima de uma escultura de porcelana feita por uma artista mexicana. A escultura partiu-se em vários pedaços que se espalharam pelo chão.
3. Na cidade espanhola de Borja, Cecilia Giménez, uma idosa sempre pronta para ajudar o padre na igreja local, resolveu renovar *Ecce Homo*, um retrato de Cristo pintado numa das paredes da igreja.
4. Em janeiro de 2006, Nick Flynn, um inglês de 42 anos, teve a infeliz ideia de visitar o Museu Fitzwillliam, em Cambridge. (...) Apesar de lamentar o acidente, o Sr. Flynn ficou proibido de entrar no Museu Fitzwilliam para sempre.

FAIXA B17
Unidade 21
Pronúncia Exercício A

a. 1. país — 2. pais
b. 1. carro — 2. caro
c. 1. avó — 2. avô
d. 1. óleo — 2. olho
e. 1. massa — 2. maçã
f. 1. cumprimentos — 2. comprimentos

FAIXA B17
Unidade 21
Pronúncia Exercício B

1. Os meus pais vivem fora do país.
2. A Paula manda-te cumprimentos.
3. O Jaguar é um carro muito caro.
4. A minha avó divorciou-se do meu avô.
5. Para fritar, usas óleo ou azeite?
6. Fiz maçã assada para sobremesa.

FAIXA B21
Unidade 23
Exercício C

1. Ele disse que aquele lugar era dele. Ela pediu desculpa e disse que ia tirar aquilo dali.
2. Ele perguntou se ela gostava de pipocas. Ela respondeu que sim e agradeceu.
3. Ele perguntou se ela era portuguesa. Ela respondeu que era polaca.
4. Ela disse que se chamava Anna e perguntou-lhe como ele se chamava. Ele respondeu que se chamava Ricardo.
5. Ele perguntou se podia convidá-la para um café. Ela aceitou e agradeceu.
6. Ele disse que adorava aquela atriz e que era muito bonita. Ela perguntou-lhe se era por causa daquela atriz que ele tinha querido ver aquele filme.
7. Ele disse que não tinha percebido e perguntou-lhe o que é que ela estava a dizer. Ela respondeu que estava a dizer que era melhor ele ir tomar um café com a atriz e não com ela.
8. Ela disse que pensava que ele era diferente e agradeceu as pipocas. Ele pediu-lhe para esperar.

FAIXA B22
Unidade 23
Exercício E

1. Onde compraste esse livro?
2. Gostava de mudar de casa.
3. O que é que a tua mãe está a fazer aqui?

4. Isto não me parece boa ideia.
5. Quando é que vais às compras?
6. O museu estará fechado no próximo domingo.
7. Querem beber alguma coisa?

FAIXA B26
Português em Ação 6
Exercícios A e B

Voz 1: Estou?
Raquel: Estou sim? É da Clínica dos Olivais?
Voz 1: Não. É engano. Telefonou para um número privado.
Raquel: Peço desculpa. Com licença.

Voz 2: Bem-vindo à Clínica dos Olivais. De momento, todas as nossas linhas estão ocupadas. Por favor, aguarde. A sua chamada será atendida logo que possível.
Funcionária: Boa tarde. Fala a Marta. Em que posso ser útil?
Raquel: Boa tarde. Era para marcar uma ecografia abdominal. De preferência, ao fim da tarde.
Funcionária: Pode ser no dia 9, às 18h00.
Raquel: Dia 9? E antes, não dá? É que no dia 7 tenho consulta com o Dr. Costa. Não tendo os resultados do exame, vou ter de desmarcar a consulta.
Funcionária: Há uma vaga no dia 4, mas é às 14h00.
Raquel: É uma sexta, não é? Pode ser às 14h00. Sexta é o meu dia de folga.
Funcionária: Diga-me o seu nome e o número de utente, se faz favor.
Raquel: Raquel Vaz. O número é o 4733906.
Funcionária: Obrigada. Já está marcado. No dia do exame, não coma nada além de um pequeno-almoço ligeiro.
Raquel: Está bem. Obrigada e boa tarde.

FAIXA B27
Revisão 21-24
Exercício I

Texto 1
Ana: Carlos, já leste algum livro do José Luís Peixoto?
Carlos: Sim, li *Dentro do Segredo*.
Ana: Era bom?
Carlos: Eu achei que sim porque gosto de literatura de viagem.
Ana: Então? Não é um romance?
Carlos: Não, não. É um livro em que o autor descreve a sua viagem à Coreia do Norte. Foi muito interessante ler sobre um país estranho que nunca vou ver com os meus próprios olhos. Estás a perguntar porquê?
Ana: Uma amiga minha estrangeira que está a aprender português pediu-me para lhe recomendar um romance do Peixoto, mas eu não li nada dele.
Carlos: Bem, ele é um bom escritor, sem dúvida nenhuma, por isso acho que podes recomendar qualquer um. Eu ando a pensar em ler mais coisas dele, mas o dia tem só 24 horas. Não chega para ler tudo o que eu desejava.
Ana: Está bem. Vou fazer como dizes. Só que não sei se o português dela é suficientemente bom para ler este tipo de literatura.

Texto 2
Paulo: Andreia, estás a ver aquela mulher?
Andreia: Qual?
Paulo: A da esquerda.
Andreia: Sim. A cara dela não me é estranha. Quem é?
Paulo: É aquela atriz das telenovelas. Sara Almeida.
Andreia: Ah, pois é. É ela mesmo.
Paulo: Ao vivo parece mais baixa do que na televisão.
Andreia: Sim. E mais feia.
Paulo: Pois. Ainda ontem estava a vê-la naquela telenovela das dez da noite, em que faz o papel da mulher que matou o marido porque tinha uma amante.
Andreia: Tu vês aquilo?
Paulo: Não, mas como a televisão estava ligada estava a olhar.
Andreia: E aquele homem que está com ela? Quem será? O filho?
Paulo: Não. É o novo namorado dela. Acho que ele é modelo.
Andreia: Como é que sabes?
Paulo: Escrevem sobre isso nas revistas.
Andreia: Tu lês essas revistas sobre celebridades?
Paulo: Não, não leio. Mas a fotografia dela está nas capas com o título "O novo grande amor de Sara Almeida".
Andreia: Grande, de facto, é. Novo, também. Uns 20 anos mais novo do que ela!

FAIXA B28
Unidade 25
Exercícios B e C

Paciente: Bom dia, Doutor.
Médico: Bom dia, como está? Sente-se, se faz favor. Então, o que é que o traz cá?
Paciente: Venho fazer um *check-up*.
Médico: Muito bem. Como ainda não tenho a sua ficha, vou fazer-lhe umas perguntas sobre o seu estado de saúde. Pode ser?
Paciente: Faça favor.
Médico: Quando é que fez um *check-up* pela última vez?
Paciente: Creio que foi há muitos anos. Não me lembro bem.
Médico: E quando é que mediu a tensão pela última vez? Lembra-se?
Paciente: Também não. Mas nunca tive problemas de tensão.
Médico: Ainda bem. Mas esses problemas podem surgir de um dia para o outro. É preciso controlar a tensão regularmente. E análises ao sangue? Lembra-se quando as fez pela última vez?
Paciente: Sim, sim. Faço análises uma vez por ano. Fi-las em abril.
Médico: Estava tudo bem?
Paciente: Estava, sim.
Médico: E quando é que fez um raio X pela última vez?
Paciente: Foi há uns dois meses. Fui tirar um dente e era preciso fazer um raio X.
Médico: É alérgico a algum medicamento?
Paciente: Tanto quanto sei, não.
Médico: Já alguma vez tomou vacinas contra doenças tropicais?
Paciente: Já. Há três anos viajei para Angola, por isso tinha de tomar a vacina contra a febre amarela.
Médico: Costuma tomar a vacina contra a gripe?
Paciente: Normalmente, sim. Mas este ano ainda não tomei. Ia tomar a vacina um dia destes, mas não sei se já não é tarde.
Médico: Pois. Já é tarde, sim. Estamos em dezembro. Deve tomá-la em outubro ou novembro. Agora não vale a pena porque não vai fazer nenhum efeito.
Paciente: Está bem.
Médico: Já alguma vez fraturou um osso?
Paciente: Já. Parti a perna a fazer esqui. Mas foi já há uns 10 anos, salvo erro.
Médico: Já alguma vez fez uma cirurgia?
Paciente: Não, nunca.

FAIXA B29
Unidade 25
Exercício F

Apesar de os sintomas da gripe e de uma simples constipação serem mais ou menos parecidos, há algumas diferenças que nos permitem facilmente distinguir estas duas doenças. Um dos sintomas mais típicos é a dor de cabeça. Contudo, na constipação raramente acontece. No caso de gripe, a dor de cabeça é muito frequente e pode ser forte. Outro sintoma comum são dores em todo o corpo. Essas dores são muito comuns nos pacientes que sofrem de gripe. Na constipação são raras. Não nos podemos esquecer da febre, que nos pacientes com gripe é comum e pode ser alta. No caso de constipações, a febre é pouco comum. Outro sintoma é o nariz entupido ou a pingar. É muito comum nas constipações. Às vezes, o nariz entupido pode causar dificuldades em respirar. No caso de gripe, este sintoma é pouco comum. A garganta inflamada é outro sintoma muito comum nas constipações e muito menos comum na gripe. Finalmente, a tosse. Acompanha tanto as constipações como a gripe. No caso das constipações, é seca. Nas gripes, a tosse é muito comum. Outra diferença é a duração destas doenças. A constipação passa mais rapidamente.

Dura uma semana. Às vezes, menos. A gripe pode durar desde uma até duas semanas. Quem já apanhou uma constipação ou uma gripe deve tomar medicamentos que aliviam os sintomas. O mais importante é baixar a febre. E mais uma coisa: não se esqueçam que nem a constipação nem a gripe se tratam com antibióticos!

FAIXA B32
Unidade 26
Exercícios G e H

Um minuto antes do fim do jogo, Costa atirou a bola na direção da baliza. Quem diria que, em vez de marcar golo, a bola ia bater em Fernandes? Fernandes, surpreendido, nem se mexeu. A bola voltou para Costa que, desta vez, não falhou, atirando-a para dentro da baliza. Estava feito o empate. Fernandes, furioso com o que tinha acabado de acontecer, deu um forte pontapé na baliza. A seguir, aconteceram coisas estranhas. Um dos adeptos entrou, de repente, em campo, agarrou na bola, pô-la debaixo do braço e começou a correr. Um dos seguranças pôs-se a correr atrás do adepto até conseguir empurrá-lo para fora do campo e recuperar a bola.

FAIXA B34
Unidade 27
Exercício C

1. A moeda usada no Brasil chama-se real.
2. As Cataratas do Iguaçu ficam na fronteira entre o Brasil e a Argentina.
3. O Rio de Janeiro é famoso pela estátua do Cristo Redentor.
4. Quase um terço do café no mundo é produzido no Brasil.
5. O Rio de Janeiro organizou os Jogos Olímpicos em 2016.
6. Durante alguns anos, o Rio de Janeiro foi a capital de Portugal.
7. O prato nacional do Brasil chama-se feijoada.
8. O único Museu de Língua Portuguesa é em São Paulo.

FAIXA B35
Unidade 27
Pronúncia Exercício B

a. 1. só	2. sou
b. 1. hão	2. ao
c. 1. veem	2. vêm
d. 1. lha	2. lia
e. 1. fiz	2. fixe
f. 1. céu	2. seu
g. 1. saia	2. saía

FAIXA B39
Português em Ação 7
Exercícios B e C

Raquel: Bom dia, estou a pensar inscrever-me neste ginásio. Pode informar-me sobre as condições e os preços?
Funcionário: Muito bom dia. Para se inscrever, a senhora precisa de se tornar sócia pagando a inscrição, que é 50 euros. Depois, é só escolher o programa e as atividades que pretende fazer. Neste folheto tem todas as informações em relação aos preços.
Raquel: Obrigada. Estou interessada principalmente em manter-me em boa forma. Tinha pensado fazer *cardiofitness* duas ou três vezes por semana. E talvez queira também participar em aulas de grupo de vez em quando.
Funcionário: Pode ter acesso a tudo isso com a mensalidade de 35 euros.
Raquel: O treinador pessoal também está incluído neste preço?
Funcionário: Não. O treinador pessoal é pago à parte e custa bastante mais. Mas na sala de treino há sempre treinadores disponíveis para a ajudar em qualquer momento. Aliás, antes de começar os treinos, um dos nossos treinadores vai fazer a sua avaliação física e elaborar o programa de treino mais adequado às suas condições e necessidades.
Raquel: Parece-me bem. Antes de tomar a decisão, gostava de ver as instalações. É possível?
Funcionário: Claro que sim. Acompanhe-me, por favor. Vou mostrar-lhe a localização dos balneários e as salas de treino.

FAIXA B40
Revisão 25-28
Exercício I

Texto 1
Sara: Diogo, não queres correr comigo a meia maratona de Lisboa este ano?
Diogo: Não, não quero. Acho que não seria capaz.
Sara: Porquê? Não tens de correr toda a distância.
Diogo: Como assim?
Sara: O que conta é a participação. Corres só um bocado e o resto fazes a andar. Muitas pessoas fazem assim. Eu também não vou conseguir correr todo o tempo.
Diogo: Bem, como sabes, eu sou ambicioso. Quando faço alguma coisa, prefiro fazer a sério e não a brincar. É uma corrida e não um passeio.
Sara: Então é por isso que nunca fizeste isto. Nem sabes o que perdes. A meia maratona é uma oportunidade única para atravessar a Ponte 25 de Abril a pé. Bem, não queres, não queres. Vou sozinha. Mas teria mais piada fazer isto com outra pessoa.
Diogo: Talvez o Nuno queira. Liga para ele.
Sara: Não vale a pena. Ele não está em Lisboa nessa altura.

Texto 2
André: Mário, o teu ginásio é caro? Quanto é que pagas por mês?
Mário: 35 euros.
André: Só? É menos do que o meu.
Mário: Estás a perguntar porquê, André? Queres ir para lá?
André: Talvez. O meu está cada vez pior. Os treinadores nunca estão disponíveis. As máquinas não estão a funcionar. Os balneários são um nojo.
Mário: Realmente, não soa nada bem. O meu não é nenhum luxo, mas, pelo menos, é limpo e os funcionários são muito simpáticos. O único problema é que em alguns horários tem muita gente e tens de esperar para ter acesso às máquinas.
André: As pessoas que vão ao teu ginásio trabalham ali perto?
Mário: Pelas conversas e línguas que oiço, acho que não. Há muitos brasileiros.
André: Onde é que fica exatamente?
Mário: Mesmo ao lado da tua casa, uma rua abaixo.
André: Ah sim? Não sabia. Vou lá um dia destes, então. Só para ver como é...

SOLUÇÕES DAS UNIDADES DE REVISÃO

UNIDADES 1-4

A.

2. b
3. c
4. b
5. a
6. a
7. c
8. c
9. c
10. c
11. b

B.

3. ~~as~~ a
4. Quero a mesma...
5. ~~como~~ tomo
6. ~~tiveste~~ tomaste
7. ~~sonho~~ sono
8. Não me arrependo...
9. ...-nos em breve.
10. ~~copos~~ um copo
11. ~~em ti~~ contigo / ~~contar~~ confiar

C.

2. ao
3. em
4. em
5. à
6. de
7. de
8. na
9. faz/fez

D.

2. sotaque
3. escovaste
4. orgulho
5. sonho
6. válido
7. falante
8. sentido
9. escala
10. arredores

E.

2. A minha cidade natal é Berlim.
3. Não temos nada em comum!
4. Como estão a correr/correm as tuas aulas?
5. Não se importa/Importa-se de me passar o sal?
6. Qual é o objetivo deste encontro?
7. Já estou farto deste barulho!
8. O nosso plano resultou.
9. Dou-me bem com os colegas.
10. Na cozinha portuguesa, gosto de tudo com/à exceção de açorda.

F.

2. difícil
3. percebo
4. Dá
5. comum
6. preciso

G.

2. piorar
3. passado
4. odiar, detestar
5. feio
6. bem-disposto

H.

2. peso
3. apoio
4. mudança
5. reside
6. calma

I.

1. c 2. c 3. c 4. a

J.

1. Estar com "cara de poucos amigos" significa estar maldisposto ou pouco falador.
2. Porque faz bem à nossa saúde.
3. Porque, para muitos deles, o telefone e o computador são os únicos meios de contacto com o mundo.

UNIDADES 5-8

A.

2. c
3. c
4. b
5. c
6. b
7. b
8. b
9. b
10. b
11. a

B.

3. ~~que~~ de
4. A partir de...
5. Apesar da chuva...
6. ~~a~~ de
7. ...toda a razão.
8. ~~pela~~ por
9. ...caso de veres...
10. ~~com~~ à
11. ~~a~~ de

C.

2. fazer
3. em
4. faz/tem
5. em
6. dar
7. a
8. por
9. dentro

D.

2. pública
3. folhas
4. construção
5. vale
6. seguir
7. fixo
8. disciplina
9. horas
10. feriados

E.

2. Antes de sair de casa, fecho as janelas.
3. Além do português, não falo língua nenhuma.
4. O Marco tem um bom salário.
5. Este livro parece-me bom.
6. Desisti do curso de inglês.
7. O Ricardo trabalhou o dia inteiro.
8. Quero voltar a encontrar-me contigo.
9. Em vez de ficar em casa, vou dar um passeio.
10. Lavar este prato não dá trabalho nenhum.
11. Amanhã, no caso de estar calor, vamos à praia.

F.

2. e 3. b 4. f 5. g 6. d 7. a

G.

2. tecla
3. passo
4. tese
5. roupeiro
6. tasca
7. recibo

H.

2. escolha
3. chatice
4. horário
5. aquecer
6. discussões

I.

1. a 2. b 3. c 4. c

J.

1. V 2. V 3. NC 4. V 5. V 6. F

UNIDADES 9-12

A.

2. c
3. b
4. c
5. a
6. b
7. c
8. c
9. c
10. b
11. a

B.

3. ~~ao~~ no
4. ~~com~~ de
5. ...fica a 30...
6. ~~levantado-me~~ me levantado
7. ~~de~~ a
8. ~~haver~~ ver
9. ~~a~~ em
10. ~~em~~ à

C.

2. em
3. em
4. de
5. com
6. entrar
7. em
8. ao
9. de
10. na

D.

2. obras
3. previsão
4. gorjeta
5. curiosa
6. sinal
7. média
8. oficina
9. sentido
10. sabe
11. resolver
12. encher

E.

2. Já não dá para tomar/tomarmos um café.
3. O Miguel chegou em cima da hora.
4. Hoje, não me dá jeito jantar fora.
5. Comprámos o bilhete com um mês de antecedência.
6. Este filme não tem piada./Não acho piada a este filme.
7. O dinheiro que tenho não chega para pagar a casa.
8. No início, pensava que a Cátia era uma chata, mas acabei por gostar dela.

F.

2. f 3. e 4. b 5. g 6. d 7. a

G.

2. toalha
3. curva
4. vaga
5. vizinha
6. horrível

H.

2. bolseiro
3. pronuncia
4. surpresa
5. desempregado
6. respeitar

I.

1. b 2. b 3. a 4. c

J.

1. Na época medieval.
2. Nos bairros da Mouraria e de Alfama.
3. A Catedral de Lisboa e a Mesquita Central.
4. Vai aprender sobre a influência do árabe na língua portuguesa.

UNIDADES 13-16

A.

2. c
3. b
4. b
5. c
6. b
7. b
8. b
9. c
10. c

B.

3. ~~isto~~ nisto
4. ...gastei um terço...
5. ~~a rir~~ rir
6. ~~a~~ o
7. ~~a paciência~~ paciência
8. ~~Sou~~ Estou
9. ~~na~~ a
10. ~~para fazer~~ fazer

C.

2. com
3. de
4. entre
5. em
6. com
7. ao
8. contra
9. da
10. de

D.

2. lentes
3. construída
4. pastilha
5. largura
6. higiénico
7. habitantes
8. opinião
9. medidas
10. poluição
11. assaltada, ladrões

E.

2. Este carro não presta.
3. Esta aldeia não é acessível de carro.
4. No interior deste prédio não há ninguém.
5. Vamos adiar a reunião.
6. Não concordo com o João.
7. Qual é a localização deste hotel?
8. Em comparação com Madrid, Lisboa é mais barata.

F.

2. parar
3. demolir/destruir
4. abertura
5. riqueza
6. tristeza
7. estar morto

G.

2. pneu
3. data
4. cumprimento
5. sofá
6. ruído

H.

2. visitantes
3. moradores
4. encerramento
5. mentiroso
6. maravilha

I.

1. b 2. a 3. b 4. b

J.

1. Entre 2001 e 2005.
2. 900
3. Tem uma sala de espetáculos com duas paredes feitas completamente de vidro.
4. Visitas guiadas.

UNIDADES 17-20

A.

2. a
3. c
4. b
5. c
6. b
7. a
8. a
9. c
10. c
11. c
12. b

B.

3. ~~de~~ a
4. ~~da~~ de
5. ...vez que te...
6. ~~qual~~ quem/...com o qual...
7. ~~tais~~ tal
8. ~~Tão~~ Tal
9. ~~acendidas~~ acesas
10. ~~por~~ para

C.

2. mais/menos
3. do
4. com
5. ao
6. com
7. a
8. pela
9. ao

D.

2. bombeiros
3. rodela
4. lume
5. baleia
6. cru
7. estragado
8. atropelado
9. voa
10. fundada
11. seca

E.

2. Este sumo já não está bom. É melhor deitá-lo fora.
3. De acordo com este jornal, os preços vão subir.
4. Este projeto foi criado há cerca de três anos.
5. Não há nenhuma semelhança entre ti e o teu irmão./Tu e o teu irmão não têm semelhanças.
6. A polícia não sabe o que causou o acidente.
7. Este bolo faz-se num instante.
8. Esta rua tornou-se barulhenta à noite porque há meio ano abriu aqui um bar.

F.

2. e 3. g 4. b 5. f 6. a 7. c

G.

2. leitão
3. lobo
4. couve
5. borrego
6. pata

H.

2. queda
3. nublado
4. desaparecido
5. gordura
6. desconfiada
7. passagem
8. idosos

I.

1. c 2. b 3. c 4. c

J.

1. 27.
2. Barcos de pesca e de passageiros.
3. Fazendo um passeio de barco.
4. Não têm medo e até parecem gostar quando os barcos se aproximam deles.

UNIDADES 21-24

A.

2. b
3. b
4. a
5. b
6. b
7. c
8. b
9. c
10. a
11. c
12. c

B.

3. ...filme se passa?
4. ~~é~~ está
5. ~~da~~ de
6. ~~de~~ para
7. ...passou a ouvir...
8. ~~o~~ pelo
9. ...logo que possível.

C.

2. em
3. de
4. por
5. de
6. no
7. sem
8. para
9. de

D.

2. reino
3. toneladas
4. resultado
5. legendas
6. gémeo
7. diário
8. pesadelo
9. episódio
10. folga
11. baseado
12. Lamento
13. incomodar

E.

2. Desconheço este ator.
3. Ao contrário de ti, não gosto de bacalhau.
4. A Fátima está grávida.
5. O que é que está em cartaz agora?
6. Mal posso esperar para te ver.
7. A Ana fartou-se de perguntar por ti.
8. Chegaste a falar com o Sr. Santos?
9. Tu não me ligas nenhuma!

F.

2. d
3. c
4. g
5. a
6. b
7. e

G.

2. ridículo
3. atacador
4. retrato
5. canal
6. capítulo

H.

2. estreia
3. valor
4. errou
5. surpreendente
6. desportivos
7. paixão

I.

1. c 2. c 3. c 4. c

J.

1. Saramago recebeu o Prémio Nobel da Literatura em 1998.
2. Foi mecânico, funcionário público, tradutor, jornalista e, obviamente, escritor.
3. O primeiro romance foi publicado quando Saramago tinha 25 anos, mas os grandes sucessos chegaram nos anos 80.
4. Para Lanzarote, em Espanha.
5. Fernando Meirelles, um realizador brasileiro, fez um filme baseado no romance *Ensaio sobre a Cegueira*.

UNIDADES 25-28

A.

2. b
3. b
4. c
5. b
6. a
7. b
8. b
9. b
10. b
11. b

B.

2. ~~nem~~ não
3. ~~Lá~~ Cá
4. ~~perdes~~ percas
5. ~~a~~ à
6. ~~na~~ à
7. ~~cá~~ lá
8. ~~que~~ quanto
9. ~~as~~ os
10. ~~na~~ da

C.

2. erro
3. para
4. a
5. por
6. de
7. para
8. outro
9. de
10. a

D.

2. esplanada
3. mediu
4. intoxicação
5. aliviar
6. empate
7. renda
8. sangue
9. medalha
10. marcou
11. torto

E.

2. Embora não tenha jeito para línguas, vou aprender italiano.
3. Não sou capaz de pendurar este quadro sozinho.
4. Não te metas em sarilhos!
5. A Ana teve alta na terça.
6. Duvido que aumentem o teu salário.
7. É obrigatório (as pessoas) pagar(em) impostos.
8. Devo 20 euros ao Miguel.

F.

2. baixa
3. pálido
4. viu
5. venceu
6. Basta
7. Surgiu
8. adeptos
9. disparates

G.

2. senhorio
3. encantar
4. inquilino
5. folheto
6. sumo

H.

2. tratamento
3. urgente
4. natação
5. mobilada
6. inscrição
7. gritos

I.

1. c 2. b 3. a 4. b

J.

1. Para o norte da Europa, Venezuela, África do Sul, Estados Unidos e Canadá.
2. São, sobretudo, das antigas colónias portuguesas em África, do Brasil, da China, da Índia, da Ucrânia, da Moldávia e da Roménia.

LISTA DE FAIXAS ÁUDIO

ÁUDIO A:

ÁUDIO B: